LES FAUTES DU PASSÉ

DU MÊME AUTEUR :

La Confidente, Jean-Claude Lattès, Paris, 1997.
Trahison conjugale, Jean-Claude Lattès, Paris, 1998.
Trois Vœux, Jean-Claude Lattès, Paris, 1999.
La Route de la côte, Jean-Claude Lattès, Paris, 2000.
Le Refuge du lac, Jean-Claude Lattès, Paris, 2001.
Le Vignoble, Jean-Claude Lattès, Paris, 2002.
La Fille d'à côté, Jean-Claude Lattès, Paris, 2003.

www.editions-jclattes.fr

Barbara Delinsky

LES FAUTES DU PASSÉ

Roman

Traduit de l'anglais (États-Unis)
par Martine Segas

JC Lattès
17, rue Jacob 75006 Paris

Titre de l'édition originale :
AN ACCIDENTAL WOMAN
publiée par Simon & Schuster

1.

L'aube pointait son nez quand Micah se réveilla – il le devina à cette couleur violine qui précède le lever du jour en février, quand la neige recouvre tout. De l'air froid se faufilait par la fenêtre entrouverte près du lit, mais le frisson glacé qui le parcourut ne venait pas de là.

Il tendit l'oreille. Aucun bruit en provenance de la chambre des filles. Elles dormiraient encore une bonne heure et, si elles se réveillaient, elles ne bougeraient pas tant qu'elles ne l'entendraient pas, lui ou Heather, aller et venir dans la cuisine.

Le malaise subsistait pourtant, ce sixième sens qui l'avait tiré du sommeil. Immobile, les yeux fixés sur la fenêtre entrouverte, il écoutait. Alors il entendit la voiture. Elle progressait lentement sur le chemin recouvert de neige gelée, avançant sans bruit vers la maison que Micah avait construite pour sa famille.

Sors du lit, lui intima une voix intérieure. Mais il resta figé, respirant à peine. Non, pas une voiture. Deux. Soudain, elles s'arrêtèrent et les moteurs se turent.

Fais quelque chose, cria la voix, plus impérieuse que jamais. Il pensa à la carabine rangée au-dessus de la porte d'entrée, hors de portée des filles. Mais il ne pouvait pas bouger – il *ne pouvait pas* bouger – sauf tourner la tête vers Heather qui continuait à dormir, inconsciente des événements.

Comme il contemplait ses longs cheveux sombres

entremêlés de fils d'argent, il entendit les portières s'ouvrir furtivement dehors – une, puis deux. Probablement d'autres encore, discrètement manipulées par des mains habituées aux opérations clandestines.

Un morceau d'épaule pâle brillait à travers les boucles des cheveux d'Heather. Il l'aurait caressé s'il n'avait craint de la réveiller, ce qu'il ne voulait pas. Parce qu'une fois réveillée, une fois qu'elle aurait entendu à son tour, leur vie changerait à jamais. Il ignorait comment il le savait, mais il le savait sans le moindre doute. Une partie de lui attendait, non, redoutait ce moment depuis quatre ans – et il ne s'agissait pas là de superstition. Rien à voir avec le fait qu'une femme l'avait déjà quitté. Heather ne ressemblait à personne. Elle était unique.

Les pas approchaient prudemment de la maison, à peine trahis par les craquements assourdis de la neige. Mais une vie passée dans les bois du New Hampshire avait bien entraîné les oreilles de Micah. La maison était encerclée. La carabine n'aurait pas fait le poids contre les cinq ou six personnes qu'il devinait dehors. D'ailleurs, les armes à feu n'étaient pas nécessaires. Ces personnes n'avaient pas d'intentions violentes et ce qui arrivait était inévitable.

Un léger coup frappé à la porte, qu'il n'aurait probablement pas entendu s'il avait été endormi, le tira de sa léthargie. Avec une légèreté surprenante vu sa taille et sa forte constitution, il se glissa hors du lit. Silencieusement, il enfila un jean et sortit de la chambre. En quelques secondes, il avait traversé la salle à manger et le hall d'entrée. Sans allumer, il ouvrit la porte. Pete Duffy, la main levée, s'apprêtait à refrapper.

Pete était le bras droit de William Jacobs, le chef de police de Lake Henry, et un ami de Micah, ce qui expliquait probablement sa présence. Les autorités tenaient à ce que tout se passe au mieux et comptaient sur Pete pour faciliter les choses. Mais l'expression du visage de son ami ne diminua en rien l'appréhension de Micah, dont les yeux se posèrent sur les trois personnes qui escortaient Pete – un homme et deux femmes qu'il ne connaissait pas. Tous les trois portaient des jeans et la même veste bleue au dos de laquelle, Micah le savait, se trouvaient des initiales bien connues.

— C'est au sujet d'Heather, chuchota Pete d'un air d'excuse.

D'un mouvement de tête, il indiqua le trio qui l'accompagnait.

— Ils ont un mandat.

Micah déglutit avec difficulté. Un mandat était une chose sérieuse.

— Pour quel motif ?

L'homme derrière Pete tendit les deux mains. L'une tenait un papier, l'autre sa carte.

— Jim Mooney, FBI, annonça-t-il. Nous avons un mandat d'arrêt à l'encontre d'Heather Malone pour délit de fuite.

Micah digéra les paroles de l'homme. Un délit de fuite était une accusation grave. Et pas si grave que ça en même temps. Il avait toujours su qu'Heather dissimulait son passé. Chaque fois qu'il avait tenté de deviner les raisons d'un tel mystère, l'éventualité de problèmes avec la justice lui avait traversé l'esprit – son pire scénario en fait. Il ne lui restait plus qu'à prier pour que les charges retenues contre elle soient mineures, même si une petite voix lui susurrait que le FBI ne se serait pas trouvé sous son porche à l'aube si cela avait été le cas.

— Fuite de quoi ? demanda-t-il.

— Meurtre.

Un petit cri lui échappa. Pourtant, bizarrement, il se sentit soulagé. Si le meurtre était bien la raison de ce débarquement de force, alors il y avait sans nul doute erreur sur la personne.

— C'est impossible, dit-il. Heather est incapable de tuer.

— Peut-être pas en tant qu'Heather Malone. Mais nous avons la preuve que son vrai nom est Lisa Matlock et qu'elle a tué un homme en Californie, il y a quinze ans.

— Heather n'est jamais allée en Californie.

— Lisa si. C'est là qu'elle a grandi. Elle en est partie, il y a quinze ans, après avoir volontairement renversé un homme avec sa voiture. Elle a ensuite disparu. Votre Heather est à Lake Henry depuis quatorze ans où elle a d'abord travaillé comme cuisinière, juste comme l'avait fait Lisa en Californie pendant les deux dernières années précédant sa disparition. Heather est le sosie de Lisa, jusqu'aux yeux gris et à la cicatrice au coin de sa bouche.

— Des millions de femmes ont les yeux gris, répliqua Micah. Et cette cicatrice provient d'un accident de voiture.

À peine avait-il prononcé ces mots qu'il en réalisa la portée. Mais l'agent reprenait déjà.

— Pas de celui-là. Elle est sortie indemne de cet accident, mais l'homme qu'elle a renversé est mort – un homme à qui elle avait tenté d'extorquer de l'argent quelques minutes plus tôt.

— *Extorquer!*

Micah ricana, plus convaincu que jamais qu'il s'agissait d'une erreur.

— Pas Heather. C'est une personne gentille, douce qui préférerait mourir plutôt que de faire du mal à quelqu'un.

Cette déclaration de foi ne parut pas impressionner l'agent.

— Si c'est vrai, la preuve en sera faite devant le tribunal. Mais, pour l'instant, elle doit nous accompagner. Ou vous allez la chercher ou nous entrons.

— Vous ne pouvez pas faire ça, protesta Micah en se redressant. C'est ma maison.

— Elle est encerclée. Alors, inutile qu'elle tente de s'échapper par l'arrière.

Pete fronça les sourcils en direction de l'agent.

— Je vous l'ai dit, Mooney. Il n'y aura pas de problème. La loi est de leur côté, ajouta-t-il en se tournant vers Micah. Nous n'avons pas le choix.

— La couleur des yeux et une cicatrice. Tu parles de preuves, protesta encore Micah.

— Nous avons des empreintes, renchérit l'agent.

Micah observa l'homme.

— Des empreintes digitales?

— Son écriture.

— Ça ne prouve rien, affirma Micah qui lisait assez pour connaître un peu la loi.

— Je dirais que vous êtes partial.

— J'en dirais foutrement autant à votre égard.

Pete s'interposa entre les deux hommes.

— Ils ont un mandat, Micah, expliqua-t-il lentement et posément. Ça leur donne le droit de l'emmener. Inutile de les mettre en rogne.

Une petite lampe s'alluma derrière Micah. Heather se tenait là, une main tenant le col de sa robe de chambre, l'autre appuyée contre le mur. Quand elle vit les personnes sous le porche, ses yeux s'agrandirent. Micah se tourna pour l'observer. Ses yeux gris brillaient dans la pénombre. Ils avaient toujours eu le pouvoir de l'émouvoir, comme maintenant alors qu'ils lui adressaient une supplique muette.

Il leva la main pour arrêter les deux femmes qui s'apprêtaient à entrer et s'approcha lui-même d'Heather. Glissant les mains dans ses cheveux, il releva sa tête et fouilla son regard à la recherche d'une trace de culpabilité. Mais il n'y découvrit que de la peur.

— Ils disent que tu es quelqu'un d'autre, murmura-t-il. Ils se trompent, mais tu dois les accompagner.

— Où ? demanda-t-elle dans un souffle.

Ce n'était pas la première question que Micah aurait posée s'il avait été à sa place. Il aurait voulu savoir pour qui ils le prenaient et pourquoi il devait les suivre. C'est ce qu'aurait également voulu savoir Heather si elle avait ignoré la raison de leur présence.

Mais elle avait toujours eu un côté pratique, bien plus que lui.

— Je l'ignore, répondit-il. Peut-être au bureau de Willie Jake.

Il tourna la tête vers Pete.

— Ils veulent juste lui poser des questions ?

Avant que Pete ait pu répliquer, les deux agents féminins s'approchèrent.

— Nous devons l'emmener, dit l'une d'elles. Si vous voulez vous habiller, nous allons venir avec vous.

Les yeux d'Heather passèrent d'une femme à l'autre, puis s'arrêtèrent sur Micah. Elle posa une main sur sa poitrine et l'enfouit dans la toison sur son torse comme elle le faisait dans les moments de passion, s'accrochant, se cramponnant, cherchant une protection contre la terreur qui l'envahissait.

— Elle va s'habiller. Je l'accompagne, intervint Micah.

Mais une des femmes avait déjà attrapé le bras d'Heather et lui récitait ses droits, comme Micah l'avait entendu faire des dizaines de fois dans les feuilletons à la télévision.

Le moment aurait paru terrifiant même sans les yeux d'Heather fixés sur lui. Impuissant, Micah regarda Pete.

— Quelqu'un va devoir payer pour ça, gronda-t-il. C'est une erreur.

— Je le leur ai dit. Et Willie Jake aussi. Il a passé une partie de la nuit à essayer de les en convaincre. Cependant ils ont un mandat, Micah. La loi est de leur côté et nous ne pouvons rien faire.

Micah se tourna pour parler à Heather, mais elle avait disparu, entraînée vers la chambre par les deux femmes. Quand il fit mine de les rejoindre, Mooney intervint.

— Vous devez rester ici. Elle est en état d'arrestation.

— Papa ? appela une petite voix.

— Oh, mon Dieu, murmura Micah, affolé.

C'était Melissa, sa fille aînée, âgée de sept ans.

— Retourne au lit, Missy, dit-il d'une voix aussi normale que possible compte tenu de sa panique grandissante.

Mais Missy, de loin la plus curieuse de ses deux filles, s'approcha de lui dans sa chemise de nuit rose.

Ses cheveux noirs bouclaient autour de son visage. Elle glissa sa main dans la sienne.

— Pourquoi Pete est là ? demanda-t-elle. Et qui c'est, lui ? ajouta-t-elle en indiquant Mooney.

Micah lança un regard affolé à Pete.

— Euh... Il travaille avec Pete. Ils doivent poser des questions à Heather.

— Quelles questions ?

— Juste... des choses.

— Maintenant ?

— Dans un petit moment.

— Quand le soleil se lèvera ?

Elle pouvait comprendre ça. C'était ce que Micah et Heather leur avaient enseigné quand elles étaient enfants et qu'elles les réveillaient à des heures indécentes.

— Oui.

Le regard de Missy se fit malicieux.

— Je parie qu'elle dort encore. Je peux aller la chatouiller ?

— Non. Elle est déjà levée. Elle s'habille et je veux que tu retournes au lit. Ne réveille pas ta sœur.

— Elle est déjà réveillée, mais elle a peur de venir.

Micah savait que ce n'était pas aussi simple que ça avec Star. Il avait depuis longtemps compris que sa petite fille de cinq ans possédait une étrange perspicacité pour son âge. Elle devait savoir que quelque chose n'allait pas et sa peur était justifiée.

— Alors va jouer avec elle. Elle se sentira mieux.

Missy lâcha la main de son père et recula. Elle s'appuya contre le mur, une expression de défi sur le visage.

— Missy, dit Micah d'une voix menaçante, mais avant qu'elle ait eu le temps de protester, Heather parut, flanquée des deux femmes.

Elle avait enfilé un jean et un gros pull qui la faisait paraître encore plus menue et vulnérable. Elle s'arrêta net en apercevant Missy et son regard croisa celui de Micah avant de se poser à nouveau sur l'enfant.

— C'est qui, elles ? demanda Missy en indiquant les deux agents.

— Des amies de Pete, répondit Micah. Retourne dans ta chambre avec Star, Missy. Obéis.

Missy resta collée au mur. Heather s'accroupit auprès d'elle.

— Papa a raison, chérie. Va retrouver Star. Elle a besoin de toi.

L'inquiétude ayant remplacé le défi, Missy passa un bras autour des épaules d'Heather.

— Où tu vas ?

— En ville.

— Quand est-ce que tu reviens ?

— Un peu plus tard.

— C'est sûr ?

— Oui.

— Tu promets ?

Suspendu lui aussi aux lèvres d'Heather, Micah retint son souffle. Il la vit déglutir avant d'enchaîner d'une voix douce.

— Je ferai de mon mieux pour être de retour quand tu reviendras de l'école.

— Tu promets ? insista Missy.

— Oui.

Heather se redressa et déposa un baiser sur le front de la fillette. Une expression angoissée recouvrit son visage. Micah eut l'impression qu'elle prolongeait le baiser plus longtemps que nécessaire. Quand elle s'avança vers lui, des larmes brillaient dans ses yeux.

— Appelle Cassie, murmura-t-elle quand elle fut près de lui.

Cassie Byrnes, une des plus proches amies d'Heather, était avocate.

Micah s'empara de ses mains et s'aperçut alors que les manches du pull dissimulaient des menottes aussi froides que sa peau. Furieux, il se tourna vers Pete qui haussa les sourcils en signe d'avertissement avec un regard en direction de Missy.

— Appelle Cassie, répéta Heather.

C'était sans aucun doute la meilleure chose à dire – en tout cas, la plus pratique – mais pas ce que Micah aurait aimé entendre dans sa bouche.

Il voulait qu'elle affirme ne pas comprendre, qu'elle lui assure qu'il s'agissait d'une erreur, qu'elle crie son innocence, qu'elle déclare n'avoir jamais entendu de sa vie le nom de Lisa Matlock – ce qui était peut-être le cas, se rassura-t-il. Parce que Heather était une femme raisonnable et que, compte tenu des circonstances, la meilleure chose à faire était de coopérer.

Mais les menottes le choquaient. Une petite femme

comme Heather ne pouvait rien contre les trois agents, sans parler des autres autour de la maison, même avec les mains libres. Non pas d'ailleurs qu'Heather ait l'intention de se battre. Depuis quatre ans qu'ils vivaient ensemble, elle n'avait jamais manifesté la moindre velléité de colère ou de rébellion envers quiconque ou quoi que ce soit.

Quand les deux femmes l'entraînèrent vers la porte, Micah leur emboîta le pas.

— Où l'emmenez-vous ? voulut-il savoir.

— À Concord. Elle passera devant le juge, ce matin. Elle va avoir besoin d'un avocat.

Passer devant le juge. Micah regarda Pete d'un air affolé.

— Est-elle accusée de meurtre ?

— Non. Pas d'accusation pour l'instant. Ils vont présenter leur mandat au juge et demander son extradition. Heather peut décider de renoncer à l'audience d'extradition et repartir avec eux ou choisir de se battre. Ils ne peuvent l'emmener, c'est-à-dire qu'ils ne peuvent l'accuser de meurtre ou autre, tant qu'ils n'ont pas de preuves sérieuses.

Micah aurait aimé connaître le pourquoi et le comment de tout ce dont Pete parlait, mais il avait des questions plus urgentes et Mooney s'éloignait. Il s'élança à sa poursuite, pieds nus sur les marches en bois gelées du porche, puis sur le chemin, indifférent à l'air glacial sur sa poitrine nue.

— Je vous accompagne, annonça-t-il.

Une affirmation ridicule compte tenu du fait qu'il ne pouvait laisser les filles seules ni les emmener avec lui. Mais il parlait sous le coup de l'émotion, non de la logique.

Mooney l'ignora.

— Ça ne sert à rien pour le moment, avisa sagement Pete.

Micah vit Heather monter à l'arrière d'un des véhicules. Au même moment, deux autres hommes sortirent du bois et se glissèrent dans la fourgonnette.

— Je veux aller avec elle, protesta Micah en se précipitant vers la voiture.

— Ils t'en empêcheront, affirma Pete en le rejoignant.

Tu iras tout à l'heure avec Cassie. Laisse-les partir sans faire d'histoire pour l'instant. Qu'ils disparaissent avant qu'il fasse jour. Ce sera plus discret.

Micah, qui avait perdu le contact avec la réalité, leva les yeux. Le ciel commençait à s'éclaircir et il reconnut que Pete avait raison. Mais quand ce dernier tira sur son bras, Micah se dégagea d'un mouvement brusque. Il s'approcha de la portière arrière de la fourgonnette et ses yeux se posèrent sur Heather. À cet instant, Mooney mit le contact et Micah se tint là immobile jusqu'à ce que la fourgonnette ait disparu après le virage.

Elle était partie.

Un grand froid intérieur l'envahit en même temps qu'il prenait conscience du froid extérieur. Faisant demi-tour, il se dirigea vers la maison devant laquelle ne demeurait que la voiture de fonction de Pete.

— Un sacré ami que tu fais, lâcha-t-il en dépassant le shérif adjoint.

— Eh, Micah, qu'est-ce que je pouvais faire ? Ils avaient un mandat d'arrêt.

— Tu aurais pu leur dire qu'ils se trompaient, que tout ça n'était qu'une terrible méprise.

— On l'a dit. Mais, bon sang, il s'agit du FBI, d'une affaire fédérale. Qu'est-ce que tu voulais qu'on fasse ?

— Il fallait nous appeler. Nous prévenir.

— Pour prendre la fuite comme des criminels ? En quoi cela t'aurait-il aidé ? Il n'y avait rien à faire, Micah.

Stimulé par la colère, ce dernier gravit les marches d'un bond.

— Considère les choses différemment ! cria encore Pete. Ils doivent prouver qu'elle est bien Lisa Matlock et personne ici ne corroborera une telle accusation. Aucune chance. Ils seront donc obligés de trouver d'autres témoins. Ce qui risque de prendre du temps, tu ne crois pas ?

Mais pour Micah, une séparation, si courte fût-elle, restait intolérable. Il avait besoin d'Heather près de lui. Son univers tout entier dépendait d'elle aujourd'hui – de sa douceur, de son assurance et même de son caractère pratique. Débrouillard, il se concentrait parfois tellement sur les petits détails qu'il en perdait de vue le tableau d'ensemble. Pas Heather. Devenue son bras droit, son phare, mais également son associée, elle avait pris une place grandissante dans sa vie et il ne pouvait plus se passer d'elle. Et la saison du sirop d'érable qui n'allait pas tarder à commencer...

Mais se lamenter ne ferait pas avancer les choses et il devait absolument se ressaisir. Ce qui signifiait appeler Cassie.

Pénétrant dans la maison, il referma la porte au nez de Pete et oublia aussitôt Cassie. Missy se tenait au milieu du salon, l'air perdu, et bien que Star ne fût pas en vue, Micah la devina tout près. Il regarda autour de lui et la découvrit finalement assise sur la plus basse des étagères couvertes de livres, près de la porte, à côté d'une pile de *National Geographic*. Elle paraissait si fragile dans sa chemise de nuit verte, ses petits bras autour de ses genoux et ses longs cheveux noirs, raides recouvrant ses épaules comme un châle. Dans ses yeux qui suivaient ses moindres gestes, une grande tristesse et une sagesse d'adulte.

Le cœur de Micah se serra. Ce n'était pas qu'il préférait sa fille cadette – il aimait autant ses deux enfants – mais il s'inquiétait plus pour elle. C'était une enfant beaucoup plus grave que Missy, plus introvertie. Missy exprimait ce qu'elle pensait, Star gardait ses sentiments pour elle. Elle était encore bébé quand sa mère était partie – « partie » était le mot qu'il utilisait pour « sortir de la route, dévaler un ravin et brûler dans sa voiture ». Il savait que Star ne pouvait se rappeler Marcy, mais il restait convaincu qu'elle ressentait la perte. Heather était merveilleuse avec elle. Avec ses deux filles. Et elle venait à son tour de les quitter.

Il prit la fillette dans ses bras et elle s'accrocha à lui. Ne sachant par où commencer, il se contenta d'une explication sommaire.

— Tout va bien, mon bébé, dit-il en l'entraînant vers la chambre qu'elle partageait avec sa sœur.

Il la déposa sur son lit qui, comme celui de Missy, disparaissait sous un fatras de draps, de coussins et de couvertures – roses pour Missy et verts pour Star.

— Mais vous pouvez m'aider. Habillez-vous pendant que je téléphone. Ensuite, nous déjeunerons tous ensemble.

— On n'attendra pas maman ? demanda la fillette.

— Non. Elle prendra son petit déjeuner en ville.

— Qu'est-ce qu'elle mangera ?

— Des œufs ? Des gaufres ? Si nous mangeons la même chose, ce sera comme si on mangeait avec elle. Qu'est-ce que tu en penses ?

— Peut-être.

— Des flocons d'avoine, affirma Missy. C'est ce qu'elle préfère. Elle en prendra. Mais moi, je ne peux en manger que s'il y a plein de sirop d'érable dessus.

— Eh bien, ce n'est pas le sirop qui manque ici. Tu veux bien aider ta sœur à s'habiller ?

Abandonnant les deux fillettes, il se dirigea vers la cuisine, toute son angoisse brusquement réapparue. À mi-chemin, il bifurqua en direction de la pièce qu'il avait aménagée en nursery quand Heather était venue habiter avec eux, dans l'espoir qu'elle accueillerait bientôt leur bébé. Mais ils avaient, semblait-il, eu trop à faire pour concevoir un bébé. Sur le sol de la chambre reposait le village de maisons de poupée qu'il avait fabriqué pour Star et Missy et qu'il avait rentré aux premières neiges. Il dut enjamber la mairie et la bibliothèque pour accéder au placard. Là, il repoussa les vêtements pour dégager les étagères à l'arrière.

Le vieux sac à dos se trouvait sur l'étagère du haut, au fond, bien caché derrière les boîtes de décorations de Noël. Petit et vieux, il ne payait pas de mine et Micah ignorait s'il appartenait à Heather elle-même ou à quelqu'un d'autre, mais à sa connaissance, c'était le seul reliquat de sa vie antérieure – avant son arrivée à Lake Henry.

Il l'attrapa et déplaça les boîtes pour remplir l'espace. Glissant le sac sous son bras, sans même regarder ce qu'il contenait, il repartit en sens inverse jusqu'à la cuisine. Des vestes de toutes tailles pendaient au portemanteau et les chaussures s'alignaient par terre, le long du mur. Bottes et raquettes qu'ils utilisaient chaque jour pour crapahuter dans la neige sur la colline autour des érables afin de dégager le sol et de vérifier qu'il n'y avait pas de dégâts à réparer avant la récolte.

Le cadet de ses soucis pour l'instant. Glissant ses pieds dans les plus grandes bottes, il enfila sa veste et cacha le sac dessous. Pour détourner les soupçons, au cas où quelqu'un l'espionnerait dans les bois, il attrapa un paquet de tubes en plastique avant de sortir par-derrière et d'emprunter le chemin bien tracé recouvert de neige tassée. La cabane à sucre se trouvait un peu plus haut sur la colline – une longue construction en pierre avec une large coupole au sommet par laquelle s'échapperait la vapeur dégagée par la sève bouillonnant dans l'évaporateur.

Rien de tel pour l'instant. Aucune odeur sucrée n'embaumait l'air, aucune fébrilité ne régnait. La cabane à sucre et les bois alentour semblaient figés pour l'éternité dans le froid.

Plein d'appréhension, Micah entra et prit soin de bien refermer la porte derrière lui. Traversant la pièce, il longea les équipements en acier rutilant pour atteindre l'adjonction récente qui sentait encore bon les planches fraîchement coupées. La pièce avait été divisée en deux : une partie cuisine composée d'un grand fourneau, de placards, de quelques étagères et d'un plan de travail, et une partie administrative avec un bureau, l'ordinateur d'Heather et un caisson pour les dossiers. Micah déposa les tubes en plastique le long du mur, côté cuisine.

Regagnant ensuite la pièce principale, il se dirigea vers une haute pile de bûches, carburant qu'il utiliserait quand la récolte commencerait. Un autre tas gisait dehors, au-delà des doubles portes qui s'ouvraient pour le passage du wagon métallique permettant de transporter le bois sur des rails enfoncés dans le sol. S'approchant de la pile, il commença à retirer les bûches, trois à la fois, jusqu'à ce qu'il en trouve une avec une courbe appropriée. Il enfonça alors le vieux sac dans la cavité dégagée et remit les bûches en place. Puis, essuyant ses mains sur sa veste, il quitta la cabane.

De retour dans la cuisine, il appela Cassie Byrnes.

Cassie se levait rarement tard. Cinq heures de sommeil lui suffisaient, ce qui s'avérait un gros avantage. Sans ces quelques heures supplémentaires, elle n'aurait jamais pu venir à bout de tout son travail. Ajouté à cela le fait que son mari et leurs trois enfants étaient, eux, d'excellents dormeurs, elle pouvait régulièrement compter sur quelques heures tranquilles, tard le soir et tôt le matin.

Ce matin justement, elle se consacrait à ses activités municipales. Les élections annuelles venaient de se terminer et elle avait été réélue présidente du Comité de Lake Henry pour la cinquième année consécutive, ce qui aurait pu paraître étonnant vu son sexe et son âge – trente-six ans à peine – quand on savait que des hommes mûrs avaient traditionnellement occupé ce poste. Mais les temps changeaient et Cassie faisait montre d'une efficacité et d'un dynamisme appropriés ; elle partageait en outre le point de vue du Comité sur les questions de l'environnement, une de leurs principales préoccupations. Cela concernait souvent les plongeons qui arrivaient chaque année, en avril, pondaient leurs œufs et élevaient leurs petits jusqu'en novembre. Ils partaient ensuite passer l'hiver sous des latitudes plus clémentes où ils pouvaient pêcher dans des eaux non gelées, inconscients du fait que Cassie s'intéressait à leur sort tout autant qu'à celui des humains. Nombre de ces derniers en ville redoutaient la pollution du lac et souhaitaient un renforcement de la sécurité sous la forme de trois officiers de police supplémentaires, d'une voiture de patrouille et de l'équipement adéquat pour contrôler les eaux du lac. Malheureusement, cela coûtait de l'argent et Cassie tentait de déterminer combien exactement, de façon à pouvoir aborder la question au prochain conseil municipal, en mars, et demander l'augmentation des taxes foncières en conséquence.

Le téléphone sonna. Ses yeux se posèrent machinalement sur la pendule. Six heures trente du matin. Il ne s'agissait certainement pas d'un appel d'agrément.

— Allô ? Cassie à l'appareil.

— C'est Micah, répondit une voix tendue. Ils ont arrêté Heather. Nous avons besoin de ton aide.

Cassie en resta muette. Les mots « Heather » et « arrêté » ne lui paraissaient pas compatibles.

— De quoi parles-tu ? demanda-t-elle finalement. Qui l'a arrêtée ?

— Le FBI. Ils disent qu'elle possède une autre identité et qu'elle a tué quelqu'un avant de venir ici. Délit de fuite, meurtre et extorsion de fonds – ce sont les accusations qui pèsent sur elle. Ils lui ont mis des menottes, Cassie. Des *menottes*. Pete les accompagnait, affirmant que tout était parfaitement légal.

Cassie avait du mal à assimiler l'information. Heather Malone, sa meilleure amie – elles avaient d'ailleurs passé la soirée ensemble, la veille –, accusée de meurtre ! Si Cassie avait dû citer le nom d'une personne qui n'aurait jamais de problèmes avec la justice, le nom d'Heather serait sorti en tête. Mais la détresse de Micah semblait bien réelle et impliquait la police locale.

— C'est peut-être légal, mais cela ne signifie pas pour autant que les accusations sont fondées, assura-t-elle en attrapant sa serviette. Je connais Heather.

Elle se leva et éteignit la lampe sur son bureau.

— Où l'ont-ils emmenée ?

— Concord, je crois. Ils ont dit qu'il devait y avoir une audience ce matin.

— Pas sans moi pour la représenter, déclara Cassie, indignée. Je vais me renseigner et nous irons ensemble. Passe me prendre dans un quart d'heure.

— OK.

Quinze minutes ne donnaient guère de temps à Micah pour se retourner. Depuis qu'Heather vivait avec lui, la question de savoir qui s'occuperait des filles avant et après l'école ne se posait plus. Mais la situation avait changé et il lui fallait réagir et vite. Un seul nom lui vint à l'esprit, une personne qui avait toute sa confiance parmi ceux qu'Heather et lui considéraient comme des amis.

2.

Poppy Blake ne dormait pas. Étendue sur le côté, face à la baie vitrée, elle contemplait le lever du jour sur le lac – un spectacle à couper le souffle. Un manteau de neige immaculée recouvrait la glace épaisse de cinquante centimètres et scintillait sous les premiers rayons du soleil. De hauts sapins se dressaient, majestueux, sur les îles qui parsemaient le lac et la rive autour, étendant leurs feuillages pour les protéger comme une mère poule écarte les ailes pour abriter ses poussins. La lumière naissante enveloppait les érables, les hêtres et les bouleaux comme pour réchauffer leurs branches dénudées et illuminait le paysage.

Mais Poppy ne voyait rien de tout cela. Son esprit dérivait bien loin de là, dans un endroit de rêve où les erreurs du passé s'effaçaient pour permettre un nouveau départ. Dans ce paradis, elle ne dormait pas seule, sa maison comportait un étage et la pièce qui aurait dû servir de nursery ne renfermait pas tout un équipement destiné à faire travailler l'ensemble de son corps – le haut pour le renforcer, le bas pour éviter qu'il ne s'atrophie. Là-bas, aucun fauteuil roulant n'attendait près de son lit.

Les jambes de Poppy ne bougeaient plus depuis un accident de motoneige, douze ans plus tôt. Pendant ces douze années, elle avait appris tout ce qu'il y avait à savoir sur la vie d'un paraplégique – la plus importante leçon étant qu'il n'existait aucun moyen de rembobiner le film et de reprendre le scénario. L'acceptation de son sort était la condition préalable pour parvenir à se construire une vie satisfaisante.

Pourtant, elle ne pouvait s'empêcher de rêver de temps en temps. Ce matin, son rêve concernait un homme qu'elle n'avait fait que croiser. Un mètre quatre-vingts, roux avec des yeux bleus et une voix sexy de baryton qu'elle avait entendue plus souvent qu'elle n'avait vu son propriétaire. Il l'appelait régulièrement ou du moins il le faisait jusqu'à ce qu'elle l'ait rembarré une fois de trop. Mais c'était la seule solution. Son fauteuil roulant l'empêchait d'envisager une relation durable. Un fait qu'il avait dû finir par admettre puisqu'il n'avait pas rappelé depuis un mois.

Le téléphone près du lit sonna – sa ligne personnelle, indépendante du système complexe qui se trouvait dans l'autre pièce et que Poppy utilisait pour son travail. Elle gérait un service de répondeur téléphonique pour Lake Henry et les villes voisines et restait pratiquement toute la journée devant son standard, passant les appels, prenant les messages, discutant avec ses interlocuteurs, relayant les informations. Seuls sa famille et ses amis l'appelaient sur sa ligne personnelle, mais rarement aussi tôt, ce qui ne manqua pas de l'affoler.

Dans les quelques secondes nécessaires pour repousser les couvertures, se soulever et attraper le récepteur, des visions de sa mère malade ou blessée lui traversèrent l'esprit. Mais le numéro entrant n'émanait pas de Floride où Maida passait l'hiver. Il s'agissait d'un numéro local. Celui d'Heather.

— Allô ? dit-elle, mi-salut, mi-question, étonnée quand même que son amie l'appelle si tôt alors qu'elles s'étaient vues la veille.

— C'est Micah. Il y a un problème.

Poppy ne comprit rien de ce qu'il raconta ensuite jusqu'à ce qu'il parle des filles.

— J'ai besoin de quelqu'un pour les emmener à l'école. Tu peux t'en charger ? Je m'inquiète pour Star.

Poppy visualisa la petite fille avec ses longs cheveux noirs encadrant son visage pâle et ses grands yeux sombres.

Elle aimait les deux enfants de Micah, mais Star l'émouvait particulièrement.

— Bien sûr, répondit-elle. Mais qu'est-ce que c'est que cette histoire d'Heather s'appelant Lisa ? De quoi parles-tu ?

— Je ne raconte pas d'histoires. C'est le FBI qui l'affirme.

— Qu'elle a commis un meurtre ? Ça m'étonnerait. Nous sommes amies depuis qu'elle s'est installée en ville. Elle m'a aidée après mon accident et j'ai rarement rencontré quelqu'un d'aussi généreux, compréhensif, réconfortant ou dévoué. Heather serait incapable de tuer quelqu'un même si elle le voulait.

— C'est ce que j'ai assuré, mais je ne compte pas. Je serai chez toi dans cinq minutes. Ça ira ?

— Je t'attends.

Minimaliste dans l'âme, Poppy ne s'était jamais compliqué la vie avec des tenues élaborées ou du maquillage, même avant son accident. Les rebelles ne se pomponnaient pas – pas question de donner cette satisfaction à leurs mères. Dans le temps, défier ainsi Maida lui avait procuré un plaisir indéniable. Aujourd'hui, le pragmatisme plus que la rébellion motivait cette absence de coquetterie. Un passage rapide par la salle de bains, parfaitement aménagée pour l'accès d'un fauteuil roulant, et un débarbouillage sommaire furent tout ce qu'elle s'autorisa ce matin-là. Ce qui lui prit le plus de temps fut d'enfiler ses bottes en peau de mouton pour éviter que ses pieds ne gèlent sans qu'elle s'en aperçoive.

Sous le porche, emmitouflée dans une épaisse parka, elle regarda approcher la voiture de Micah. La route était étroite, mais pavée, le pavage représentant une des concessions de Poppy quand, après l'accident, ses parents lui avaient fait construire cette maison sur une partie de leur terrain. Elle avait insisté pour avoir un accès indépendant, ce qui avait nécessité le tracé d'un nouveau chemin à partir de la rue principale. Le pavage minimisait les risques en cas de mauvais temps. Et de fait, la neige fraîche tombée trois jours plus tôt ayant été repoussée sur les côtés, le pavage nu, dûment sablé, apparaissait par endroits. Pourtant, ce matin, même ces dalles étaient recouvertes d'une couche de glace.

La rampe d'accès au porche, à peine inclinée, était équipée de bobines de chauffage qui empêchaient la formation de glace et permettaient à Poppy de descendre sans crainte de glisser. Ce faisant, elle se retrouva près du pick-up quand il s'arrêta.

Micah sortit aussitôt. Grand et costaud, tête nue comme à son habitude – ses cheveux noirs et épais lui tenant probablement suffisamment chaud –, il avait enfilé un jean et des bottes de travail et sa veste en laine ouverte révélait une épaisse chemise. Il contourna la voiture et prit les deux fillettes dans ses bras. Chacune était vêtue d'une parka de couleur vive et portait un petit sac à dos.

— Leur déjeuner est dans le sac, annonça Micah. Heather prépare toujours les sandwichs la veille... Préparait...

Sa voix s'altéra et il afficha un air perdu, comme si ce qui lui avait toujours semblé innocent, digne d'éloges même, lui paraissait maintenant suspect. Comme si tous les gestes d'Heather jusqu'à ce jour avaient été prémédités dans une telle éventualité, ce dont Poppy doutait fort. D'un signe de tête, elle indiqua à Micah de se dépêcher.

— Vas-y maintenant. Va régler ce problème.

Dans le même temps, elle attrapa le sac de Missy qui passa derrière le fauteuil pour le pousser. Puis elle tendit un bras vers Star toujours dans les bras de son père, l'air malheureux. Poppy dut tapoter ses genoux avant que Star consente à venir sur elle.

— Je te remercie, dit Micah.

Pendant un instant, il fixa ses filles comme s'il commençait seulement à prendre conscience des conséquences des événements.

— Ne t'inquiète pas, le rassura Poppy.

Il contempla le trio encore quelques instants avant de faire demi-tour, de grimper dans le pick-up et de s'éloigner.

— Bon. Passage de témoin réussi, conclut Poppy.

— C'est quoi un témoin ? demanda Missy.

— Une espèce de bâton que les coureurs utilisent pendant les courses de relais. Un coureur court une certaine distance, puis passe le bâton à un autre coureur qui s'élance à son tour et ainsi de suite. Pousse-moi, Missy.

Poppy fit rouler la roue d'une main, tenant Star de l'autre.

— Vous avez déjà pris le petit déjeuner ? s'enquit-elle.

— On n'a pas eu le temps, répondit Missy.

— Papa a oublié, précisa Star.

— Papa a beaucoup de choses à penser, expliqua Poppy. Mais moi, je n'ai que vous et en plus vous adorez ma cuisine.

Elles franchirent la rampe, pénétrèrent dans la maison et se dirigèrent droit sur la cuisine où tout avait été abaissé à portée de main – les placards comme l'évier ou les étagères, le four ou le frigo. Pour Poppy, c'était indispensable et les fillettes considéraient l'endroit comme un terrain de jeux.

Poppy mourait d'envie d'en apprendre plus sur la situation totalement incompréhensible, mais impensable d'interroger les enfants. Prenant donc son mal en patience, elle agit aussi naturellement que possible et prépara des gaufres qu'elle recouvrit avec du sirop d'érable en provenance directe de l'érablière de Micah. Dans le même temps, elle discutait avec Missy de la prochaine fête des Jours de Glace. Star gardait le silence, restant tout près d'elle.

— Ça va ? demandait Poppy de temps en temps, n'obtenant qu'un signe de tête en retour.

Pas besoin d'être un génie pour se rendre compte que la fillette s'inquiétait pour Heather.

Tout ira bien, avait envie de dire Poppy. Elle sera bientôt de retour. Il ne s'agit que d'une erreur. Ton papa va s'occuper de tout.

Mais comment affirmer une telle chose alors qu'elle n'en savait rien ? Ce qui la contrariait beaucoup. Elle qui se flattait pourtant d'être le pouls de Lake Henry n'avait absolument pas vu venir ce coup-là. Qui aurait pu prévoir une chose pareille d'ailleurs ?

Plus elle y réfléchissait et plus son malaise grandissait

parce que ses pensées dépassaient maintenant le cadre de l'arrestation. Pour elle, l'innocence d'Heather ne faisait aucun doute. Mais son arrestation supposait nécessairement une dénonciation et Poppy en vint à se demander qui parmi les habitants de la ville aurait pu développer une telle rancune à l'égard de la jeune femme si facilement acceptée par la communauté. En vain. Tout le monde aimait Heather. Et, plus important encore, ils aimaient Micah qui, bien qu'un peu sauvage, n'en demeurait pas moins natif de la ville, un des leurs, ce qui suffisait amplement à protéger Heather qui partageait sa vie.

D'ailleurs, Poppy doutait que la trahison vienne de chez eux. Les autres possibilités ne manquaient pas, comme les journalistes par exemple. Trois mois plus tôt, Lake Henry avait été le théâtre d'événements impliquant sa propre sœur qui avait fait la une des journaux. La presse et les médias avaient envahi la ville et Poppy aurait parié qu'un des journalistes présents était responsable de ce soudain rebondissement.

Le petit déjeuner terminé, Poppy nettoya les visages et les mains des deux fillettes, les aida à enfiler leurs vestes et mit la sienne avant de les entraîner dehors et de les faire monter dans sa nouvelle voiture, une Blazer, que sa mère avait insisté pour lui payer avant l'arrivée de l'hiver. Elle était rouge coquelicot et parfaitement adaptée à ses besoins. Une fois qu'elles furent toutes les trois à l'intérieur, elle prit la direction de l'école où elle déposa les fillettes après les avoir embrassées.

À peine avaient-elles disparu à l'intérieur de l'établissement que Poppy s'emparait de son téléphone portable et appelait John Kipling. Bien qu'il soit né et ait grandi à Lake Henry, John avait passé la plus grande partie de sa vie d'adulte en exil. Comme il avait quitté la ville à quinze ans – et en avait dix de plus que Poppy –, elle ne l'avait jamais fréquenté alors. Mais depuis son retour, trois ans auparavant, ils étaient devenus amis et même parents quand, six semaines plus tôt, le jour du nouvel an, John avait épousé Lily, la sœur de Poppy.

Pour le moment, ce n'était ni l'ami, ni le beau-frère qu'elle contactait, mais le rédacteur du journal local.

Comme il n'était que huit heures trente, elle fit d'abord le numéro du cottage près du lac dont Lily avait hérité de leur grand-mère, Celia St Marie. La maison était plus petite que celle que John possédait un peu plus loin sur la rive, mais elle avait une histoire. Alors John avait déménagé et envisageait d'ajouter une aile à la construction familiale, une fois la saison du sirop d'érable terminée puisque Micah devait se charger du travail. John avait donc le plus grand intérêt à découvrir ce qui se tramait contre Heather.

Personne ne décrocha et Poppy en conclut que John devait être chez Charlie en train de prendre son petit déjeuner ou déjà au travail.

Elle passa devant chez Charlie dont le magasin d'alimentation adjacent au café offrait une vue très agréable avec les bardeaux rouges de son toit recouvert de neige et bordés d'une frise de glace. Des volutes de fumée sortaient de la grande cheminée en brique et une bonne odeur de bacon et de feu de bois envahit le Blazer.

Trois hommes discutaient devant la porte, la tête rentrée dans le col remonté de leurs vestes sombres, leurs souffles dégageant un petit nuage blanc à chaque expiration. Elle aperçut le Tahoe de John moins d'une minute plus tard, garé près de la poste, devant le grand bâtiment jaune de style victorien qui abritait les bureaux du journal local.

En toute autre saison, elle se serait arrêtée pour discuter avec John, mais en hiver toute descente du véhicule se révélait compliquée, avec les chemins glacés et mal dégagés. D'ailleurs, elle devait rentrer pour s'occuper de son standard. Continuant sa route, elle tapa le numéro du journal sur son portable.

— Kipling à l'appareil, répondit John d'un ton distrait qui indiquait qu'il devait probablement être en train de lire le *Wall Street Journal*, le *New York Times* ou le *Washington Post*.

— C'est Poppy. Tu sais ce qui se passe ?

— Salut, ma belle. Non. Qu'est-ce qui se passe ?

— Tu ne connais pas la nouvelle ?

— Euh... Nous avons dormi tard. Je viens juste d'arriver en fait.

Poppy ressentit une pincée de jalousie en imaginant pourquoi Lily et lui avaient dormi tard. Ce qui ne remonta pas son moral.

— Et tu n'as reçu aucun appel ? insista-t-elle un peu sèchement.

— Tu es mieux placée que moi pour le savoir.

— John.

— Non. Aucun appel pour le moment. Raconte-moi ce que j'ai manqué.

— Heather. Tu as raté Heather, annonça Poppy avant de donner libre cours à son indignation. Je me demande comment une chose pareille peut se produire dans une société libre comme la nôtre parce que Heather est bien la dernière personne que j'accuserais de quoi que ce soit et encore moins de fausse identité et de meurtre. Mais quelqu'un l'a fait. Alors, là au volant de ma voiture, je me pose des questions. Qui l'a dénoncée ? Aucun habitant de la ville n'irait déblatérer sur Heather parce que tout le monde l'aime. Et si quelqu'un ne l'aimait pas, elle, il aimerait Micah. Et dans l'éventualité où une personne ne les aimerait pas tous les deux, jamais elle ne les trahirait par peur des représailles de la part des autres. Alors j'en arrive à la conclusion que ce ne peut être qu'un des abrutis qui se trouvaient en ville, à l'automne, pendant toute cette pagaille qui a offert à Lily son petit quart d'heure de gloire. Et ces gars-là sont tes amis...

— Non, ils ne sont pas mes amis, coupa John. Mais reviens en arrière. Qu'est-il survenu à Heather ?

Un cerf traversa la route un peu plus loin devant la voiture et Poppy regarda sa queue blanche disparaître derrière les arbres après qu'il eut gracieusement sauté pardessus une ornière de neige.

— Elle a été arrêtée par le FBI. Je n'en sais pas plus. Micah a déposé les filles chez moi avant de passer prendre Cassie pour voler à son secours. J'ignore où...

— À Concord. Les fédéraux relèvent d'une cour fédérale et la plus proche se situe à Concord.

Poppy roulait maintenant à vive allure sur la route enneigée, mais bien dégagée.

— Une cour fédérale.

Elle répéta les mots.

— Heather devant une cour fédérale. Je ne peux pas croire une chose pareille.

— Parce que tu la présumes innocente.

— Évidemment. Pas toi ? Réfléchis à toutes les fois où tu l'as rencontrée. Ne t'a-t-elle jamais donné l'impression de dissimuler un sombre passé ?

— Non, mais si elle est une menteuse pathologique, elle n'a eu aucun problème à tromper son monde. Tu serais étonnée de voir combien les menteurs pathologiques peuvent se montrer convaincants.

— Heather est une personne honnête, protesta Poppy. Les gens lui font confiance. Demande à Charlie. Il sait repérer une bonne personne et il ne lui a pas fallu longtemps pour la sortir de la cuisine et lui laisser la direction du café. Il lui confie même l'établissement quand il part avec Annette et les enfants et pourtant, elle ne travaille plus pour lui ! Tu crois qu'il ferait ça si elle était malhonnête ?

Elle se serra sur la droite en voyant approcher la camionnette de Nathaniel Roy, le postier, qui faisait sa tournée. Septuagénaire à lunettes, Nat n'en conservait pas moins un esprit assez vif pour reconnaître la voiture de Poppy et lui faire des appels de phare s'il voulait lui parler. Le fait qu'il se contente d'un signe de la main en continuant son chemin lui apprit qu'il ne savait encore rien à propos d'Heather.

— Poppy, tu prêches un converti, répondit John. Je suis d'accord avec toi. Mais ce n'est pas comme si on l'avait toujours connue.

— On ne te connaît pas non plus, répliqua-t-elle. Ni Lily. Vous avez tous les deux vécu des années loin d'ici.

— Oui, mais nous sommes nés ici.

— Et tu condamnes Heather parce qu'elle ne l'est pas ?

— Poppy, Poppy, protesta John. Je ne la condamne

pas. Je me contente de faire la même remarque que les autres feront.

Poppy aurait aimé s'indigner, mais elle savait qu'il avait raison.

— D'accord. Passons. Tu peux donner quelques coups de fil ? Découvrir où elle est ? Essaie d'être discret. Je ne voudrais pas que l'histoire se répète. Lily a déjà été frappée de fausses accusations et résultat : la perte de son travail, un appartement abandonné à Boston et un vrai cirque médiatique.

— Par suite de quoi elle est tombée amoureuse de moi, ajouta John.

— Mais Heather aime déjà Micah. Et les filles. Elle n'a pas besoin d'une crise pour lui remettre les idées en place. Honnêtement, pourquoi quelqu'un voudrait-il lui faire du mal ? Je ne peux pas imaginer qu'elle ait un seul ennemi en ville. Et pendant que tu y es, j'aimerais savoir *qui* pense l'avoir reconnue. Pour défendre Lily et sauver sa réputation, tu as humilié quelques journalistes très puissants. Tu crois que l'un d'entre eux pourrait chercher à se venger ?

— Ils n'oseraient pas.

Poppy ne put retenir un petit rire.

— Tous les trois travaillent toujours.

— Oui, mais dans des emplois subalternes et je suis toujours là. Ils savent que je n'hésiterais pas à pointer le doigt sur eux s'ils s'avisaient d'accuser quelqu'un sans preuve.

— Et pourtant, quelqu'un l'a fait. Pendant que tu es à Concord, vois ce que tu peux apprendre. En tant que journaliste d'investigation, fouiner est une seconde nature chez toi.

— Oui, mais dans une situation pareille, il faut se méfier des retours de bâton. Si on pose trop de questions, les gens commencent à penser qu'il y a anguille sous roche. Pour l'instant, je vais me renseigner sur ce qui se passe à Concord et donner quelques coups de téléphone. Je te rappellerai quand j'en saurai un peu plus.

Poppy raccrocha. Quelques secondes plus tard, elle dépassait l'entrée de Blake Orchards, la fierté de sa mère.

Un manteau de neige surmontait le mur de pierre qui délimitait la propriété, ainsi que la pancarte qui portait le nom du domaine. Si elle avait franchi le portail et continué sur sept cents mètres, empruntant l'allée gravillonnée bordée de pommiers courtauds qui paraissaient encore plus petits sans leurs feuilles, elle aurait atteint la maison familiale et, un peu plus loin, la cidrerie – les deux fermées pour l'hiver.

Mais elle resta sur la route principale et s'engagea bientôt dans sa propre allée qu'elle suivit jusqu'à la rive du lac. À peine le moteur arrêté, elle manœuvra le mécanisme qui lui permettait de sortir son fauteuil du véhicule et pénétra chez elle. Là, elle s'installa devant son pupitre, impatiente d'entendre les nouvelles. Rien à espérer du côté de John pour l'instant, mais elle comptait sur un appel de Micah.

Affalé contre le mur, Micah dépassait encore presque tout le monde dans le couloir du palais de justice où déambulait une foule hétéroclite qui allait de la jeune fille enceinte au vieillard à cheveux blancs, du débraillé juvénile au tailleur classique, du pantalon en velours à la robe à motif floral. Les avocats se distinguaient du lot avec leurs costumes sombres qui, pour certains, avaient connu des jours meilleurs. Un seul point commun entre toutes ces personnes : leur air inquiet.

Une inquiétude que partageait Micah. Il n'avait rien à faire ici. Il aurait dû se trouver au milieu de son érablière avec Heather, à vérifier le réseau de tuyaux pour s'assurer de sa parfaite étanchéité – une tâche qu'il pouvait accomplir seul, mais il préférait la compagnie de Heather.

Cassie lui avait dit d'attendre là, alors il attendait, les mâchoires serrées, les poings enfoncés dans les poches de sa veste, un pied appuyé contre le mur. Une seule chose comptait : récupérer Heather et rentrer à la maison.

Après ce qui lui parut une éternité à patienter au milieu du brouhaha assourdi, Cassie le rejoignit. Il l'observa tandis qu'elle approchait et son pouls s'accéléra, une accélération qui n'avait rien à voir avec l'allure de la jeune femme – très belle pourtant avec ses longues jambes et ses cheveux blonds et bouclés, vêtue pour l'occasion d'un pantalon en laine, d'un chemisier en soie, d'une veste et d'un foulard. Il la respectait, mais seule son expérience juridique l'intéressait.

Il se redressa.

Cassie ne dit rien, se contentant de lui indiquer de la suivre d'un signe de tête. Au bout du couloir, elle frappa à une porte avant de tourner la poignée. La pièce était vide, à l'exception d'un vieux bureau et d'une paire de chaises en métal.

— Où est-elle ? demanda Micah, déçu.

— Apparemment, elle n'est pas encore arrivée, fit Cassie en posant sa serviette sur le bureau. Bon. En résumé, une audience va avoir lieu dans un petit moment. Il ne s'agit pas d'une mise en accusation à proprement parler, juste d'une audience devant un magistrat au cours de laquelle les fédéraux présenteront leur mandat concernant le délit de fuite. Heather n'aura rien à dire.

À cet instant, la porte s'ouvrit.

Heather se tenait sur le seuil en compagnie d'un garde qui lui fit signe d'avancer. L'estomac de Micah se contracta. Pâle comme une morte, Heather semblait terrifiée. Ses yeux d'argent se fixèrent sur lui pour n'en plus bouger, cherchant son soutien.

Il ne réagit pas immédiatement, méditant sur cette partie de la vie d'Heather qu'il ne connaissait pas, sur le sac à dos qu'il avait caché et sur ce que l'agent fédéral avait dit. « Nous avons la preuve que son vrai nom est Lisa Matlock et qu'elle a commis un meurtre, il y a quinze ans, en Californie. » Si Heather lui avait caché une telle chose, la peur qu'il lisait dans ses yeux se justifiait amplement.

Mais d'un autre côté, si elle était innocente de tout ce dont on l'accusait, elle pouvait à juste titre se sentir dépassée par les événements et au moins autant effrayée.

Micah se concentra sur ça. Il traversa la pièce et l'attira contre lui, la serrant très fort dans ses bras avec l'espoir de chasser la peur de son regard. Mais il la sentait trembler et en fut bouleversé. Son Heather avait toujours été calme et de caractère égal, courageuse et aussi sûre d'elle que pouvait l'être une nouvelle arrivante dans une petite ville comme Lake Henry.

C'est ainsi qu'il l'avait perçue la première fois qu'il l'avait vue. C'était l'automne. La saison du sirop d'érable terminée depuis longtemps, il travaillait comme charpentier et Charlie l'avait embauché pour installer au café une baie vitrée qui offrirait aux consommateurs une magnifique vue sur la forêt. Une tâche qui obligeait Micah à traverser la cuisine une douzaine de fois par jour. Heather travaillait là comme cuisinière. Ils n'avaient pas échangé dix mots – elle n'était pas bavarde et lui non plus – et il se souvenait d'elle, paisible, timide même, mais confiante. Elle accomplissait son travail avec une tranquille assurance, certainement pas comme une criminelle en fuite.

Le garde recula et referma la porte derrière lui, les laissant seuls avec Cassie.

Micah dit la première chose qui lui passa par l'esprit.

— As-tu pris ton petit déjeuner ?

Heather secoua la tête.

— Ils me l'ont proposé, mais je ne pouvais rien avaler.

Il la garda encore un moment, serrée contre lui, puis se pencha pour murmurer à son oreille.

— C'est quoi toute cette histoire ?

Elle haussa les épaules sans répondre.

— As-tu eu des problèmes avec quelqu'un en ville ?

Elle secoua la tête.

— Connais-tu cette femme ?

Heather se mit à pleurer. Micah ignorait si cela signifiait oui ou non, mais il jeta à Cassie un regard désespéré.

— Ils se trompent à son sujet. Qu'est-ce qu'on fait ?

Cassie se rapprocha et, sans un mot, posa la main sur l'épaule d'Heather – un geste de réconfort. Au bout de quelques secondes, elle exerça une petite pression pour obliger son amie à relever la tête.

— Je dois te poser cette question, dit-elle. Sinon, je ne ferais pas mon travail d'avocat. Es-tu Lisa Matlock ?

— Je suis Heather Malone.

— Là, ponctua Micah. Et maintenant, qu'est-ce qu'on fait ?

Cassie observait le visage d'Heather. Après ce qui parut à Micah une éternité – qui ne fit rien pour apaiser son angoisse – elle soupira et le regarda.

— Maintenant, on se bat, affirma-t-elle.

— Comment ?

— Nous allons assister à cette audience et contester les chefs d'accusation. Ce qui revient à dire qu'Heather est innocente des charges retenues contre elle et que nous acceptons l'audience d'extradition.

Heather émit un petit cri effrayé que Micah traduisit verbalement.

— Extradition ?

— Si nous y renoncions, elle serait immédiatement transférée en Californie pour répondre des charges alléguées.

— Ce qui reviendrait à admettre qu'elle est Lisa Matlock ?

— Non. Ce qui reviendrait à demander à la cour de prouver ses accusations.

— Puisqu'elle n'est pas Lisa Matlock, ces accusations ne tiennent pas.

— Oui, mais les autres en Californie pensent différemment.

— Eh bien, ils se trompent. Je veux qu'ils abandonnent les poursuites.

Cassie eut un petit sourire triste.

— Si c'était aussi simple, je n'aurais plus de travail. Les méandres de la justice criminelle empruntent des voies bien détournées.

— Innocent jusqu'à preuve de la culpabilité, lui rappela Micah.

Cassie hésita une seconde de trop.

— Pas toujours, dit-elle en secouant la tête.

En entendant ça, Micah comprit brusquement que les ennuis ne faisaient que commencer.

Pas beaucoup d'animation sur le standard de Poppy,

ce qui n'avait rien d'étonnant par une matinée hivernale à Lake Henry. Pendant les autres saisons, quand le temps était beau, les gens sortaient, allaient et venaient. Mais par des journées pluvieuses, froides ou neigeuses, ils restaient chez eux et répondaient à leurs appels. Ils lisaient le journal, coupaient du bois ou se préparaient à aller travailler, mais au rythme pépère d'une petite ville provinciale.

Elle alluma le feu dans la cheminée en pierre, prépara du café et contempla le lac, tout ça en se demandant où était Heather et ce qu'elle faisait. Poppy avait d'autres amies qu'elle connaissait depuis longtemps, mais Heather était sa préférée. Elle se sentait plus proche d'elle et cela, depuis leur première rencontre. Poppy était alors étudiante en seconde année à l'université et Heather, qui passait la semaine à travailler chez Charlie, adorait le grand air. Chaque week-end, elles partaient en petit groupe pour des randonnées en montagne et, bien que Poppy ait plus de choses en commun avec les étudiantes de son âge, c'est avec Heather qu'elle discutait le plus.

En y réfléchissant, Poppy prit conscience du fait que c'était surtout elle qui parlait. Heather écoutait et Poppy qui étouffait dans cette petite ville, couvée par sa famille, trouvait là une oreille attentive à son besoin de s'épancher. Puis il y avait eu l'accident et la présence constante d'Heather à ses côtés pour l'aider à surmonter le cauchemar du retour à la réalité. Elle savait toujours quoi dire ou faire sans qu'on le lui demande et n'avait jamais manifesté de pitié ou débité de banales paroles de consolation. Son attitude paisible avait procuré un grand soulagement à Poppy qui se posait maintenant des questions sur cette attitude justement. Sur le fait d'écouter plutôt que de parler. Ce naturel réservé cachait-il une autre raison ?

Une lumière se mit à clignoter sur son tableau de bord et la tira fort à propos de ses pensées.

Posant les écouteurs sur ses oreilles, elle pressa un bouton.

— Bibliothèque de Lake Henry, annonça-t-elle.

— Leila Higgins, s'il vous plaît, sollicita une voix inconnue.

— Désolée, la bibliothèque n'ouvre qu'à midi le mercredi. Qui est à l'appareil ?

— Mon nom est Aileen Miller du *Washington Post*. Je sais qu'Heather Malone travaillait à la bibliothèque et je voulais connaître l'opinion de Mme Higgins.

Consternée, mais pas démontée pour autant, Poppy riposta sans perdre son sang-froid. Les médias ne l'impressionnaient plus guère depuis l'automne.

— Si vous me laissez votre numéro de téléphone, je demanderai à Mme Higgins de vous rappeler dès l'ouverture de la bibliothèque, dit-elle.

— Qui est à l'appareil ?

— Le service de répondeur.

— Pouvez-vous me donner le numéro personnel de Mme Higgins ?

— Donnez-moi plutôt votre numéro personnel et je le transmettrai à Mme Higgins.

— Oh, je ne veux pas qu'elle paye l'appel, répondit magnanimement la journaliste, après un instant de réflexion. Je serais heureuse de l'appeler moi-même.

— Je n'en doute pas, répliqua Poppy.

— Elle peut m'appeler à mon bureau, soupira Aileen Miller d'une voix résignée.

Poppy nota le nom et le numéro de la jeune femme, puis raccrocha avant de composer elle-même un numéro.

— Commissariat de police, grogna une voix à l'autre bout.

— Willie Jake, c'est moi. Que sais-tu pour Heather ?

Il y eut un silence, puis la voix interrogea d'un ton grincheux.

— Qu'est-ce que tu sais, toi ?

— Seulement qu'elle a été arrêtée. Comment as-tu pu laisser faire ça ?

— Je n'ai pas « laissé faire ça », protesta-t-il, indigné. Je représente l'autorité locale. Je ne peux rien contre les fédéraux.

— Ont-ils la preuve de cette prétendue nouvelle identité d'Heather ?

— Tu sais que je ne peux rien révéler. Mais crois-tu que je les aurais laissés l'arrêter sans ça ?

— Quelles sortes de preuves ?

Il y eut un soupir.

— Il m'est impossible de te répondre. Tout ce que je peux te dire, c'est que c'est circonstancié. De vieilles photos d'une femme qui pourrait être Heather, des rapports sur une cicatrice, des comparaisons d'écriture, le tout très douteux. Mais comme je te l'ai dit, ce sont les fédéraux. J'ai fait de mon mieux pour les convaincre qu'ils se trompaient, mais ils ont fini par faire ce qu'ils voulaient. On ne peut pas arrêter ces gars-là quand ils ont pris leur décision et qu'ils ont le papier qui leur en donne le droit...

La ligne privée de Poppy clignota et le numéro de John s'inscrivit sur l'écran.

— Très bien, j'ai compris. Je dois te laisser maintenant, dit-elle très vite en raccrochant et en appuyant sur le bouton rouge.

— Quoi de neuf ?

— Elle se trouve à Concord, devant la cour fédérale. L'audience se tient en ce moment même.

— Quelle sorte d'audience ?

— Pour le mandat. Je n'en sais pas plus. J'ai eu l'information par un pote qui couvre les affaires de la cour pour le *Monitor*. Il n'avait pas le temps de parler. Il tenait à assister à l'audience.

— Lui as-tu demandé de rester discret ?

— Oh oui, répondit John d'une voix déprimée. Et il s'est empressé de m'envoyer balader.

— Pourquoi ? Heather est une inconnue !

— Peut-être, mais pas le type que Lisa Matlock a prétendument tué. À l'époque, son père était sénateur des États-Unis pour la Californie, pressenti par son parti pour la nomination au poste de vice-président, nomination qu'il a obtenue trois semaines après la mort de son fils, notamment grâce aux votes de sympathie. Sa liste a perdu et DiCenza ne s'est pas représenté au poste de sénateur, mais il n'en demeure pas moins une force dans l'État et il prend soin de ne pas se faire oublier.

— Et tu imagines notre Heather mêlée à ces politiciens ? Pas moi. Elle est trop réservée, trop timide. Désolée, John, mais quelque chose cloche dans cette histoire.

— Eh, je ne fais que te répéter les paroles de mon contact. À l'époque, l'affaire avait fait grand bruit et j'ai bien peur que cela n'attire beaucoup d'attention. Je pars pour Concord. Armand va vouloir un article et la meilleure façon de savoir ce qui se passe est encore d'être sur place. Je t'appellerai dès mon retour.

Si quelqu'un pouvait rendre compte de la situation avec honnêteté et justesse, c'était bien John.

— Merci, dit-elle avant de raccrocher.

Ôtant les écouteurs, elle reprit sa tasse de café et en but une gorgée, pensive. Elle tenta d'imaginer ce qu'Heather pouvait ressentir : de la peur, de l'angoisse, de l'incompréhension ou quelque chose de totalement différent ? Elle essaya de se la représenter dans une cellule, mais sans y parvenir. Heather était trop… gentille. La cicatrice donnait cette impression. Petite et légèrement incurvée au coin de la bouche, elle lui dessinait un sourire permanent.

De nouveau, la ligne personnelle de Poppy clignota. Il s'agissait cette fois de la librairie de Marianne Hersey. Portant un seul des écouteurs à son oreille, Poppy poussa le bouton.

— Bonjour.

— Que se passe-t-il ? demanda aussitôt Marianne.

Elle faisait partie du groupe des cinq femmes qui dînaient chez Poppy tous les mardis soir. Officiellement, elles représentaient le Comité de bienfaisance de Lake Henry. Officieusement, elles étaient un groupe d'amies qui partageaient nouvelles, fous rires et coups de gueule. Heather avait participé à la soirée avec elles, la nuit précédente, comme chaque semaine.

— Je venais d'arriver au travail et je buvais tranquillement mon café en regardant les nouvelles à la télévision quand soudain un bulletin d'information a parlé de Concord. Tu sais ce qu'ils racontent au sujet d'Heather ?

— À la télévision ? Oh, mon Dieu. Qu'est-ce qu'ils disent ?

— Qu'elle a délibérément écrasé le fils de l'ex-sénateur DiCenza avant de prendre la fuite et qu'on vient juste de la retrouver grâce à un membre de l'équipe des affaires non classées du FBI. Il a obtenu le tuyau de quelqu'un qui était présent ici à l'automne dernier. Que sais-tu ?

— Pas autant que toi. Je vais allumer la télé. Je te rappelle.

Poppy fit précipitamment tourner son fauteuil et s'empara de la télécommande. Elle n'eut pas à surfer longtemps sur les chaînes pour en trouver une qui relate l'information. Comme le journaliste annonçait juste le sujet, elle en conclut qu'elle avait capté une autre chaîne que celle de Marianne. Ce qui était une mauvaise nouvelle.

Juste à ce moment, la ligne privée de Poppy clignota de nouveau.

— C'est Sigrid. Tu regardes la télé ?

Sigrid Dunn, un autre membre du groupe du mardi, faisait du tissage et la télévision lui tenait compagnie.

— Je viens juste d'allumer.

— De quoi est-ce qu'ils parlent ?

— Laisse-moi écouter, répondit Poppy en montant le son.

« ... une grande nouvelle dans l'investigation sur le meurtre de Robert DiCenza, il y a quinze ans à Sacramento. DiCenza qui était alors âgé de vingt-cinq ans avait été renversé par une voiture alors qu'il quittait une soirée politique de collecte de fonds pour son père, sénateur des États-Unis pour l'État de Californie. La voiture qui l'avait heurté était conduite par une jeune femme de dix-huit ans dénommée Lisa Matlock qui, de source sûre, l'avait menacé plus tôt dans la soirée. Le FBI prétend que cette Lisa Matlock a passé les quatorze dernières années dans le New Hampshire sous le nom d'Heather Malone. Elle a été arrêtée tôt ce matin chez elle à Lake Henry et s'est rendue sans résistance. Elle a été aussitôt déférée devant la cour fédérale de Concord. L'audience vient juste de se terminer et l'avocate de Mlle Malone a formellement contesté les charges retenues à l'encontre de sa cliente. Ce qui signifie qu'elle s'opposera à son extradition. Comme l'extradition est une affaire d'État, les charges fédérales ont été abandonnées et l'accusée a été transférée sous l'autorité du bureau du procureur général du New Hampshire. Elle sera présentée devant la cour supérieure de West Eames pour une audience, plus tard dans la journée. C'était Brian Anderson pour Channel Nine, en direct de Concord. »

— Tu te souviens de ce meurtre ? demanda Poppy.

— Non, mais il y a quinze ans, je me trouvais en Afrique dans les Peace Corps, alors ce n'est pas étonnant. Est-ce qu'ils parlent bien de notre Heather ? s'enquit-elle, incrédule.

— En tout cas, c'est bien notre Heather qui a été arrêtée. Mais c'est sûrement une erreur. Tu ne crois pas ?

— Si, bien sûr. Nous connaissons Heather. Chaque mardi, nous discutons de tout et de rien, nous abordons des questions personnelles, intimes même. Comment aurait-elle pu nous dissimuler une telle chose ?

Poppy tentait de se remémorer des anecdotes qu'Heather aurait pu raconter sur son enfance et son adolescence, mais en vain. Là encore, Heather écoutait essentiellement et posait des questions – des questions pénétrantes qui amenaient les autres à se confier plus encore.

— Nous ne savons pas grand-chose à son sujet, finit-elle par reconnaître. Sauf une certitude. Heather n'a jamais été une personne violente.

— De toute évidence, quelqu'un cherche des histoires. Nous avons dû hérisser un des membres de la presse, à l'automne dernier, et il nous rend la monnaie de notre pièce.

— John dit que non.

— Pourtant quelqu'un a renseigné les fédéraux, d'après ce qu'ils racontent. Même si John a raison et que personne ne cherche à se venger, quelqu'un a bien mis son nez dans ce qui ne le regardait pas.

— Voyons, Sigrid. Ils observaient la foule et Heather se trouvait dans cette foule.

— Non. Elle n'était pas là. Missy avait la varicelle, tu te souviens ?

En effet. Cette semaine-là, Heather n'avait quitté sa

maison que pour se rendre chez le pédiatre ou à l'épicerie. Poppy elle-même l'avait tenue au courant des événements.

Sauf que quelqu'un avait vu son visage, noté une ressemblance et foutu en l'air la vie d'une femme merveilleuse. Et Poppy comptait bien découvrir l'identité de cette personne.

3.

Debout près du canapé en cuir qui occupait une grande partie du salon de sa maison du New Jersey, Griffin Hughes parlait au téléphone. Son interlocuteur était Prentiss Hayden, un des membres les plus influents du Sénat des États-Unis dans son temps, et qui aujourd'hui, à plus de quatre-vingts ans, vivait une retraite paisible dans sa ferme de Virginie. Griffin, qui rédigeait sa biographie, se heurtait à un problème.

— Je ne veux pas qu'on en parle, protestait Hayden.

— Mais cela fait partie de votre histoire, insistait Griffin en douceur.

Il ne pouvait en être autrement avec un homme de l'âge et de la stature de Hayden, énormément respecté par la communauté en général et par Griffin en particulier. Un différend les opposait quant à l'étendue de ce qu'ils devaient révéler.

— Personne ne vous reprochera d'avoir eu un enfant hors mariage. Vous l'avez totalement assumé et vous lui avez donné autant qu'à vos autres enfants. Connaissent-ils son existence ?

— Ma famille, oui, mais pas le public. Je suis d'une autre génération, Griffin. Je ne peux pas lancer ça à la tête de mes contemporains, je veux parler de ceux qui liront ce livre, vous savez… de vieux croûtons comme moi.

— Vous vous trompez, monsieur, intervint Griffin. Des tas de jeunes ont envie de savoir comme ça se passait…

— Dans le bon vieux temps ? coupa Hayden. Eh bien, nous ne parlions pas de ces choses-là dans le bon vieux temps. Nous tenions des débats honorables et concluions des accords fondés sur l'honneur. Nous étions des hommes civilisés. Je me rappelle...

Griffin écouta patiemment les souvenirs de Hayden qu'il connaissait déjà. Distraitement, il s'empara de la télécommande et alluma la télévision. Il zappa un moment d'une chaîne à l'autre avant que quelque chose ne capte son intérêt. Un flash de dernière minute en provenance de Concord, New Hampshire. Prenant soin de ponctuer le discours de Hayden de quelques grognements aux moments appropriés, il écouta les nouvelles avec un intérêt grandissant, de sorte qu'il devait avoir perdu le rythme au niveau des grognements parce que, soudain, Hayden s'inquiéta.

— ... Griffin ?

— Oui, monsieur.

— Je croyais que nous avions été déconnectés. Ces satanés portables sont loin d'être aussi fiables que les postes fixes.

— Puis-je vous rappeler, sénateur Hayden ? Un peu plus tard ou demain ?

— Oui, bien sûr, mais il n'est pas question de mentionner cet enfant. Je ne changerai pas d'avis à ce sujet.

— Nous en reparlerons, dit Griffin avant de prendre congé et de raccrocher.

Il fixa ensuite la télévision avec une fascination morbide et écouta les différents bulletins d'une chaîne à l'autre, vacillant entre l'incrédulité et la consternation. À la fin des retransmissions qui s'achevaient sur une vue d'Heather, transférée à West Eames, et sur la promesse de plus amples informations, Griffin fulminait, littéralement hors de lui.

Il éteignit rageusement le poste et envoya valdinguer la télécommande à l'autre bout du canapé, puis s'empara du téléphone et composa le numéro de son frère.

En attendant la connexion, il arpenta son salon comme un lion en cage et s'arrêta devant la fenêtre pour contempler la grand-rue de Princeton, mais sans voir quoi que ce soit, ses pensées concentrées sur Lake Henry où il n'était pas retourné depuis un mois.

Il se demanda si Randy – le salaud – s'y trouvait, lui. Au bout du fil, le répondeur se déclencha. Il raccrocha alors, furieux, et tapa le numéro du portable. Son frère décrocha à la deuxième sonnerie.

— Allô ?

— Où es-tu ? interrogea Griffin sans préambule.

— En ce moment ? À trois blocs de mon bureau.

Ni Lake Henry, ni Washington. Griffin en fut soulagé, mais pas rassuré pour autant.

— Je viens de voir les nouvelles à la télé, cette histoire au sujet d'Heather Malone. Je me demande bien d'où ça sort et l'idée qui me vient à l'esprit ne me plaît pas du tout. Dis-moi que tu n'y es pour rien, Randy ?

Randall Hughes, le frère de Griffin, de deux ans son aîné, parut très content de lui.

— Voilà un indice, lança-t-il tout joyeux. Je suis justement en chemin pour mon bureau où je vais donner ce qui sera la première d'une longue série d'interviews.

— Dis-moi que ce n'est pas toi, répéta Griffin, les mâchoires serrées.

Mais si Randy devina sa colère, son moral n'en fut nullement affecté.

— Un peu que c'est moi. Bon sang, quel pied !

— Merde, Randy. Ce jour-là, dans ton bureau, je me contentais de penser tout haut. Je ne faisais que constater une ressemblance. Tout ce que j'ai dit c'est que j'avais rencontré quelqu'un qui ressemblait un peu à la photo sur ton mur. Je n'ai jamais dit qu'il s'agissait de la même personne.

— C'est vrai, mais j'ai poursuivi à partir de là, expliqua Randy avec fierté. C'est incroyable ! Tu te rends compte ? Cette photo est restée accrochée pendant quinze putains d'années sur le mur du bureau que j'occupe, moi, depuis quelques mois et mon propre frère me donne l'information. Ça se passe toujours comme ça, remarque. Tu arpentes en vain le pays dans tous les sens et c'est toujours par hasard que quelqu'un t'indique la bonne direction.

— Je ne t'ai rien indiqué du tout, protesta Griffin qui

voulait absolument effacer son rôle dans toute cette affaire. Tout ce que j'ai dit c'est qu'il y avait une certaine ressemblance. Tu sais combien il y a de gens qui me ressemblent ? Ou qui *te* ressemblent ? Quand t'a-t-on demandé pour la dernière fois si tu étais parent avec Redford ? Ça m'est encore arrivé la semaine dernière. C'est la mâchoire – la même mâchoire carrée. Pareil avec cette histoire. J'ai juste dit que j'avais croisé une femme qui ressemblait à cette photo. Je ne crois même pas avoir mentionné la ville.

— Pas besoin d'être un génie pour le deviner. Tu revenais juste de là-bas. Chaque mot que tu prononçais concernait cette ville.

Tout ça parce qu'il s'était amouraché de Poppy Blake. Éprouvant le besoin d'en parler, il ne s'était même pas arrêté à Princeton, mais avait continué droit sur Washington DC. Randy et lui, les deux plus jeunes des cinq frères Hughes, discutaient des filles depuis qu'ils avaient eu respectivement douze et dix ans et jamais Randy n'avait répété ne fût-ce qu'un seul mot de leurs conversations à une tierce personne. Griffin avait compté sur la même discrétion. Il se sentait trahi.

— Tu ne comprends pas, Randy. Ce sont de braves gens. Tu ne peux pas faire ça à de braves gens.

— Eh, avertit Randy, raisonnant soudain comme le flic qu'il était. Je ne sais pas à quoi elle ressemble aujourd'hui, mais la loi est la loi et, il y a quinze ans, cette jeune dame a pris la tangente. Le moment était venu pour le Bureau de la rattraper.

— Même si ce n'est pas la bonne personne ? cria Griffin.

— Aucune chance. Même si elle avait subi une opération de chirurgie esthétique, nous l'aurions coincée avec son écriture. Tout s'est déroulé comme sur des roulettes. Je suis allé là-bas, il y a quinze jours, et je suis passé à la bibliothèque où elle travaille. Il a suffi que je lui demande un livre qu'elle n'avait pas. Elle m'a écrit l'adresse de la librairie la plus proche et bingo ! L'écriture correspond exactement à celle de la page de cahier que nous avions retrouvée dans ses affaires de classe. Nous la tenons, déclara-t-il avec une fierté jubilatoire. Faite comme un rat.

— Sale con !

— Qu'est-ce qui te prend ? protesta Randy d'un ton indigné.

— Je ne t'aurais jamais rien dit si j'avais pu prévoir ta réaction.

— Griffin, elle a tué un homme !

— Prétendument et à supposer qu'elle soit bien cette Lisa Matlock. Pourquoi t'es-tu servi de moi ainsi ?

— Je ne me suis pas servi de toi. Tu as fait une remarque qui a fait tilt dans mon esprit. J'ai entrepris des recherches, mené l'enquête. Je me suis rendu dans cette ville et je l'ai coincée. Qu'est-ce que ça peut te faire d'ailleurs ? Autant que je sache, tu ne vas plus là-bas. Tu as laissé tomber.

En apparence peut-être, mais en vérité Griffin n'avait nullement oublié Poppy. Aucune chance. Elle l'avait intrigué dès le premier appel, quand il avait téléphoné au commissariat de Lake Henry dans l'intention d'écrire un article sur Lily Blake et que Poppy avait décroché, assurant la permanence téléphonique du chef de police.

« Je suis journaliste indépendant et j'envisage d'écrire un article sur le respect de la vie privée pour le magazine *Vanity Fair*, avait-il expliqué. Je veux décrire ce qu'il se passe quand il y a violation de la vie privée – les conséquences pour les personnes concernées. Lily Blake me paraît la candidate idéale. Lake Henry est sa ville natale. Ses habitants doivent avoir des choses à dire sur ce qui lui arrive. »

« Putain oui, on a des choses à dire », avait répliqué Poppy avec humeur.

Et cette simple réflexion lui avait fait du bien. Il avait apprécié son honnêteté, sa loyauté. Plus obstinée elle se montrait, plus intéressé il devenait – et il ne s'agissait pas d'un jeu, du plaisir de la chasse qui motivait certains journalistes. Quand il l'avait aperçue pour la première fois sur son fauteuil roulant, son cœur avait fondu. Ce satané fauteuil était fabriqué en matériau ultraléger et... de couleur turquoise. Turquoise. Ce qui – tout comme ses cheveux noirs et courts, coiffés à la diable – donnait déjà une bonne idée de sa personnalité.

Il avait dû batailler un bon bout de temps avant qu'elle accepte une invitation à dîner, mais le jeu en valait la chandelle. Ils avaient passé un moment incroyable à discuter sans interruption pendant près de trois heures.

En tout cas, il estimait qu'ils avaient passé un moment incroyable. Parce que, quand il avait voulu renouveler l'expérience, Poppy avait résisté. Elle n'avait pas répondu à ses appels et avait branché le répondeur ; quand il était finalement parvenu à la joindre, ce fut pour s'entendre dire qu'il devait absolument l'oublier et se trouver quelqu'un d'autre.

Il savait ce qu'elle pensait. Pas très compliqué d'ailleurs. Elle l'avait laissé échapper dès les premières minutes de leur face à face. « Je ne peux pas courir, ni skier ou partir en randonnée. Je ne peux plus me promener dans la forêt comme j'en avais l'habitude parce que mon fauteuil reste bloqué dans les chemins boueux. Je ne peux pas danser, ni conduire une voiture sauf si elle est spécialement adaptée pour moi. Je ne peux plus cueillir des pommes ou m'occuper du pressoir pour le cidre, je ne peux même pas me tenir debout sous la douche. »

Pendant douze ans, elle avait réussi à chasser de son esprit toutes ces activités qui lui étaient désormais interdites. L'intérêt soudain de Griffin l'avait obligée à y repenser. Il l'avait prise au dépourvu et elle avait besoin de temps.

Il avait donc décidé de lui en donner. Il ne l'avait pas rappelée depuis un mois, se contentant de lui envoyer une carte postale de temps en temps, quand il était en déplacement. Mais il avait mis à profit ce délai pour remuer ciel et terre – allant jusqu'à payer des dessous-de-table – pour en apprendre le plus possible sur sa vie.

Et une des choses qu'il avait découvertes dès le début, c'était son amitié pour Heather Malone. Un jour qu'il se trouvait avec Poppy, ils avaient croisé Heather et, bien qu'elles n'aient discuté que quelques minutes, le temps pour Poppy de lui présenter Griffin et d'échanger quelques nouvelles, il avait compris au ton de leurs voix qu'elles étaient très proches l'une de l'autre. Griffin avait la certitude que, si Poppy apprenait d'une façon ou d'une autre son rôle dans l'arrestation de son amie, elle ne lui adresserait plus jamais la parole.

— C'est la bonne ? demanda Randy.

Évidemment que c'était la bonne.

— Tu disais qu'elle ne voulait pas entendre parler de relation amoureuse, protesta Randy. Si la situation avait changé, tu aurais dû m'en parler.

Griffin ignorait si la situation avait changé ou non, mais il n'allait certainement pas l'avouer à son frère. Il avait quand même sa fierté à préserver et un reste d'espoir que son frère ne manquerait pas de démolir en quelques secondes.

— Si jamais... jamais... tu répètes à qui que ce soit que c'est moi qui t'ai mis sur la piste dans cette affaire, tu es foutu !

— Ouah ! C'est une menace ?

— Venant de ton frère, en effet. Je peux te griller auprès de toute la famille. Tout ce que j'aurai à faire, c'est parler de Cindy. Tu passes des heures à traquer des étrangers et tu n'es même pas capable de retrouver ta propre sœur.

Ces paroles furent accueillies par un long silence.

— Ça, c'est un coup bas, Griff.

— Cela fait sept ans maintenant qu'elle est partie. En conséquence de quoi, maman est au cimetière, papa court le guilledou et les réunions de famille sont devenues un tel cauchemar que nous évitons de nous voir.

— Ce n'est pas moi qui l'ai rendue accro à la drogue. C'est James.

— Et alors ? demanda brusquement Griffin comme il l'avait déjà fait de nombreuses fois, silencieusement. Comment est-il possible que nous n'ayons rien vu ? On aurait peut-être pu intervenir.

— Notre famille doit vivre avec ses fantômes comme toutes les familles.

— Cindy n'est pas un fantôme. Elle est bien vivante

quelque part et, si tu mettais dans sa recherche seulement la moitié des efforts que tu fournis pour foutre en l'air la vie d'une honnête femme, tu l'aurais déjà retrouvée.

— Eh, intervint Randy, je descends dans le parking sous mon immeuble. On va être coupé. À plus tard.

La ligne fut déconnectée. Mais Griffin n'avait rien à ajouter. Il se rappelait sa rencontre avec Heather, en octobre, quatre mois auparavant. Elle s'inquiétait pour un de ses enfants et venait d'acheter des médicaments. Pendant qu'elles discutaient, le visage de Poppy exprimait son affection et son respect. Jamais elle ne serait devenue amie avec une tueuse.

Poppy mourait d'envie d'aller au tribunal à West Eames. Comme John, elle voulait voir de ses propres yeux ce qui se passait. Et surtout, elle voulait qu'Heather sache qu'elle s'inquiétait pour elle. Pareil avec le juge et les magistrats ou qui que ce soit qui décidait là-bas du sort d'Heather. Cette personne devait savoir qu'Heather avait des amis qui l'aimaient et lui faisaient confiance.

Mais Poppy resta à Lake Henry. D'abord pour s'occuper des filles. Ensuite pour des questions pratiques. Le temps n'était pas fameux et elle ignorait l'état du parking avec toute la neige qui était tombée. Enfin, plusieurs personnes de la ville envisageaient de se déplacer.

Sans compter qu'elle devait travailler. À la fin de la matinée, pratiquement toutes les lignes du standard clignotaient. Certains des appels émanaient d'habitants de Lake Henry qui venaient aux nouvelles. D'autres des médias auxquels Poppy savait exactement quoi répondre – le plus dur étant de demeurer patiente et polie, ce qui se révélait de plus en plus difficile avec chaque nouvel appel.

D'autres enfin étaient encore plus pénibles comme celui de sa sœur, Rose, parce qu'ils entraînaient une spéculation et que cette spéculation soulevait des questions encore sans réponse.

— Que se passera-t-il si elle reste en prison ? demanda Rose. Que deviendra Micah ?

— Elle ne restera pas en prison. Elle n'a rien fait.

— Ils peuvent quand même la garder, Poppy. Que fera Micah alors ?

— Elle va revenir.

— Et si elle ne revient pas ?

— Elle va *revenir*.

— Ils vont peut-être la garder quelque temps.

— S'il te plaît, Rose.

Mais Rose n'en avait pas fini.

— Tu crois que Micah s'inquiète ?

— Évidemment qu'il s'inquiète. Il aime Heather.

— Oublie l'amour. Pense aux filles. Qui s'occupera d'elles si Heather reste en prison ? Qui va l'aider pour la récolte du sirop d'érable ?

L'estomac de Poppy commença à se nouer, ce qui arrivait régulièrement quand elle discutait avec sa sœur, une alarmiste de première classe et la plus jeune des trois sœurs – les « fleurs Blake » comme on les appelait en ville. Lily venait en premier – introspective, sensible et concentrée –, suivie de Poppy – rebelle, bien plus facile à vivre que les deux autres. Et Rose ? Rose était le clone de leur mère, ce qui signifiait qu'elle ne voyait que le mauvais côté des choses.

Mais Poppy trouvait beaucoup plus facile d'affronter la peur des catastrophes de Maida, leur mère, que le pessimisme de sa sœur.

— Pourquoi insistes-tu ainsi ? demanda-t-elle. Heather va bientôt revenir.

— J'insiste parce que je sais des choses que tu ignores, répliqua Rose. Art a donné des tas d'idées à Heather pour développer leur entreprise.

Art Winslow, dont la famille possédait la manufacture locale de textile, était le mari de Rose.

— Un nouvel évaporateur, un nouveau logo, de nouveaux comptes. Et Micah a investi, certain qu'Heather serait à ses côtés pour l'aider. Mais voilà qu'elle s'est volatilisée. La météo prévoit du soleil et si la température se réchauffe, d'ici à deux semaines, la sève commencera à couler.

— Rose.

— Comment cela a-t-il pu se produire ?

— Je ne sais pas, répondit Poppy avant de raccrocher et de se mettre à ruminer sur tous les points soulevés par sa sœur.

Griffin commit l'erreur d'allumer la télévision. Après avoir zappé deux minutes, il capta un nouveau flash d'informations sur la question. Le reporter se trouvait sur les lieux et Griffin ne put faire autrement que de regarder et d'écouter.

« Lake Henry est une ville reposante. En ces temps difficiles, où nos vies sont souvent gérées par des machines, elle offre un véritable retour dans le temps. Avec une population d'à peine dix-sept cents âmes, cet endroit vit comme par le passé. Tout le monde se connaît et chacun protège les autres. La ville est située près du lac du même nom au centre du New Hampshire et ressemble à s'y méprendre au paradis de nos rêves. Ici, aucune chance de se tromper de rue. Une seule artère principale qui traverse la ville et continue tout autour du lac. Oh, un instant... »

Le reporter se précipita pour glisser son micro sous le nez d'un homme qui approchait.

« Excusez-moi, pourriez-vous nous dire... »

Mais l'homme poursuivit son chemin sans même écouter la question.

Pas démonté pour autant, le journaliste reprit sa description.

« Derrière moi, le bureau de police, l'église et la bibliothèque, trois immeubles qui réunissent l'essentiel de la vie officielle de cette petite communauté. »

Griffin, qui connaissait bien les trois bâtiments – construits en bois et peints en blanc avec des volets noirs –, se réjouit de les revoir.

« Le secrétaire de mairie et l'officier de l'état civil sont installés dans les bureaux de la police. La bibliothèque loue son étage supérieur au Comité de Lake Henry et le sous-sol de l'église abrite la société historique. À ce propos, le Comité se concentre sur les questions d'environnement et, comme ces questions représentent une priorité dans l'esprit de la population locale, il se pose comme l'organisme consultatif fort de la ville. Pour tout autre sujet, Lake Henry reste une des dernières villes de l'État à conserver un gouvernement de tous les citoyens. Chaque année, au mois de mars, tout le monde se réunit sous la présidence d'un médiateur dûment élu pour discuter et voter sur les questions concernant l'année à venir. »

Griffin savait déjà tout ça et, ayant grandi à Manhattan, en appréciait toute la saveur.

« Dans ce bâtiment en brique de l'autre côté de la rue se trouve le bureau de poste, continuait le reporter tandis que la caméra zoomait sur l'édifice. Et cette maison de style victorien abrite le journal local. Mais si vous voulez vraiment connaître le cœur de cette petite localité, vous devez traverser la rue sur la droite. »

La caméra s'arrêta sur une construction en bardeaux rouges.

« Vous découvrez alors l'épicerie générale, propriété depuis des générations de la famille Owens. C'est là que les habitants viennent s'approvisionner en épicerie, journaux, médicaments et cadeaux. Charlie Owens et sa femme Annette tiennent l'établissement, aidés à tour de rôle par leurs cinq enfants. Le commerce s'est bien entendu agrandi et modernisé au fil du temps. Le café attenant propose naturellement des repas tout au long de la journée avec une carte particulièrement appétissante. Le pain est fait maison, épais et fourré de bonnes choses comme du germe de blé et des noisettes. Oh, un instant... »

Il se précipita vers une femme qui continua son chemin sans lui accorder un regard.

Souriant à la caméra, il reprit son monologue comme si de rien n'était.

« Pour en revenir à l'épicerie, certaines choses ne changent jamais. Au centre du magasin se trouve un gros poêle en fonte comme au temps du grand-père de Charlie quand l'épicerie se résumait alors à une seule pièce. Les gens du pays aiment à s'installer autour pour discuter du temps et des dernières nouvelles. Particulièrement en hiver. »

Comme pour ponctuer ses propos, il remonta le col de sa veste autour de son visage cramoisi.

Griffin savait que le New Hampshire était une région froide à cette époque de l'année, ce qui ne le dérangeait pas outre mesure. Il avait déjà vu Lake Henry à l'automne avec sa campagne éclaboussée de couleurs et embaumant une bonne odeur de pomme et de cidre. Au cours de son dernier séjour, il avait neigé, ce qui l'avait ravi malgré sa déconvenue avec Poppy.

Le reporter continuait son monologue, exhalant un petit nuage de vapeur blanche à chaque parole.

« On m'a expliqué que le temps aujourd'hui était typique de la région. Mais, avec la fraîcheur de l'air, on trouve également la paix et la beauté de l'hiver dans cette petite agglomération hors du temps de la Nouvelle-Angleterre. Lake Henry incarne un village de conte de fées. Regardez autour de moi, dit-il avec un grand mouvement du bras. Et vous pourrez encore voir les guirlandes de Noël. L'air est paisible et vif. S'il existe une autoroute dans les environs, on ne l'entend pas. Et la neige est toujours blanche, bien qu'elle soit tombée il y a trois jours. Une expérience inoubliable pour ceux d'entre nous qui vivent dans une grande ville. »

Il s'interrompit, toucha son écouteur, fronça les sourcils et reprit.

« On m'apprend que de nouvelles informations viennent d'être communiquées. Alors que nous attendons la sentence de la cour supérieure de West Eames sur le sort d'Heather Malone, nous avons réussi à joindre Randall Hughes, l'agent du FBI qui a résolu cette affaire. À vous, Ann Marie. »

Le sourire de Griffin s'effaça d'un coup. Il se redressa lentement. Ann Marie était une très belle femme, mais Griffin s'intéressait surtout à l'apparence de son frère – en chair et en os –, qui lui ressemblait tellement. Horrifié, il écouta.

« Pour ceux d'entre vous qui nous rejoignez à l'instant, commença la reporter, Randall Hughes est un membre de l'équipe des affaires non classées du FBI. Agent Hughes, cela fait quinze ans que Robert DiCenza est mort et le FBI n'a pas cessé de rechercher Lisa Matlock depuis ce jour. Vous êtes enfin parvenu à la découvrir. Pouvez-vous nous raconter comment vous vous y êtes pris ?

«— Ce n'est pas moi qui l'ai retrouvée, répondit modestement l'agent. L'arrestation d'Heather Malone est le résultat des efforts combinés du FBI, du bureau du procureur général de Californie et du poste de police de Lake Henry.

«— Qu'est-ce qui vous permet d'affirmer qu'Heather Malone est bien Lisa Matlock ?

«— Je ne peux rien révéler à ce sujet.

«— Qu'est-ce qui vous a amené à Lake Henry ?

«— Une dénonciation. C'est d'ailleurs de cette façon que la plupart des enquêtes sont résolues. »

— Une dénonciation ! hurla Griffin à l'écran. Il ne s'agissait pas d'une dénonciation. Ce n'était qu'une gaffe dont tu as ignominieusement profité !

« Nous avons cru comprendre que cette dénonciation émanait d'un membre de la presse présent à Lake Henry à l'automne dernier pour couvrir un scandale qui impliquait une femme de la ville avec le cardinal Francis Rosetti de Boston, continuait tranquillement Ann Marie. Pouvez-vous nous le confirmer ?

«— Oui, se contenta de répondre Randy.

«— Peut-on légitimement penser que ce journaliste l'a reconnue ?

«— Non. »

Un silence.

«— Non, mais une réflexion a été faite qui a entraîné une nouvelle investigation qui a abouti à Mlle Malone. »

Griffin fumait.

«— De quelle réflexion s'agissait-il ?

«— Je ne peux en dire plus pour l'instant.

«— Peut-on en conclure que sans le scandale Rosetti l'affaire DiCenza serait toujours irrésolue ?

«— Non, affirma catégoriquement Randy. Le passé ne peut rester caché indéfiniment. Il finit toujours par remonter. C'est la raison pour laquelle le gouvernement a créé notre équipe, le service des affaires non classées, pour demeurer à l'affût des fuites et les exploiter.

«— Pouvez-vous nous révéler comment Heather Malone – Lisa Matlock si les charges retenues contre elle sont exactes – a pu s'échapper de Californie et venir s'installer dans le New Hampshire sans se faire prendre ?

« — Non, je ne peux pas.

« — D'après nos informations, elle vivait avec un veuf dénommé Micah Smith et prenait soin de ses deux jeunes enfants.

« — C'est ce que pense l'agence.

« — M. Micah Smith est-il considéré comme complice ?

« — Je ne peux rien dire à ce sujet.

« — Avez-vous parlé avec les membres de la famille DiCenza ?

« — J'ai échangé quelques mots avec le représentant de la famille. Ils ont été heureux d'apprendre que l'affaire progressait.

« — Heather Malone va-t-elle être transférée en Californie pour être jugée ?

« — C'est à la justice d'en décider. »

Sentant que l'interview s'achevait, Griffin tenta d'estimer l'étendue des dégâts.

« — Merci, agent Hughes, conclut Ann Marie avec un sourire commercial. C'étaient les derniers rebondissements dans cette affaire. Nous attendons maintenant la décision de la cour de West Eames, New Hampshire, où l'audience est en cours pour décider du sort immédiat d'Heather Malone… »

Griffin éteignit le poste et passa une main dans ses cheveux. Hughes était un nom commun. Si Poppy avait regardé l'émission, elle n'avait peut-être pas fait le rapprochement.

On peut toujours rêver, pensa-t-il, amer. Les cheveux de Randy étaient châtain foncé et tournaient auburn au soleil, mais ils avaient la même mâchoire. Et la mâchoire plus le nom, ajoutés à sa présence à Lake Henry pendant le scandale Rosetti, cela faisait beaucoup. Or Poppy avait l'esprit vif. Si ça se trouve, elle avait déjà deviné qui avait dénoncé son amie.

Un coup de téléphone rapide le lui confirmerait. D'ailleurs, c'était à peu près tout le temps qu'il avait. Il avait pris du retard dans la biographie d'Hayden et il devait s'y mettre sérieusement s'il voulait respecter son délai.

Mais il avait peur de découvrir ce que Poppy savait ou ne savait pas. Autant se rendre sur place et défendre son cas en personne, pensa-t-il en commençant à rassembler les papiers disséminés sur la table.

Poppy ne vit pas l'interview de Randall Hughes. Elle était en ligne avec sa sœur, Lily. Bien que cette dernière ait deux ans de plus qu'elle, Poppy s'était toujours montrée protectrice à son égard. Lily souffrait en effet depuis toujours d'un terrible bégaiement qui s'améliorait depuis quelque temps, comme sa vie en général d'ailleurs. En plus d'être amoureuse, Lily enseignait le solfège dans une école privée à Portsmouth – un des trois postes qu'on lui avait proposés après qu'elle avait perdu son emploi à Boston à l'automne. Elle semblait donc tirée d'affaire.

Ce qui n'empêchait pas Poppy de demeurer protectrice, d'autant que le fait qu'Heather se retrouve à son tour sous les feux des projecteurs réveillait de désagréables souvenirs.

— On dirait la reprise d'un vieux film, dit Lily. On ne parle plus que de ça, Poppy. Et quelles preuves ont-ils ? Aucune. Toute cette histoire est ridicule. Est-ce que les médias t'appellent ?

— Ici ? Non. John avait raison. Ils savent ce que nous pensons, alors ils se tiennent à distance. Vivian Abbott a téléphoné tout à l'heure.

Vivian était la secrétaire de mairie et sa fenêtre donnait sur la grand-rue.

— Elle a dit que deux équipes de télévision étaient en train de filmer la ville, mais qu'il ne s'agissait que de télévisions locales. Cette affaire n'intéresse peut-être pas les grandes chaînes nationales.

— Je dirais plutôt qu'elles ne sont pas encore arrivées. Tu as parlé à Micah ?

— Oui, pendant le déjeuner. Cassie tente d'en apprendre plus sur les preuves de l'accusation. Mais ils lui font remplir requête sur requête et les requêtes prennent du temps. Heather est désespérée. *Il* est désespéré.

— Est-ce que les filles comprennent ce qui se passe ?

— Pas encore, mais cela risque de changer dès la sortie de l'école. Ne quitte pas, Lily. Quelqu'un appelle John. *Lake News*, annonça-t-elle en appuyant sur le bouton.

— C'est Charlie. Kip n'est pas là ?

— Il est à Concord.

— Bon sang. J'espère qu'il fait ce qu'il faut pour leur remettre les idées en place là-bas. Y a pas cinq minutes, à la télé, ils prétendaient que Micah était peut-être complice.

— Complice ! Complice de quoi ? Il n'y a pas de crime.

— Va raconter ça aux fédéraux. Non, mieux, c'est moi qui vais aller le leur dire.

Il raccrocha et Poppy récupéra sa sœur sans faire allusion à ce que venait de lui apprendre Charlie.

— S'il ne s'était rien passé à l'automne..., commença Lily l'air effondré.

— Non, Lily, coupa Poppy. Ce n'est pas ta faute.

Lily avait été injustement accusée d'avoir une aventure amoureuse avec un homme du clergé et toute l'affaire avait pris des proportions nationales à cause d'un reporter sans scrupule.

— Peut-être pas, mais je sais ce que ressent Heather. Maman a appelé ? demanda-t-elle dans le même souffle, ce qui exprimait bien la peur qu'elle éprouvait toujours malgré l'amélioration de ses relations avec Maida.

— Pas encore.

— Elle va appeler, complètement paniquée. Elle est partie après le mariage, persuadée que le passé était mort et en... ennn... terré.

Elle fit une pause.

— Elle va avoir peur que toute mon affaire ne remonte à la surface, reprit-elle ensuite d'une voix contrôlée. Mais je m'en fiche. Ça ne me gênerait pas d'avoir l'occasion de remettre à leur place certains des journalistes.

Poppy tourna la tête vers la porte. Ses deux amies Sigrid et Marianne entraient.

— Que se passe-t-il ? s'inquiéta-t-elle.

Toutes les deux avaient quitté leur travail plus tôt pour se rendre au tribunal. Elles se regardèrent, consternées. Sigrid s'empara de la télécommande et alluma la télévision.

— Sur le chemin, on a reçu un appel de Cassie, expliqua-t-elle. Elle nous a dit de faire demi-tour parce que nous ne pourrions pas voir Heather et que la ville était prise d'assaut.

— Par des gens de Lake Henry ? intervint Poppy.

— Oui. Dulcey Hewitt a même débarqué avec toute la famille – enfants, cousins, etc. Les gamins adorent Heather. Elle leur lit des histoires à la bibliothèque. Selon Cassie, les médias grouillaient. Oh, regarde ça.

— Que se passe-t-il ? demanda Lily au bout du fil.

Poppy fit tourner sa chaise pour faire face à l'écran.

— On dirait que tout le monde attend devant le palais de justice.

— Ils attendent la décision de la cour, précisa Sigrid.

— Pauvre Heather, gémit Lily. Il faudrait que Cassie trouve quelqu'un susceptible d'affirmer qu'Heather n'était pas en Californie au moment du crime.

— Qui ? Et d'ailleurs, Cassie n'a certainement pas eu le temps de chercher quoi que ce soit. Le FBI a débarqué chez Micah à six heures, ce matin – il y a donc à peine huit heures. Que disent-ils ? voulut-elle savoir.

— Il parle de la caution et estime que, s'ils en accordent une, elle sera certainement élevée, expliqua Marianne.

— Une caution ! cria Lily. Mais elle n'a *rien* fait.

— Ils ont peur qu'elle disparaisse à nouveau.

— D'où venait Heather quand elle est arrivée à Lake Henry ? demanda Lily.

— Idaho, je crois. Ou Illinois, je ne me souviens plus.

— Tu *crois* ?

— Ça n'avait pas d'importance.

— Est-ce qu'elle a de la famille qu'on pourrait appeler ?

Poppy n'y avait jamais réfléchi, de la même façon qu'elle ne s'était jamais inquiétée de savoir d'où venait Heather. Elle s'était contentée de l'accepter comme elle était. Le passé ne l'intéressait pas.

Heather s'était si bien intégrée à Lake Henry qu'il était difficile de se souvenir qu'elle n'y était pas née.

— Si elle a de la famille, elle n'en a jamais parlé, répondit-elle. Et personne n'est jamais venu la voir.

— Ça ne veut rien dire.

— Micah devrait le savoir.

— Est-ce... quelque chose... aider ?

La connexion avec le portable de Lily commençait à montrer des signes de faiblesse. Mais Poppy remplit les blancs.

— Non, on ne peut rien faire pour l'instant. Je ne t'entends plus, Lily, et mon standard clignote de tous les côtés. Lily ?

N'obtenant aucune réponse, elle raccrocha.

— Rien de nouveau ? demanda-t-elle aux deux femmes devant la télévision.

— On attend.

Poppy prit un nouvel appel.

4.

Griffin possédait une Porsche grise. Mais sa plus chère acquisition était le GPS qu'il avait installé dedans l'année précédente. Comme il adorait conduire et passait beaucoup de temps sur les routes à la recherche d'informations pour ses articles, il s'était perdu bon nombre de fois – une expérience qu'il ne tenait pas à réitérer. Tout ce qu'il avait à faire maintenant, c'était d'annoncer sa destination et une douce voix féminine et sexy lui indiquait le chemin qui s'inscrivait dans le même temps en couleur sur un petit écran.

Il avait lui-même choisi cette voix, parce qu'elle lui donnait l'impression d'être moins seul. Il l'avait baptisée Sage et l'imaginait comme une sirène du type pieds nus et enceinte, très popote et campagne – du moins, avant d'avoir rencontré Poppy. Maintenant quand il parlait à Sage, il voyait le visage de Poppy.

Sage ne lui était d'aucune nécessité quand il se rendait à Lake Henry dont il connaissait maintenant la route par cœur. Mais, aujourd'hui, il filait d'abord sur West Eames. Depuis son départ du New Jersey, il suivait l'évolution de la situation à la radio et espérait arriver avant la fin de l'audience.

Son téléphone portable sonna et le numéro qui s'afficha était celui qu'il avait composé une heure plus tôt.

— Allô ? Duncan ? Tu as quelque chose ?

Duncan Clayes, un de ses vieux copains de collège, était reporter au *San Francisco Daily*.

— Lisa Matlock est née et a grandi à Sacramento. Sa mère est partie quand elle avait cinq ans et son père l'a élevée. Il avait fait de la prison pour cambriolage dans le temps et travaillait comme livreur pour un restaurant quand Rob DiCenza a été tué. Ils vivaient un peu au jour le jour.

Griffin connaissait déjà la situation financière. Avec Duncan, il espérait obtenir des éléments qui prouveraient ou contrediraient une quelconque connexion avec Heather Malone.

— Le père vit toujours ?

— Non. Il est mort d'une crise cardiaque, deux ans après la disparition de Lisa. Le FBI a surveillé sa tombe pendant des mois, mais elle n'est jamais venue.

— Et la mère ?

— Non plus. Ni à la mort du père, ni à la disparition de Lisa. Le FBI ne disposait d'aucune piste à son sujet à l'époque et n'en a toujours pas aujourd'hui.

— Des frères et sœurs ?

— Non.

— Des parents ?

— Une tante du côté du père. Les fédéraux ont également établi une surveillance autour d'elle, sans succès.

— Lisa avait-elle des amis ?

— Quand elle a disparu, son père disait que oui, mais aucun ne s'est jamais présenté pour plaider en sa faveur. Le père affirmait que quelqu'un était venu les voir pour leur intimer le silence.

— Un membre de la famille DiCenza ?

— Quelque chose comme ça. Rob était un rapide qui passait d'une fille à l'autre. Apparemment, il les aimait jeunes et naïves.

— Quelle relation avait-il avec Lisa ? demanda Griffin.

— La famille DiCenza a d'abord affirmé qu'il n'avait aucune relation avec cette fille. Après le meurtre, des amis des DiCenza ont témoigné que Lisa et Rob s'étaient disputés ce soir-là, ce qui suggérait qu'ils se connaissaient. Quand il est devenu évident que Lisa et Rob avaient eu des relations sexuelles, la famille a changé son histoire et a commencé à parler d'extorsion de fonds. Ils ont dit que Rob était sorti une fois ou deux avec Lisa et voulait mettre fin à cette aventure, mais qu'elle menaçait de tout raconter s'il ne lui donnait pas d'argent.

— Menaçait de tout raconter ? Après une ou deux sorties ? Qu'est-ce qu'elle aurait bien pu avoir à raconter ?

— Elle était la fille d'un ex-taulard et elle était pauvre, pas vraiment le genre de bru dont les parents rêvent. Et comme la famille visait les hautes sphères, Lisa disposait d'un moyen de pression sur Rob. La famille tenait par-dessus tout à protéger son image.

— Si je comprends bien, l'opinion publique la considérait comme une intrigante ?

— L'opinion publique dûment manipulée par la famille. Et la disparition de Lisa renforçait l'idée de sa culpabilité. Plus le temps passait, plus ça s'aggravait. Puis Charles DiCenza a obtenu la nomination de son parti pour la vice-présidence, trois semaines après l'enterrement de son fils. Les pontes du parti ont joué sur le facteur sympathie. Si Lisa était réapparue à ce moment-là, elle aurait été lapidée.

— Quittez l'autoroute à la prochaine sortie, prévint Sage. Puis tournez à gauche.

Griffin se rabattit sur le couloir de droite.

— Où as-tu appris tout ça ? demanda-t-il à Duncan.

— Dans les archives.

— Autre chose ?

— Peut-être, mais tu ne m'as pas donné beaucoup de temps.

— Trouve quelque chose.

— Quelque chose en particulier ou n'importe quoi ?

Griffin réfléchit. Sa curiosité naturelle de journaliste le poussait indubitablement à agir, mais pas seulement. Il se rendait compte aussi que plus il en saurait, mieux il pourrait négocier à son arrivée à Lake Henry.

— N'importe quoi et surtout des photos de Lisa Matlock. Tu n'auras qu'à me les envoyer par Federal Express à la poste de Lake Henry. Et nous serons quittes.

Quelques années auparavant, alors qu'il travaillait sur un sujet, Griffin avait obtenu un tuyau intéressant sur une autre histoire. N'ayant pas le temps de s'en occuper, il l'avait donné à Duncan qui traversait une mauvaise passe. Par suite de quoi, la carrière de Duncan était repartie en flèche et ce dernier avait juré à Griffin qu'il le lui revaudrait. L'heure était venue.

Griffin prit congé et s'engagea sur la bretelle de sortie, puis il tourna à gauche.

— Continuez tout droit sur cinq miles, indiqua Sage.

Griffin jeta un coup d'œil à l'image sur l'écran, tentant d'évaluer le temps qu'il lui faudrait pour atteindre le palais de justice. La route était relativement large, mais il n'y avait qu'une seule voie dans les deux sens et, s'il y avait de la circulation, les cinq miles pourraient lui prendre jusqu'à un quart d'heure.

Il tendit la main vers le téléphone dans le but d'appeler Poppy, hésita et, à la place, composa un autre numéro. Celui de Ralph Haskins, un vieil ami de la famille dont les talents de détective privé s'étaient révélés inestimables pour le père de Griffin, au cours des années. Par chance, Ralph était parfaitement au courant des événements du New Hampshire, ce qui épargna à Griffin de longues explications. Il lui demanda d'obtenir le plus d'informations qu'il pourrait sur Lisa Matlock. Griffin entendait bien river le clou à son frère dans cette histoire et, pour ce faire, Ralph demeurait son meilleur atout. Ce dernier travaillait en sous-main et disposait d'un réseau d'informateurs inégalable qui lui permettait d'obtenir des informations là où d'autres avaient échoué. Il suffisait parfois d'une simple petite note dans un dossier médical ou d'un relevé de téléphone pour apporter à une affaire un tout nouvel éclairage.

Ralph n'était pas parvenu à localiser Cindy, la sœur de Griffin, mais cette dernière le connaissait et savait comment il travaillait, ce qui lui avait sans nul doute permis d'anticiper ses mouvements. Frustré, Ralph n'en était que plus déterminé à aider Griffin.

Ce dernier raccrocha et alluma la radio. Il réussit à obtenir divers flashs d'information qui tous lui apprirent que l'audience était toujours en cours.

Quelques minutes plus tard, il atteignait West Eames. Il n'eut aucun mal à trouver le palais de justice, un bâtiment avec une charpente en bois qui ressemblait un peu à une église. La foule qui s'agglutinait sur les marches n'avait, elle, rien d'une bande de paroissiens. Griffin nota plusieurs groupes de reporters de télévisions et journaux locaux et leurs équipes qui se dépêchaient d'installer leur matériel.

Il se gara dans une rue adjacente et, à peine sorti de la voiture, fut frappé par le froid glacial. Après avoir remonté la fermeture Éclair de sa veste, il se mit à courir le long de la rue et parvint devant le palais de justice au moment où les premières personnes qui avaient assisté à l'audience poussaient les doubles portes. Leurs visages n'exprimaient rien de bon et le moral de Griffin dégringola.

Pressentant le pire, il s'approcha d'une caméra de télévision et se posta près du technicien du son. Quelques minutes plus tard, la correspondante de la chaîne émergea de la foule, glissa un écouteur sur son oreille, attrapa un micro et fixa la caméra en attendant le signal.

— Tu as l'air en forme, Amber, dit Griffin.

Amber Abbott tourna la tête, surprise, puis sourit en le reconnaissant.

— Toi aussi, Griff. Tu es sur le coup ?

— Je n'en sais rien encore. Peut-être. Quelles sont les nouvelles ?

Les yeux de nouveau sur la caméra, Amber ajusta le col de sa veste en laine.

— Elle reste en détention pour trente jours. Pas de caution.

Le cœur de Griffin se serra.

— En détention ?

— Dans l'attente du mandat du gouverneur de Californie.

Recevant son signal, la journaliste prit l'antenne.

— Oui, Philip. L'audience vient juste de se terminer, ici, à West Eames…

Griffin s'éloigna, non sans quelques difficultés à cause de la foule. Son premier réflexe fut de courir se cacher, persuadé que tout le monde devinait en lui le traître. Mais la raison l'emporta. Il avait besoin d'en apprendre plus.

Il regarda autour de lui, cherchant un visage connu, et fut soulagé d'apercevoir John Kipling – un soulagement vite remplacé par de l'appréhension devant l'air furieux du journaliste.

Il hésitait sur la démarche à suivre quand John croisa son regard, rendant toute fuite impossible. Jouant des coudes, Griffin s'approcha et tendit la main que le journaliste serra.

— Pourquoi la retiennent-ils ? demanda-t-il. Elle a toujours été une citoyenne modèle.

D'un signe de tête, John lui fit signe de le suivre.

— Cassie a tenté de s'y opposer, mais elle n'avait aucune chance. Lisa Matlock a vécu dans la clandestinité pendant quinze ans. Il y a de fortes raisons de penser qu'elle le referait sans hésiter si la chance lui en était donnée.

— Tu es donc convaincu qu'Heather est Lisa Matlock ?

— Moi non, mais le juge, le procureur et le FBI, oui. Et les DiCenza, ajouta-t-il sèchement. Charles DiCenza n'a peut-être pas fait des étincelles en tant que candidat à la vice-présidence, mais il a toujours du punch. On raconte qu'il a été mis au courant bien avant tout le monde et qu'il en a profité pour passer quelques coups de téléphone. Il veut voir la meurtrière de son fils punie et, sauf miracle – comme un échantillon d'ADN prouvant qu'Heather n'était pas Lisa –, l'issue de cette audience était un fait accompli. Il n'y avait aucune chance pour qu'elle soit libérée.

— Est-il possible de produire un échantillon d'ADN ?

— Non. Il n'y a jamais eu de raison d'en prélever un. Lisa n'avait pas de casier judiciaire.

— Ce qui nous amène à la question de savoir pourquoi elle aurait écrasé ce garçon. Âgée de dix-huit ans à l'époque des faits, elle était jolie, intelligente et venait de décrocher une bourse pour Berkeley. Que vient faire une extorsion de fonds dans ce tableau ?

— On se le demande. Une bourse pour Berkeley ? répéta John en lui jetant un coup d'œil en coin. C'était dans le journal ?

— Non. J'ai obtenu l'information par un contact.

John ne fit aucun commentaire. Quand ils furent sortis de la foule, il accéléra, perdu dans ses pensées. Soudain, il s'arrêta et regarda Griffin.

— Tu aurais dû voir ça, mec. Le juge n'écoutait même pas. Puis il a annoncé qu'il la gardait en détention pour trente jours et rejetait la demande de caution. Grand silence dans la salle. Puis l'incrédulité a cédé la place à un véritable tohu-bohu de protestations. Mais je ne suis même pas sûr qu'Heather ait compris que les gens étaient de son côté. Le garde l'a entraînée et, quand elle s'est tournée pour regarder une dernière fois Micah, les larmes coulaient sur ses joues. Je n'ai jamais vu autant de douleur dans les yeux d'une personne.

La culpabilité de Griffin monta encore d'un cran. Seul l'espoir que tout cela ne serait bientôt plus qu'un mauvais souvenir parvenait à soulager un peu sa conscience.

— Cassie va la faire sortir, affirma-t-il.

— Ouais, mais tu sais ce que ça va coûter ? À côté de l'aspect personnel, inestimable – ces trente jours de la vie d'Heather, de Micah et des deux filles –, il y a aussi l'aspect financier. Cassie ne va sûrement rien lui demander comme honoraires, mais les dépenses pour une affaire de cette importance risquent quand même d'être énormes.

— Elle est innocente, insista Griffin.

— Oui, mais le prouver ne sera pas gratuit. Je ne sais pas comment ils vont faire. Micah ne possède pas autant d'argent.

Griffin si et il était prêt à signer un chèque sur l'heure. Encore que Poppy ne l'y autoriserait sûrement pas si elle connaissait la vérité. Ni Micah. Ils n'accepteraient jamais d'argent de l'homme responsable de toute cette pagaille.

Inconscient des problèmes de conscience de Griffin, John continuait.

— D'autant qu'il s'est endetté jusqu'au cou pour acheter de nouveaux équipements et avait calculé au plus juste pour rembourser son emprunt. Si Heather reste en prison et s'il rate la saison du sirop d'érable, il va au-devant de gros ennuis.

Soudain, il s'arrêta et regarda Griffin.

— Au fait, qu'est-ce que tu fais là, toi ? demanda-t-il d'un ton soupçonneux avant de reprendre sa marche.

— Je me rendais à Lake Henry et j'ai fait un détour.

— Où étais-tu passé ? La dernière fois que nous avons discuté, tu t'intéressais à Poppy. Disparaître pendant des semaines ne parle pas en ta faveur.

— Elle ne s'est pas montrée particulièrement encourageante, protesta Griffin.

— Tu savais qu'il en serait ainsi. Elle est au courant de ta venue ?

— Non. Je voulais lui faire la surprise.

— Poppy n'aime pas les surprises.

— C'est vrai, mais c'est ma seule chance de glisser un pied dans la porte.

John s'arrêta devant une voiture sur laquelle on pouvait lire *Lake News* et sortit les clés de sa poche.

— Pourquoi maintenant ? s'enquit-il. Si tu comptes écrire un article sur Heather, je te conseille de réfléchir à deux fois. Tu sais ce que Poppy pense des gens qui font de l'argent en exploitant la misère des autres ?

— Oui. Elle m'en a touché un mot en septembre dernier. Mais je ne suis pas là pour écrire un article sur Heather. Je ne peux pas. J'ai un livre en cours.

— Alors pourquoi as-tu demandé à tes contacts de se renseigner sur elle ?

— Parce que je pourrais peut-être découvrir quelque chose d'utile...

— Pourquoi ferais-tu ça ?

— Parce que je crois qu'Heather est une victime.

— Tu la crois innocente ? Parce qu'elle est l'amie de Poppy ?

— En partie.

John l'observa un instant.

— Continue. Poppy aura sûrement envie de connaître le fin mot de l'histoire.

Griffin garda le silence. Comme John ne bougeait pas, il ressentit un grand vide au creux de son estomac. John savait. Il avait dû voir l'interview de Randy et faire le rapprochement. Le nier ne ferait qu'aggraver la situation.

— Ouais, elle aura sans doute envie de connaître toute l'histoire, mais ça risque d'être difficile pour moi d'expliquer. Je ne l'ai pas fait exprès. Quand j'ai fait cette réflexion en voyant la photo, je n'ai pas imaginé un seul instant que Randy allait me prendre au mot et venir fouiner par ici.

John écarquilla les yeux et fronça les sourcils.

— Randall Hughes. Oh, bon sang ! Je suis long à la détente, s'exclama-t-il.

Griffin réalisa alors ce qu'il avait fait et émit un gémissement de frustration en secouant la tête.

— Je crois que je suis encore plus lent que toi, dit-il.

John avait maintenant l'air aussi furieux qu'à sa sortie du tribunal.

— C'est toi qui les as envoyés ici ?

— Non, répliqua Griffin. J'ai seulement remarqué une ressemblance. Randy a pris la suite.

— C'est la même chose. Poppy avait deviné que c'était un des journalistes qui rôdaient à l'automne. Elle ne va pas être contente d'apprendre que c'était toi.

Griffin considéra ça comme un signe positif. Au moins, cela suggérait qu'elle ressentait quelque chose pour lui.

— Tu vas le lui dire ? demanda John.

— Probablement. Je suis incapable de garder un secret – comme tu as pu le constater, eut-il envie d'ajouter. D'un autre côté, si un de mes informateurs tombe sur la preuve qu'Heather n'est pas Lisa, je sauve les meubles. Tu ne crois pas ? insista-t-il comme John ne relevait pas.

Ce dernier se contenta de le fixer encore un moment en silence avant de secouer la tête et d'ouvrir sa portière.

— Quel bordel ! marmonna-t-il.

Griffin attrapa la porte avant qu'elle ne se referme.

— J'ai besoin d'un endroit où dormir. Tu connais quelqu'un qui pourrait me louer une chambre ?

L'auberge la plus proche se trouvait à près de cinquante minutes de Lake Henry et il ne tenait pas s'éloigner autant, surtout en hiver avec toute cette neige. S'il voulait se rendre utile, il devait être sur place et traîner à l'épicerie ou à la poste pour écouter les ragots. Il fallait que les gens s'habituent à sa présence. C'était pour lui la seule façon d'obtenir un scoop sur Heather. Une étude en profondeur sur la disparition de Lisa ne suffirait pas. Il fallait aussi une étude sérieuse sur Heather. Il ne comptait pas vraiment écrire un article. Pour l'instant, sa priorité concernait le livre de Prentiss Hayden, mais cette histoire le captivait certainement beaucoup plus.

— La ville va rejeter la presse, dit John.

— Je ne suis pas la presse. Je suis un ami de Poppy.

— C'est pire. Lake Henry se montre très protecteur envers elle. Elle est spéciale. Elle est peut-être mignonne et drôle, mais sa vie n'a rien d'une partie de plaisir.

— Je sais tout ça.

C'était vrai. Griffin en savait probablement plus sur Poppy que John lui-même. Et il n'avait pas confié les recherches à Ralph. Il s'en était chargé lui-même.

John mit le contact et fit ronfler le moteur.

— Charlie Owens, le propriétaire de l'épicerie, dit-il. Son frère a déménagé, il y a douze ans, mais il possède toujours une baraque ici que Charlie doit surveiller en hiver. Si tu veux te faire un allié – et un allié comme Charlie vaut de l'or dans cette ville – tu pourrais louer cette maison et la surveiller toi-même. Non, tu n'en serais pas capable, ajouta-t-il après réflexion.

— Pourquoi pas ?

— Ce serait trop dur. L'endroit n'est doté d'aucun confort. En hiver, ça risque d'être difficile.

— Je peux le supporter, affirma Griffin.

Il avait crapahuté dans les Appalaches bon nombre de fois et était habitué à la vie à la dure. De plus, ce gardiennage serait bien plus pratique que de louer une simple chambre. Il aurait de la place pour installer toutes ses affaires.

— Elle a un toit ? demanda-t-il.

— Ouais.

— Du chauffage ?

— Un poêle.

— Alors, où est le problème ?

— Le vent, la neige, l'accès. Little Bear est une île à trois kilomètres en dehors de la ville.

Griffin n'avait jamais habité sur une île.

— Comment y accède-t-on en hiver ?

— À pied ou en voiture. Le lac est gelé. Ce serait plus simple si tu avais un camion. La Porsche ne passera pas.

John avait littéralement bavé devant la voiture lors de la dernière visite de Griffin. Maintenant, il affichait un air dédaigneux.

Il fit mine de fermer la portière, mais Griffin la retint.

— Je louerai un camion. J'en avais d'ailleurs l'intention.

— Eh bien, c'est une idée. Mon cousin Buck cherche à vendre le sien. Sa femme attend un bébé. Tu pourrais le payer deux fois le prix qu'il demande et te gagner les votes de l'autre moitié de la ville.

— Tope là. Je le trouve où ?

Le cousin de John vivait dans ce qu'on pourrait définir comme la *zone* de Lake Henry. Pas question d'y aller en Porsche – les gens se précipiteraient dessus pour en prendre un morceau dès qu'ils l'apercevraient. John suggéra donc de la garer dans un hangar à bateau à la marina pour la durée de son séjour et l'emmena lui-même chez Buck.

En chemin, ils croisèrent la voiture de Poppy qui fit signe à John, mais ne remarqua pas son passager. D'ailleurs, elle n'aurait pas eu le temps de s'arrêter. Micah avait appelé pour lui demander d'aller chercher les filles à la sortie de l'école et elle avait quitté la maison dès l'arrivée d'Annie Johnson venue la remplacer au standard.

Tandis qu'un pâle soleil descendait rapidement derrière les arbres, elle conduisait aussi vite que possible sur la route verglacée l'obligeant à un surcroît d'attention qui n'était pas pour lui déplaire ; il la distrayait un peu de ses pensées moroses. Si elle ignorait d'où venait Heather, elle savait sans l'ombre d'un doute qu'elle était une bonne personne. Tout comme elle savait en être une, elle aussi, malgré un passé lourd à porter. Peut-être Heather se trouvait-elle dans la même situation ?

Elle fut ravie d'arriver devant l'école. Enfilant ses gants rembourrés pour manipuler le métal glacé du fauteuil roulant, elle sortit de son véhicule et, poussant et tournant, parvint à se faufiler jusqu'au trottoir où les filles pourraient la voir. Elle n'était pas la seule à attendre, mais la seule à être descendue de voiture. Les autres restaient prudemment au chaud à l'intérieur.

Poppy connaissait tout le monde, mais elle ne regarda personne. Les saluer l'aurait obligée à parler d'Heather. Elle remonta le col de sa veste, resserra l'écharpe autour de son cou et enfonça ses mains gantées dans ses poches. Quelques instants plus tard, la cloche de l'école sonna et les enfants se dispersèrent dans un arc-en-ciel de couleurs, se précipitant vers les cars de ramassage scolaire ou les voitures des parents.

Missy et Star apparurent à la porte. Côte à côte, tout excitées, elles s'élancèrent en direction des voitures et s'arrêtèrent net en apercevant Poppy, leur excitation retombée. Poppy n'était pas Heather.

Missy fut la première à réagir et à se remettre en marche. Star la suivit plus lentement. Poppy se creusait la tête pour trouver une explication simple et rassurante à l'absence d'Heather. En vain.

Et les questions commencèrent à pleuvoir.

— Où est Heather ?

— À West Eames.

— Pourquoi ?

— Elle avait à faire là-bas. Alors c'est moi qui suis venue vous chercher.

— Elle avait dit qu'elle serait là, insista Missy.

— Quand a-t-elle dit ça ?

— Ce matin, en partant. Mais elle n'avait pas l'air bien.

— Parfois, on doit faire des choses qu'on n'a pas envie de faire, expliqua Poppy. J'ai pensé qu'on pourrait aller à la maison et préparer des biscuits aux pommes.

— Quelle maison ?

— La vôtre.

Sa propre maison était certes plus appropriée pour

cuisiner assise dans un fauteuil roulant, mais elle ne voulait pas les y emmener de peur qu'elles n'entendent Annie discuter au téléphone des derniers événements.

— Papa sera là ?

— Je... Je crois que oui.

— Il devrait. Il doit surveiller les arbres.

— Surveiller les arbres pour quoi ?

— Pour voir ceux qui sont tombés et pour les couper et en faire des bûches, répondit Missy avec un soupir. Heather sera de retour pour dîner ?

— En fait, je ne pense pas.

— Quand va-t-elle revenir ?

Dix jours ? Vingt jours ? Trente jours ? Comment expliquer ça à une enfant ?

Seigneur, je ne suis vraiment pas douée pour ça, pensa Poppy.

— Très bientôt, j'espère. J'ai vraiment froid, Missy. Une autre minute et mes roues vont complètement geler. Grimpez vite dans la voiture. Tu veux que je te porte, Star ?

La fillette n'avait pas l'air très en forme, la lèvre inférieure tremblante, les yeux tout tristes. Elle secoua la tête.

— Alors, donne la main à Missy.

Une fois bien installées dans la voiture, elle monta le chauffage à fond. Mais le froid était bien le cadet de ses soucis. Les questions de Missy s'enchaînaient.

— Et si Heather n'est pas rentrée demain matin ?

— Alors ton papa vous aidera à vous préparer comme ce matin.

— Et s'il ne peut pas ? Il part avant Heather parfois. Et s'il ne prépare pas le petit déjeuner, comme ce matin ?

— Ce matin, vous avez pris votre petit déjeuner chez moi.

— Tu nous le prépareras demain aussi ?

— Demain et les autres jours, s'il faut, répondit Poppy en s'arrêtant à une intersection.

Elle dut laisser passer le tacot de Buck Kipling et venait de redémarrer quand une petite main se posa sur son épaule.

— Maman est partie ? demanda Star d'une toute petite voix.

— Non, ma chérie. Elle est allée à West Eames.

— Elle est partie pour de bon ?

Tenant le volant d'une main, elle se tourna légèrement pour caresser la joue de la fillette.

— Non, elle n'est pas partie.

— Et si elle ne revient jamais ?

— Elle reviendra. Elle vous aime.

Il y eut un silence, puis Star reprit la parole.

— Je veux ma maman, dit-elle d'une voix tremblante.

— Je sais, mon bébé. Je sais.

Griffin venait de croiser le Blazer rouge quand il réalisa qui conduisait. Mais ce n'était pas grave. De toute façon, il n'était pas prêt à lui parler et il n'avait pas de temps à perdre. Il devait encore s'arrêter chez Charlie pour s'informer de l'endroit où se trouvait la maison et acheter des provisions. Il avait calculé qu'il ne lui restait que deux heures avant la tombée de la nuit pour atteindre la cabane sur l'île, allumer le poêle et remettre en marche l'électricité.

L'épicerie était bondée avec les gens qui revenaient de West Eames et ceux qui attendaient les nouvelles. Certains discutaient dans l'épicerie tandis que d'autres s'étaient installés au café. Le plus grand nombre s'agglutinait autour du poêle.

Heureux que personne ne lui prête attention, Griffin se dirigea vers Charlie à la caisse et lui expliqua rapidement ce qu'il voulait. Charlie accepta, quoiqu'avec plus de réserve que de chaleur.

— Il y a une clé ? demanda Griffin.

— Non. La porte n'est jamais fermée.

— Qu'est-ce que je dois savoir ?

La main sur la caisse, Charlie réfléchit une minute.

— Il y a des bûches à côté de la porte. Si vous avez besoin de secouer un peu les tuyaux pour l'eau, tapez dessus avec le burin derrière la porte. Pour l'électricité, il n'y a qu'à relever la manette.

Tout cela paraissait très simple à Griffin qui, désireux de ne pas pousser sa chance avec les gens du pays, ne s'arrêta que le temps d'acheter du café, des œufs, du pain, du fromage, de la viande et quelques boîtes de soupe. À la dernière minute, il ajouta six bières et plusieurs bonbonnes d'eau, ainsi que quelques journaux pour allumer le feu. Puis il transporta le tout jusqu'au camion de Buck et le déposa sur le siège arrière plutôt que dans le coffre de peur que tout ne gèle. Il lui fallut plusieurs essais avant que le moteur consente à démarrer.

Empruntant la route qui longeait le lac, Griffin suivit les indications de John, dépassant de pittoresques petites routes qui menaient aux innombrables anses qui se cachaient le long de la rive. Malheureusement, l'accès à l'île de Little Bear se trouvait au bout du lac, après une myriade de détours et de contours qui transformaient une distance de cinq minutes à vol d'oiseau en un trajet d'une demi-heure. Dieu merci le camion de Buck tenait parfaitement la route. Griffin se réconforta en pensant qu'il aurait sa propre maison et qu'en plus, il marquerait pas mal de points auprès de Charlie, une fois que celui-ci commencerait à y réfléchir.

« Tu vas tout droit jusqu'au bout du lac, avait expliqué ce dernier. Puis tu tournes à droite sur le lac.

— Sur le lac ? avait répété Griffin, sceptique. Je peux vraiment ?

— Bien sûr. Cela a un peu fondu, hier, mais il a de nouveau gelé aujourd'hui. Des camions y passent sans arrêt pour aller jusqu'aux cabanes à luge. Aucun n'est encore passé à travers... cette année. »

Décidé à relever le défi, Griffin repoussa ses craintes et tourna pour s'engager sur la petite route, heureusement dégagée, qui s'enfonçait sous les arbres, l'obligeant à allumer ses phares.

Il jeta un coup d'œil à sa montre et constata qu'il lui restait une bonne heure pour atteindre son but et s'installer. Une vraie balade.

Soudain l'horizon se dégagea et le lac apparut, une vue qui arracha un sourire à Griffin. De courte durée néanmoins. Le dégagement de la route s'arrêtait en effet là et les roues du camion se retrouvèrent bloquées. Priant pour que ce ne soit pas grave, Griffin recula, puis tenta d'avancer à nouveau avec plus de force. Mais, après quelques mètres, le camion patina encore et, cette fois, refusa même de reculer. Les quatre roues étaient bel et bien enlisées dans la neige. Il descendit et s'enfonça jusqu'aux genoux, très au-dessus du bord des bottes dont il était si fier. Il examina le chemin recouvert d'une épaisse couche de neige devant lui. Puis le lac, légèrement en contrebas, glacé et recouvert d'une couche de neige aussi épaisse que celle de la route.

Mais la nuit tombait et il n'y avait pas de temps à perdre. Griffin étudia l'île qui se trouvait à quelque quatre cents mètres de là. La distance ne semblait pas insurmontable et il décida de tenter sa chance à pied. Il n'avait pas de gants, mais des mains froides ne le tueraient pas.

Il posa donc sa casquette des Yankees sur la tête, jeta son sac de voyage sur une épaule, la sacoche contenant son ordinateur portable et ses papiers sur l'autre, prit un sac de provisions sous chaque bras et s'élança.

La glace ne broncha pas sous son poids. Mais en plus de ses mains, ses oreilles commencèrent à geler et son jean ne le protégea ni de la morsure du froid, ni de la neige qui recouvrait la glace.

Il continua néanmoins bravement son chemin, conscient du soleil qui déclinait rapidement. Le froid ne le gêna pas longtemps. Obligé de lever haut les genoux pour sortir ses bottes de la neige, il ne tarda pas à transpirer abondamment. Mais la chaleur ne diminuait pas l'effort et ses cuisses protestèrent bientôt. Il n'avait pas l'habitude d'un tel exercice, surtout chargé comme il l'était, et ne progressait pas vite. La distance qui lui avait semblé si courte, quelques minutes plus tôt, lui paraissait maintenant interminable.

Déterminé, il serra les dents et obligea ses jambes à bouger. Il ne découvrit la cabane que lorsqu'il contourna l'île et en ressentit un immense plaisir. Construite en rondins de bois, au milieu d'une clairière, elle avait l'air d'une vraie cabane de trappeurs.

Griffin s'approcha de l'entrée. Des bûches s'empilaient près de la porte, mais dissimulées par la neige malgré l'auvent.

Impatient de se mettre à l'abri, Griffin poussa la porte. Qui résista. Il déposa alors un des sacs sur le tas de bois et recommença. En vain. Il dut se débarrasser de l'autre sac et appuyer de tout son poids sur le montant pour que la glace qui recouvrait les gonds cède un peu et qu'il puisse enfin pénétrer dans sa nouvelle demeure.

Obscurité. Froid. Odeur de renfermé.

« Pour l'électricité, il n'y a qu'à relever la manette du compteur », avait dit Charlie. Certes. Encore fallait-il trouver ledit compteur dans le noir.

Après avoir déposé ses différents sacs sur le plancher, il tira le rideau qui pendait à la fenêtre, ce qui n'améliora guère la luminosité, mais lui permit néanmoins d'apercevoir un interrupteur sur le mur. Il l'essaya, sans succès. L'interrupteur principal devait se trouver ailleurs. Il sortit son téléphone portable de sa poche pour appeler Charlie, mais comprit vite qu'il se situait hors zone de connexion.

Ce qui ne le réjouit pas. S'il ne pouvait téléphoner, il n'aurait aucun moyen de contacter ses amis, de recevoir son courrier électronique ou de se connecter à Internet. Sauf s'il installait une antenne. Cela pouvait sans doute se faire, mais certainement pas ce soir. Examinant la pièce autour de lui, il vit qu'il était dans ce qui servait de cuisine, salle à manger. Il s'approcha des placards sur l'évier qu'il ouvrit l'un après l'autre jusqu'à ce qu'il ait déniché des bougies, une lampe et des allumettes.

La lampe allumée ne lui apporta aucun réconfort, pas plus que la vue du poêle au milieu de la pièce, sombre et glacée.

Soufflant sur ses doigts pour les réchauffer, il frotta ses mains l'une contre l'autre pour rétablir la circulation sanguine et sortit chercher quelques bûches. Il lui fallut plusieurs minutes pour enlever la neige qui les recouvrait et les dégager. La glace les avait collées les unes aux autres et il se massacra un pouce dans l'opération.

Après avoir dansé un moment sur place, il transporta

le bois à l'intérieur. Il froissa ensuite quelques feuilles de papier journal qu'il glissa dans le poêle, déposa deux bûches par-dessus et craqua une allumette. Le papier brûla, mais le bois ne s'enflamma pas.

Jurant entre ses dents et grelottant maintenant qu'il ne transpirait plus, il commença à découper une des bûches en petits morceaux grâce à la hache qu'il avait dénichée derrière la porte. Quand il eut assez de copeaux, il remit du papier dans le poêle, jeta les copeaux dessus, puis les bûches.

Cette fois, les copeaux s'enflammèrent, produisant suffisamment de flammes pour que les bûches après avoir bruyamment craqué sous l'effet de la chaleur prennent feu à leur tour.

Réconforté à l'idée de la chaleur imminente, Griffin attrapa son sac de voyage, en retira un pull qu'il enroula autour de sa tête pour protéger ses oreilles du froid ainsi qu'une paire de chaussettes en laine dans lesquelles il glissa ses mains. Puis il ressortit et repartit en direction du camion pour récupérer le reste de ses affaires.

5.

Poppy s'inquiétait. L'heure du dîner approchait et les filles réclamaient Micah.

Elle leur avait fait un peu de lecture, mais sans parvenir à retenir leur attention et elles regardaient maintenant la télévision où Barney lui-même ne réussissait pas à leur arracher un sourire.

Poppy avait à peine entendu le camion de Micah que les fillettes étaient déjà debout et couraient à la porte. Elle attendit que Micah rentre avec elles. Il n'avait pas bonne mine, le visage gris de fatigue et les yeux si sombres que le cœur de Poppy se serra. Elle ne l'avait pas revu ainsi depuis des années. La lumière qu'Heather avait fait naître s'était éteinte.

Les fillettes restaient près de la porte, observant leur père, dans l'expectative.

Poppy leva les sourcils, l'invitant à parler.

Mais Micah secoua simplement la tête avant de se diriger vers la cuisine.

Le temps pour Griffin de retourner au camion, de récupérer ses affaires et de revenir à la cabane, il était complètement gelé et rêvait de chaleur – d'une étuve, rien de moins. Malheureusement pour lui, la cabane n'avait pas été chauffée depuis si longtemps que la chaleur dispensée par le poêle avait du mal à se répandre.

Les doigts engourdis, il dut se battre avec ses lacets

raidis par la glace avant de pouvoir ôter ses bottes. Il enfila ensuite deux paires de chaussettes, un jean sec récupéré dans son sac et le pull qui lui avait jusque-là protégé la tête. Armé d'une bougie, il fit alors le tour de la cabane à la recherche du compteur d'électricité, mais en vain.

Et, sans électricité, il n'avait que deux heures de batterie dans son ordinateur. À long terme, cela risquait de devenir problématique. Pour l'instant du moins, sa principale préoccupation restait la chaleur.

Il fouilla donc à nouveau la cabane et dénicha cette fois une lampe à huile et un petit bidon de kérosène. La lampe à la main, il se rendit dans la minuscule salle de bains qui se composait d'un lavabo et d'un bac à douche, minimal lui aussi et dépourvu de rideau pour le fermer. Ce qui était le cadet de ses soucis. Il avait déjà eu assez de mal à ôter son pantalon mouillé et raidi par le froid et à en enfiler un sec pour envisager de se déshabiller à nouveau dans une pièce qui avait la taille et la température d'un réfrigérateur.

Les toilettes par contre auraient pu retenir son attention... s'il y avait eu de l'eau. Mais quand il tira sur le bouton de la chasse, rien ne se passa. Même chose avec le robinet du lavabo.

« Si tu as besoin de secouer un peu les tuyaux, utilise le burin », avait dit Charlie. Griffin partit donc en quête dudit burin qu'il trouva à l'endroit indiqué, derrière la porte. Ne restait plus qu'à découvrir les tuyaux.

L'idée lui traversa l'esprit qu'il s'était fait avoir. Si John avait, en toute bonne foi, ignoré l'état de la cabane de Little Bear, Charlie, lui, le connaissait parfaitement. Ils souhaitaient tous le voir échouer et revenir tête basse vers la civilisation.

Eh bien, il n'allait sûrement pas leur donner cette satisfaction. Reposant le burin, il remit ses pieds dans ses bottes et, sans prendre la peine de les lacer, sortit se soulager dans le bois. Il regagnait la cabane quand il aperçut le générateur, tapi contre le mur à l'arrière. Avec un petit cri de victoire, il se précipita et vérifia les niveaux. Puis il actionna la manette de mise en marche. Comme rien ne se passait, il renouvela l'opération deux ou trois fois avant de s'arrêter, de crainte de le noyer. Une dernière tentative le convainquit de l'inutilité de ses efforts.

Après avoir décoché un bon coup de pied dans la satanée machine pour se défouler, il regagna donc la cabane où la chaleur du poêle commençait à se faire sentir. Rasséréné, il attrapa une casserole et entreprit de réchauffer une boîte de soupe.

Son repas était prêt quand il réalisa que les grattements qu'il entendait ne provenaient pas du poêle.

Sur le chemin du retour, Poppy s'arrêta devant chez Cassie et donna un coup de klaxon. Celle-ci ne tarda pas à sortir sans veste et à courir jusqu'à la voiture dans laquelle elle s'engouffra.

— Que se passe-t-il ? demanda Poppy.

Le mutisme de Micah l'avait secouée car il suggérait de sérieux problèmes, bien plus graves qu'une simple erreur de personne.

— Qu'a dit Micah ?

— Rien. Il était presque catatonique et je ne voulais pas insister devant les filles. Mais il devrait être facile de prouver qui est Heather. Il suffit de produire quelque chose de son enfance – un parent, une photo d'école, un ami. T'a-t-elle confié des noms ?

Cassie secoua lentement la tête.

— Pourquoi ? demanda Poppy

— Elle refuse de parler.

— *Pourquoi ?*

— Je l'ignore. Son arrestation semble l'avoir traumatisée.

— Ça se comprend. Mais elle a toujours fait preuve d'esprit pratique. J'ai beaucoup réfléchi à ce que j'avais pu apprendre à son sujet, à ce qu'elle avait pu me raconter sur sa vie avant son arrivée ici et je n'ai pas rassemblé grand-chose, dit-elle, trouvant enfin le courage d'exprimer ce qui l'angoissait. Et toi ?

Cassie ne répondit pas.

— Très bien, mais Micah doit bien savoir, lui. Tu lui as posé des questions ?

— Une douzaine de fois, marmonna Cassie. Je *leur* en ai posé à tous les deux. C'est ce qu'on appelle un alibi, normalement très facile à établir. Mais les circonstances, ici, ne sont pas normales.

— Quoi ?

Cassie s'apprêtait à répliquer, puis changea de sujet.

— Charlie a peut-être des informations. Après tout, il l'a embauchée quand elle a débarqué en ville. J'irai lui parler à la première heure demain matin.

— Elle cache quelque chose, n'est-ce pas ?

— Je l'ignore.

— Elle a peut-être subi un traumatisme avant de venir ici.

— Tu crois ?

— Pourquoi pas ? Sinon, comment expliquer son refus de parler, son mutisme à propos de son passé ?

— Qu'est-ce qui a pu lui arriver ?

— Un viol, de mauvais traitements. Ou bien elle a perdu toute sa famille dans des circonstances dramatiques comme... un incendie par exemple et le choc a été si pénible qu'elle a tout refoulé. À moins qu'elle n'ait eu un accident. Elle a dit que sa cicatrice provenait d'un accident de voiture.

Quelqu'un frappa à la fenêtre de Cassie et toutes les deux sursautèrent. Jurant entre ses dents, Cassie descendit la vitre et le visage de son mari apparut.

— Bonjour, chéri, dit-elle.

— La sonnerie a retenti.

— Sors le plat du four.

— Les enfants t'attendent. Ils ne t'ont pas vue de la journée.

— Je sais. Je serai là dans une minute.

Mark lui jeta un coup d'œil dubitatif avant de faire demi-tour et de s'éloigner.

— C'est un saint, dit Poppy.

Cassie remonta la vitre.

— Oui, mais sa patience a des limites. Il trouvait déjà

que je travaillais trop et cette histoire ne va rien arranger. Bon sang, Poppy, je n'ai pas demandé un tel dossier, mais, puisqu'il est là, je peux difficilement le refuser. Je sais que j'ai trois enfants dont l'aîné n'a que six ans et que ce sont les années les plus importantes de leur vie. Et je sais que je profite du fait que mon mari est professeur au collège, ce qui lui laisse du temps pour s'occuper d'eux. Mais je fais ce que je peux.

Avec un soupir, elle se pencha et fit une bise à Poppy.

— Appelle-moi si tu apprends quelque chose d'utile, d'accord ?

Poppy n'apprit rien de nouveau. L'incrédulité dans la population se transformait peu à peu en frustration. Tout le monde cherchait quelque chose qui innocenterait Heather. Comme Poppy, ils attendaient un miracle.

C'était comme si Heather était née à Lake Henry, quinze ans plus tôt. Avant ça, rien. Le néant. Toutes les têtes se tournaient vers Micah qui aurait dû connaître sa vie. Poppy tenta de le joindre mais, quand il décrocha finalement, ce fut pour répondre par monosyllabes. Oui, il avait nourri les filles. Non, elles n'étaient pas contentes. Oui, la presse avait appelé. Non, il ne leur avait rien dit. Oui, il essayait de se souvenir de ce qu'Heather avait pu lui raconter, mais non, il ne se souvenait de rien.

Poppy se demandait comment un homme pouvait partager pendant quatre ans la vie d'une femme et tout ignorer de son passé. De quoi parlaient-ils donc quand ils étaient ensemble ?

Micah ne lui fournit aucune explication à ce sujet et elle ne put se résoudre à poser la question.

Marie Joan Sweet, présidente du club local de jardinage, appela, affirmant avoir vu Griffin Hughes traverser la ville au volant du vieux camion de Buck Kipling. Mais Mary Joan était réputée pour sa myopie, ce qui autorisa Poppy à avoir quelques doutes quant à ses visions. Leila Higgins, par contre, se révélait une source beaucoup plus sûre et elle confirma avoir vu Griffin à l'épicerie, ce qui pouvait facilement se vérifier. Poppy téléphona à Charlie.

— Ouais, répondit Charlie. Il est en ville et il a sacrément embelli ma journée. Il va loger chez mon frère sur Little Bear.

Poppy ne fit pas attention à la fin de la phrase, concentrée qu'elle était sur le début.

— Qu'est-ce qu'il fait ici ?

— Il te court après, plaisanta Charlie.

Mais la plaisanterie glissa sur elle. Elle avait déjà réglé cette question avec Griffin.

— Il doit chercher des informations sur Heather. Je ne peux pas croire que tu lui aies fourni un logement.

— Il voulait habiter en ville.

— C'est un journaliste. Il se sert de nous.

— Il a dit qu'il travaillait sur autre chose, mais, s'il cherche vraiment des informations, je préfère encore l'avoir sous la main pour le tenir à l'œil. D'ailleurs, nous avons besoin de réponses au sujet d'Heather. Il peut peut-être en trouver. S'il se sert de nous, on peut en faire autant.

— Très bien, oublie Griffin. Dis-moi ce que, toi, tu sais. Tu as embauché Heather quand elle a débarqué en ville. D'où arrivait-elle ?

— Atlanta.

Atlanta ? Poppy n'avait jamais entendu Heather parler d'Atlanta.

— Elle a travaillé dans un restaurant là-bas, reprit Charlie. Mais pas longtemps. Elle avait besoin d'argent.

— Pour quoi faire ?

— Pour vivre. Pour venir ici.

— Pourquoi ici ?

— Je n'en sais rien.

Mais Poppy ne pouvait se contenter de ça.

— Parce que c'est une petite ville ? Parce qu'il y a un lac ? Pourquoi ?

— Je l'ignore.

— Tu ne lui as pas posé la question ?

— Poppy, c'était il y a quatorze ans. J'ai probablement dû lui poser des questions à un moment ou un autre, mais ce qui m'intéressait surtout, c'était de savoir si elle connaissait le boulot.

— Tu as vérifié ses références quand tu l'as embauchée ?

— Oui et son précédent employeur s'est montré dithyrambique, tout comme moi je le serais si on me posait la question.

— Griffin va te poser la question. Il va fouiller. Il travaille peut-être sur un autre sujet, mais ce genre de type touche à tout. Fais-moi confiance. Il saura te tirer les vers du nez.

— Peut-être. Ce serait peut-être pas mal... Tu sais, si ses questions faisaient resurgir des souvenirs. En tout cas, ça me rend service qu'il reste sur Little Bear. C'est au bout de nulle part et ça ne me disait rien d'aller jusque là-bas pour vérifier que tout se passait bien.

Finalement, Poppy réalisa de quoi il parlait.

— Griffin est sur Little Bear ? Mais l'île est complètement isolée.

— Ouais.

— Tout doit être gelé.

— Ouais.

— Et il n'y a pas d'eau.

— Pas à cette époque de l'année.

Poppy devina le sourire de Charlie au bout de la ligne et soudain il lui parut de bonne guerre qu'un gars qui avait assez d'argent à la banque pour pouvoir mettre son nez dans les affaires des autres se retrouve coincé dans un trou glacial avec un minimum de confort, en plein cœur de l'hiver.

— Tu es un vilain garçon, Charlie, dit-elle avec un grand sourire et non sans une certaine satisfaction.

Des écureuils. Griffin les avait découverts en suivant le bruit au plafond. Après être monté sur une chaise et avoir soulevé une des planches, il en avait surpris deux en train de s'acharner sur le revêtement isolant dont des morceaux dégringolèrent sur sa tête. Il replaça vivement la planche et retourna près du poêle.

Il était complètement épuisé. En plus des élancements dans son pouce et de ses jointures mises à vif par le froid, il ressentait des douleurs dans les jambes, les bras et le dos. Il aurait pu tuer pour une bonne douche chaude. Ou tiède d'ailleurs. À défaut, il ne cessait de penser à son sac de couchage rangé dans le placard de sa chambre, à Princeton. Du dernier cri et efficace même par moins vingt degrés. Car le froid persistait dans la cabane, malgré le poêle qui ronronnait.

Normalement, il aurait dû passer la soirée chez lui, à regarder la télévision, à naviguer sur le Web ou à travailler sur la biographie de Hayden – toutes choses qu'il ne pouvait faire ici. Pas plus qu'il ne pouvait se rendre au bar du coin pour suivre un match des Knicks ou prendre une bière avec des potes. L'établissement le plus proche – le café de Charlie – fermait la nuit et même dans le cas contraire il ne serait pas ressorti. Pas ce soir, pas dans une obscurité totale, avec le vent qui soufflait de plus en plus fort et un froid sibérien.

Sans parler du camion. Oh, le chauffage marchait – il avait pu le vérifier – mais, pour l'instant, ledit camion disparaissait sous la neige et serait probablement congelé le lendemain, ce qui risquait de le mettre dans une situation intéressante, vu que son téléphone portable était inutilisable.

Évidemment, il s'était fait avoir. Aucun doute là-dessus. Il n'avait aucune peine à imaginer les gars du pays, assis en ce moment même chez Charlie et rigolant à l'idée du citadin en train de se geler les fesses dans la nuit, sans eau, sans électricité, ni téléphone. Il se demanda si Poppy était dans le coup, mais repoussa cette idée. En fait, il refusait d'envisager qu'elle puisse se réjouir de sa situation.

D'ailleurs, il était trop fatigué pour réfléchir plus avant. Il posa les coussins du canapé sur le sol, près du poêle, et récupéra des couvertures dans la chambre, la seule autre pièce de la cabane. S'allongeant sur les coussins, il se recouvrit avec les couvertures qu'il repoussa aussitôt. Elles étaient gelées. Se contentant de la chaleur du poêle, il se coucha en boule et attendit le sommeil.

Micah ne parvenait pas à dormir. Le lit était trop vide

et sa peur trop intense. Finalement, las de contempler le plafond, il se leva, s'habilla, enfila ses bottes et sa veste et sortit. À la cabane à sucre, il alluma. Évitant la pile de bûches au cœur de laquelle il avait dissimulé le sac d'Heather, il entreprit de vérifier un tas de tuyaux à la recherche d'éventuels petits trous par lesquels la précieuse sève pourrait s'échapper et tomber dans la neige. Il fallait près de quatre litres de sève pour obtenir un litre de sirop d'érable. De la sève perdue signifiait du sirop en moins et donc moins d'argent. L'argent... Le domaine d'Heather.

Abandonnant les tuyaux, il se dirigea vers la pièce voisine où il contempla la pile de papiers posés sur le bureau, non sans un début de panique. Les papiers se trouvaient dans des chemises, bien rangées et organisées selon l'esprit d'Heather, mais contrairement au sien. Il savait que le dossier marqué ART contenait des esquisses du nouveau logo qui ornerait les étiquettes des pots de sirop, et que le dossier ASP se référait au nouveau système d'aspiration qu'il venait d'installer, qui permettrait de recueillir plus de sève des arbres. Il restait d'ailleurs des formulaires à remplir à ce sujet. Et enfin, il y avait le dossier EVAP dans lequel étaient rassemblés les détails des modalités de remboursement du nouvel évaporateur qu'ils avaient acheté et utilisé la saison dernière et dont l'efficacité leur permettait de produire plus de sirop, d'où le nouveau système d'aspiration, le nouveau logo et l'agrandissement de la cabane à sucre.

Toutes les informations sur ces dossiers se trouvaient dans l'ordinateur qui trônait sur le bureau et qui recevait également les courriers électroniques, principaux liens avec les clients et fournisseurs.

Micah pouvait utiliser une tronçonneuse, une perceuse ou une hache, mais ignorait tout des ordinateurs, contrairement à Heather pour qui logiciels et disque dur n'avaient aucun secret. En fait, elle savait tout ce qu'il y avait à savoir concernant les différents dossiers qui encombraient le bureau et qui constituaient leur petite entreprise, de sorte que, si elle ne revenait pas bientôt, il se retrouverait dans un sacré pétrin.

Le cœur serré, il regagna la maison mais, là aussi,

Heather était partout. Dans la cuisine où les casseroles en cuivre pendaient, accrochées à la grille qu'elle lui avait fait installer au plafond et où les plantes s'épanouissaient près de la fenêtre derrière l'évier. À côté de la machine à coudre, des robes non terminées pour les filles.

Micah éteignit la lumière et retourna dans sa chambre. Assis sur le bord du lit, dans l'obscurité, il se sentait engourdi. Et pas par le froid. La maison baignait dans une douce chaleur grâce à la chaudière qui alimentait les radiateurs dans toutes les pièces.

Il n'avait pas de chaudière quand il avait rencontré Heather. Il disposait alors d'un système de soufflerie qui répandait la chaleur dispensée par le poêle, un système qui fonctionnait bien tant que le poêle était plein. Veiller à ce qu'il ne s'éteigne jamais avait été une source constante de disputes entre Marcy et lui. Elle estimait que ce n'était pas à elle de rester à la maison pour surveiller le poêle alors que son mari entrait et sortait toute la journée. Dans un sens, il devait reconnaître qu'elle n'avait pas tort. Il n'était jamais loin, même quand il effectuait des travaux pour les voisins. Il revenait toujours pour le déjeuner et durant la saison du sirop d'érable il ne s'absentait pratiquement pas.

Son argument était qu'elle restait à l'intérieur. Il ne lui demandait pas de couper des arbres ou du bois. De ça, il s'en chargeait. Tout ce qu'il voulait, c'était qu'elle ajoute de temps en temps une bûche dans le poêle.

En fait, après sa mort, il avait réalisé que la vraie raison de cet argument était qu'il ne comprenait pas pourquoi elle éprouvait constamment le besoin de sortir. Avoir des bébés ne l'avait absolument pas ralentie. Elle attachait les filles dans la voiture et vogue la galère. Elle s'en allait voir ses amies, faire les boutiques ou tout ce qui pouvait lui passer par la tête. Il y avait en elle une espèce d'énergie frénétique qu'il avait trouvée excitante au début. Elle était née, avait grandi dans la zone et ressemblait à une lumière vive qui ne pouvait rester en place. Il avait tenté de la suivre, mais avait échoué. Il avait toujours été un homme d'habitude.

Habitude ? Nécessité plutôt. Son père lui avait légué

l'érablière et la saison du sirop d'érable était courte. Il devait faire le maximum en un laps de temps très bref. Pas question de ralentir ou de se relâcher. Et quand la saison était terminée, que le sirop était en bouteille et expédié à des douzaines de magasins de Nouvelle-Angleterre, il devait gagner de l'argent d'une autre façon. L'énergie frénétique était un luxe bien au-dessus de ses moyens.

Cette énergie avait finalement tué Marcy. Personne ne l'avait vraiment dit en ces termes, mais ça n'en restait pas moins évident. Elle avait conduit trop vite sur une route verglacée. Toujours trop vite, avec trop d'énergie.

Heather représentait son antithèse avec sa voix douce et calme, ses yeux d'argent et son bon sens. Elle adorait demeurer à la maison, elle aimait la récolte du sirop et elle aimait les filles. Et, malgré le sentiment de culpabilité qu'il ressentait chaque fois que l'idée lui traversait l'esprit, Micah devait admettre qu'elle faisait un bien meilleur exemple pour elles que leur propre mère. Il avait toujours eu confiance en Heather pour s'occuper d'elles, ne s'était jamais inquiété quand elles étaient avec elle, pas une seule fois, même au début.

Un petit murmure lui fit tourner la tête vers la porte et il découvrit Star qui se glissait dans la chambre. Elle ne dit rien, mais trottina jusqu'au lit où elle s'appuya contre sa cuisse.

Il caressa ses cheveux, la gorge serrée. Star était une enfant magnifique, aussi bien à l'intérieur qu'à l'extérieur, et d'une maturité bien au-delà de son âge. Inutile de lui demander pourquoi elle ne dormait pas. Elle avait peut-être moins de soucis que lui, mais la plupart étaient les mêmes.

Où est maman ? Pourquoi n'est-elle pas là ? Quand reviendra-t-elle ? Pourquoi est-elle partie ?

Elle n'est pas partie, avait-il envie de crier. Elle sera de retour demain matin. Mais il ignorait si c'était vrai. Aussi perdu que Star, il prit l'enfant dans ses bras et la serra contre lui jusqu'à ce que sa panique se dissipe. Puis il la ramena dans sa chambre et la recoucha.

Griffin dormit mal. Les coussins qu'il avait posés sur le sol – des coussins vraiment pas épais – ne pouvaient se comparer à un matelas et encore moins à son propre lit. Et même si la température dans la cabane était maintenant suffisamment douce pour qu'il puisse se coucher dans la chambre, le lit ne lui avait guère paru confortable. Petit et étroit, il y avait à peine la place pour une personne – certainement pas un lit où dormir avec une femme. D'ailleurs, rien dans la cabane ne suggérait la présence d'une femme. Tout restait très fonctionnel, adapté à une vie spartiate d'homme des bois.

S'accrochant à l'idée que son sacrifice lui vaudrait certainement les bonnes grâces de Charlie, il parvint à somnoler quelques heures et fut réveillé par les mugissements du vent. Si le bruit assez sinistre ne le gênait pas vraiment, il redoutait par contre qu'un arbre déraciné par le souffle rageur ne s'abatte sur la maison. Comment parviendrait-il à trouver de l'aide s'il se retrouvait coincé dessous ? se demandait-il, inquiet. Mais la fatigue fut la plus forte et il se rendormit.

Il se réveilla de nouveau un peu plus tard et remit du bois dans le poêle. Les couvertures étaient maintenant sèches et chaudes et il s'en servit pour rendre sa couche plus confortable. Finalement, il parvint à sombrer dans un sommeil profond dont il ne sortit qu'aux premières lueurs du jour qui perçait à travers les rideaux.

Le vent s'était calmé et, dans le silence revenu, il entendait parfaitement les trottinements au-dessus de sa tête qui lui apprirent que les écureuils s'étaient rassemblés pour profiter de la chaleur.

Il finit par se lever et entreprit de détendre ses muscles endoloris. Puis il écarta les rideaux pour découvrir un mur de brouillard. Il ne voyait pas à plus de deux mètres de la cabane. Il ne se serait pas senti plus isolé s'il s'était retrouvé au milieu d'un océan.

Mal à l'aise, il retourna près du poêle. Ses bottes étaient encore mouillées. Il les ouvrit largement et les rapprocha du feu, puis il mit la cafetière à chauffer. Il but le café à peine passé tout en préparant des œufs brouillés qu'il mangea dans le plat.

Finalement, ne pouvant se retenir plus longtemps, il enfila ses bottes, sortit et s'enfonça dans le bois.

Le soulagement qu'il éprouva dépassa largement l'inconfort du froid. Il respira un grand coup et, rejetant la tête en arrière, regarda la cime des arbres en souriant dans l'air vif. Alors qu'il regagnait la cabane, il découvrit le lac. Le brouillard commençait à se lever et laissait passer quelques rais de lumière, dégageant lentement le paysage. Sous le gris ouaté des nuages s'étendait le manteau blanc immaculé de la neige lissée par le vent pendant la nuit.

Puis les nuages se dissipèrent et les rayons du soleil illuminèrent brusquement l'île et ses environs. C'est alors qu'il l'entendit. L'appel obsédant d'un plongeon. Il retint son souffle. Pour l'instant, il ne voyait aucun oiseau et pensa qu'ils devaient ce cacher dans un coin, mais l'effet n'en demeurait pas moins impressionnant et ajoutait encore au surréalisme de la scène.

À cet instant, il se sentait bien. Il avait toujours adoré la vie au grand air et cela pouvait se comparer à un véritable retour à la nature. Le plongeon lança de nouveau son cri comme la brume se levait sur la rive à l'horizon, ce qui permit à Griffin de découvrir une autre cabane au loin, puis une autre. Le bruit d'un moteur ou d'une tronçonneuse lui parvint également.

Il frissonna, mais resta dehors jusqu'à ce que ses oreilles commencent à piquer. De retour à la chaleur, il se sentit en pleine forme.

Il s'en sortirait, décida-t-il. Il trouverait l'interrupteur pour l'électricité ainsi qu'un moyen pour avoir de l'eau et il transformerait cette cabane en un habitat confortable.

Il suffisait de dégager le camion de l'ornière et il serait tiré d'affaire.

Poppy effectua ses exercices jusqu'à ce que ses bras et ses épaules demandent grâce. Se concentrant sur le haut de son corps, elle passa d'une machine à l'autre, mais ignora les barres parallèles au bout de la pièce – une idée de son kinésithérapeute. Elle ne voulait pas en entendre parler. Elle ne remarcherait jamais, c'était un fait maintenant accepté.

Une fois ses exercices terminés, elle prit sa douche et son petit déjeuner. Puis elle s'installa devant le téléphone et apprit que Micah avait emmené les filles à l'école, que Cassie n'avait rien tiré de plus de Charlie et que Griffin avait survécu à sa nuit dans le grand nord. Il avait débarqué à l'épicerie avec un pouce en marmelade, un cocard au visage gagné en tentant de sortir son camion d'une ornière et une histoire au sujet du cri d'un plongeon. Le rapport disait également qu'il semblait déterminé et avait acheté des gants, de hautes bottes fourrées et des sous-vêtements chauds avant de s'enquérir du moyen de mettre en marche l'électricité sur l'île.

Tout le monde en ville savait que la boîte à fusibles se trouvait derrière un petit panneau au fond du placard de la cuisine, que les plongeons étaient depuis longtemps partis pour l'hiver et que Buck Kipling conservait une paire de chaînes sous le siège de son camion.

Poppy se demanda si quelqu'un en avait informé Griffin.

Elle se demanda également si on lui avait dit qu'il n'aurait pas d'eau tant que la tuyauterie ne serait pas réparée et que cela ne pourrait se faire avant le printemps.

Elle se demanda enfin quand il se présenterait à sa porte.

Ne souhaitant pas être là quand il se déciderait, elle grimpa dans sa voiture dès que Selia McKenzie se présenta pour assurer la permanence téléphonique. À dix heures, elle était devant le bureau de Cassie et, dans les minutes suivantes, elles prenaient la direction de West Eames pour rendre visite à Heather.

6.

La prison du comté était un bâtiment massif en brique, situé derrière le tribunal. Le cœur de Poppy battait à tout rompre tandis qu'elle propulsait son fauteuil roulant le long de la rampe d'accès très bien dégagée. Cassie ouvrait la route. Pendant tout le temps de leur progression, Poppy avait envie de crier : Vous vous trompez de coupable ! Vous vous trompez toujours ! Douze ans plus tôt, elle ne se serait pas gênée pour le dire à haute voix. Aujourd'hui, elle tint sagement sa langue.

On les fit entrer dans une petite pièce réservée aux avocats. Les murs de béton brut s'agrémentaient de quelques graffitis. Comme seuls meubles, une table poussée contre un des murs et deux chaises pliantes. Cassie tira la table au milieu et déplia les deux chaises.

Quelques instants plus tard, un gardien fit entrer Heather. Elle portait une combinaison orange et offrait la tête de quelqu'un qui n'avait pas dormi. Ses yeux s'écarquillèrent quand elle aperçut Poppy et elle hésita, l'espace d'une minute. Mais quand cette dernière ouvrit ses bras, elle se précipita.

— Comment te sens-tu ? demanda finalement Poppy.

— Terriblement mal, murmura Heather avant de se mettre à pleurer.

Poppy la serra contre elle. Puis Heather se reprit et se redressa.

— Tu es bien traitée ? s'enquit gentiment Cassie.

Heather hocha la tête en essuyant ses yeux du revers de la main. Ignorant la chaise, elle s'appuya au mur.

— Où est Micah ? fit-elle d'une petite voix.

— Il viendra cet après-midi. Il voulait nous accompagner, mais je n'ai pas voulu.

— Pourquoi ?

— Parce que nous devons parler… toi, moi et Poppy. Nous devons parler de ton passé et j'ai pensé que tu te sentirais plus à l'aise sans la présence de Micah. Charlie nous a mises au courant pour le restaurant à Atlanta. C'est le genre d'informations dont nous avons besoin. Mon assistante tente en ce moment même de contacter le patron du restaurant.

— Pourquoi ?

— Pour prouver que tu es bien Heather Malone, nous avons besoin d'affidavits de personnes qui te connaissaient avant le meurtre à Sacramento. J'ai besoin de pistes, Heather. Aide-moi, s'il te plaît.

Heather respira un grand coup, puis elle mit la main devant sa bouche et parut sur le point d'être malade. Mais elle déglutit et se ressaisit.

— Que s'est-il passé ? demanda Poppy.

Heather ne répondit pas.

— Cela n'a pas d'importance, reprit Poppy. Quoi que tu aies fait, nos sentiments pour toi ne changeront pas. Nous serons à tes côtés jusqu'au bout. C'est à ça que servent les amis.

— John a écrit un article ?

Lake News, le journal de John, paraissait tous les jeudis.

— C'est un ami. L'article ne faisait que relater ton arrestation. Aucune spéculation.

Heather hocha la tête, ses yeux pleins de larmes exprimant toute sa douleur.

— Comment vont Missy et Star ?

— Pas bien du tout. Elles attendent ton retour. Elles sont persuadées que tu es partie pour toujours comme Marcy.

Heather émit un petit cri, mais ne fit aucun commentaire.

— Ce n'est pas juste pour elles, intervint Cassie sèchement. Elles t'aiment et Micah aussi. Cette affaire leur est tombée dessus sans crier gare et au pire moment qui plus est. Ils ne méritent pas ça. Nous sommes tes amies et nous t'aimons, mais cela ne nous aidera pas beaucoup devant un tribunal. Il nous faut des faits, ma chérie. Des faits concrets prouvant sans le moindre doute ton identité, l'endroit où tu es née, où tu as grandi, où tu as été à l'école.

Heather fronça les sourcils.

— Nous n'avions pas d'argent, murmura-t-elle.

— Les écoles publiques sont gratuites, rétorqua Cassie. Où as-tu été à l'école ?

— Où as-tu passé ton permis de conduire ? renchérit Poppy.

— Je faisais du baby-sitting, répondit Heather.

— Pour qui ?

— Oh, je les ai perdus de vue depuis longtemps. Mon père a toujours eu du mal à conserver un travail et ça a été encore pire après le départ de ma mère.

Le départ ? Comme Heather n'en parlait jamais, Poppy avait assumé que sa mère était morte. Mais un départ soulevait toutes sortes de questions et rendait le silence d'Heather d'autant plus surprenant. Elles avaient souvent abordé le sujet des mères au cours de leurs réunions et Heather avait participé à ces discussions. Évidemment, on pouvait toujours prendre part sans mentionner sa propre expérience.

— Le départ de ta mère ? répéta Cassie.

— Où est-elle allée ? demanda Poppy.

— Je n'en sais rien.

— Quel âge avais-tu quand elle est partie ? C'est ton père qui t'a élevée ? Où ? Parle-nous, Heather. Sans ces informations, je ne peux rien faire.

— Je ne peux pas, murmura Heather blottie contre le mur.

— C'est donc si dur que ça ?

Heather hocha la tête.

— Pire que d'être transférée en Californie et poursuivie pour meurtre ? Parce que c'est ce qui va se passer, ma chérie, si tu ne coopères pas.

Heather appuya son front contre le mur.

— Parle-nous.

Elle porta les mains à ses tempes.

— Le problème, c'est que, si tu persistes à ne rien dire, les gens vont commencer à se figurer que tu es coupable.

— Aide-nous, Heather, supplia Poppy. Donne-nous une date, n'importe laquelle. Tu n'auras pas à revivre tout ce cauchemar, si c'est bien de cela qu'il s'agit. Donne-nous seulement le nom d'une personne qui te connaît, qui peut jurer de ton identité, juste un nom, un lieu, une date...

Elle s'arrêta quand Heather plaqua les mains sur ses oreilles.

— Je crois que nous n'avons plus rien à faire ici, déclara Cassie d'une voix ferme.

— Non, cria Poppy en la regardant.

Mais l'expression de Cassie demeura inflexible.

— Nous avons demandé, nous avons cajolé, nous avons supplié, dit-elle suffisamment fort pour qu'Heather puisse entendre malgré ses mains. Je ne vois pas ce que nous pouvons faire de plus. Heather a trente jours pour décider si elle veut retourner ou non en Californie. À l'issue de ces trente jours, il se pourrait qu'elle n'ait plus de choix. Si le mandat du gouverneur présente des faits que nous ne pouvons contester, elle se retrouvera dans le premier vol en partance et, une fois là-bas, ce sera l'incarcération, pas une simple détention. Elle se retrouvera dans une cellule en compagnie de prisonnières endurcies. Les Californiens n'ont aucune sympathie pour Lisa Matlock. Charles DiCenza veut voir le sang couler. Alors si Heather est prête au pire, parfait. Sinon, elle a intérêt à écouter la voix de la raison et à parler.

Cassie se dirigea ensuite vers la porte et frappa. Quelques secondes plus tard, un gardien entraînait Heather.

En la regardant partir, Poppy se sentit complètement démunie.

— Nous aurions dû continuer à lui parler. Nous

aurions dû la prendre par les sentiments. Si elle n'a plus de famille, nous représentons son seul espoir. C'est ce que nous aurions dû lui dire.

— Nous l'avons fait. Elle n'a pas voulu écouter.

— Mais ce que tu as dit était cruel.

— Non, pas cruel, brutal. Les cajoleries n'ont rien donné. Peut-être cette méthode aura-t-elle plus de résultats.

Dès qu'elle eut déposé Cassie, Poppy appela sa mère.

— Bonjour, maman.

Il y eut un silence au bout de la ligne, à Palm Beach, puis Maida demanda d'une voix prudente :

— Poppy ? Tout va bien ?

— Je vais bien.

Un autre silence.

— Tu ne m'appelles jamais. C'est à cause d'Heather ?

C'était certainement le cas mais, un couteau sur la gorge, Poppy aurait bien été incapable de dire pourquoi elle pensait que sa mère pouvait l'aider.

— J'ai reçu des appels. Je sais qu'elle est en prison.

— Elle sortira bientôt. Nous sommes en train de rassembler les preuves qu'elle est bien Heather Malone.

— Et c'est le cas ?

— Évidemment, assura Poppy avec un début d'énervement. C'est mon amie. Je le saurais si elle avait commis un meurtre. Tu crois que je ne le saurais pas si elle était capable de ça ?

— Peut-être... Peut-être pas.

— Pourquoi dis-tu ça ?

— Je n'en sais rien, répondit Maida avec un soupir. Simplement, parfois on connaît les gens, parfois non.

— Heather n'est pas les gens. C'est une amie.

Cette conversation ne menait à rien. Elle ignorait d'ailleurs ce qu'elle en avait attendu. Peut-être l'assurance que les secrets d'Heather étaient innocents et purs.

— Tu ne m'aides pas beaucoup.

— C'est pour ça que tu m'as appelée ?

Probablement, même s'il s'agissait d'une première.

— Eh bien, peut-être pas, répliqua-t-elle finalement. Je voulais juste… t'appeler.

— Je suis désolée de t'avoir déçue.

— Ce n'est pas ça.

— Je suis douée pour ça, autant avec toi qu'avec Lily.

— Mais non. Bon, j'arrive à la maison. On se parlera une autre fois, d'accord ?

Peu après midi, le FBI retourna chez Micah qui se trouvait dans la forêt, passant sa colère sur les débris de l'hiver. Armé d'une tronçonneuse, il venait de débiter un arbre tombé pendant un orage. Quand il éteignit le moteur, il distingua le bruit d'un moteur de voiture dans le silence revenu. Regagnant sa maison aussi vite que le lui permettaient ses raquettes, il arriva en même temps que les deux agents, deux nouveaux. Il devina aussitôt le but de leur visite.

— Nous avons un mandat pour fouiller la maison, annonça l'un des deux en tendant un papier – Micah n'avait aucun doute sur son authenticité.

— Que se passera-t-il si je dis non ?

— Nous entrerons par la force.

— Je dois appeler un avocat ?

— Vous en avez besoin ?

— Pas moi. Heather. Vous allez fouiller dans ses affaires.

— Ses « affaires » n'ont aucun droit. C'est ce que dit le mandat.

Pas d'avocat. Pas de droits. Pas de choix. Micah s'avança jusqu'au porche où il ôta ses raquettes. Il ne pouvait peut-être pas les empêcher d'entrer, mais il allait sacrément les surveiller. Des fois qu'ils auraient l'intention de planquer quelque chose chez lui.

— Micah, que sais-tu ? demanda Poppy.

À son retour de la prison, elle avait dû faire barrage à une avalanche d'appels téléphoniques en provenance des médias et destinés à Micah mais elle n'avait pas jugé bon de lui en parler.

— Cela fait quatre ans que tu vis avec Heather, reprit-elle. Tu dois bien savoir quelque chose.

— Ils sont en train de fouiller la maison, répliqua Micah, en colère. Et à mon avis, le téléphone est sur écoute, ajouta-t-il avant de raccrocher.

Poppy appela Cassie qui promit de se rendre sur-le-champ chez Micah. Elle abandonna ensuite le standard pour s'approcher de la fenêtre, mais le lac ne lui inspira ce jour-là qu'une certaine mélancolie, ce qui, en soi, n'avait rien de surprenant à cette époque de l'année. À la mi-février, l'arrivée du printemps se faisait soudain attendre et tout le monde trouvait brusquement le temps long. La fête des Jours de Glace se tenait justement en février pour couper l'hiver. Généralement, peu après, la sève remontait dans les érables et se mettait à couler. Le sirop d'érable marquait le changement de saison. Le soleil se réchauffait, les habitants de Lake Henry desserraient leurs écharpes et le printemps pointait le nez.

Poppy était prête. Elle mourait d'envie de sentir le soleil sur son visage, de revoir l'herbe sur le sol et les bourgeons dans les arbres. Elle attendait avec impatience la fonte des glaces et le retour des plongeons.

Elle retourna vers son standard, mais le cœur n'y était pas. Inquiète pour Heather, déconcertée par sa conversation avec Maida, fatiguée de se poser des questions sans réponses, elle prit un déjeuner sur le pouce en se demandant quand Griffin allait débarquer – étonnée quand même qu'il ne l'ait pas déjà fait. Chaque fois qu'elle croyait entendre le bruit d'une voiture dans l'allée, elle retenait son souffle.

Elle n'aperçut pas le camion en se rendant à l'école cet après-midi-là et, une fois les filles de Micah dans la voiture elle fut bien trop occupée pour penser à Griffin. Missy avait entendu dire qu'Heather était en prison et voulait connaître la vérité.

Poppy maudit Micah de ne pas avoir mis lui-même ses enfants au courant.

— Oui, elle est en prison, répondit-elle, incapable de mentir.

— Pourquoi ? questionna Missy, ses grands yeux noirs écarquillés sous un bonnet en laine enfoncé jusqu'aux sourcils.

— Parce que la police croit qu'elle est quelqu'un d'autre.

— Pourquoi elle ne leur dit pas qui elle est ? répliqua Missy avec la logique imparable des enfants.

— Pour que la police la croie, il faut des preuves. Cassie essaie d'en trouver.

— Quelles preuves ?

— Un carnet de notes de l'école par exemple. Ainsi, si tu en as un dans ton sac en ce moment, cela prouvera que Melissa Smith était bien à l'école ce jour de février.

— Il y en a un, avoua Melissa, la lippe boudeuse. Nous avons eu un contrôle aujourd'hui et j'ai eu cinq réponses fausses.

— Cinq sur combien ?

— Cinq sur dix. C'est la moitié, ajouta la fillette pour son information.

— Oh.

Ce n'était pas bien du tout.

— Eh bien, je suppose que ce devait être très dur.

— C'est pas pour ça que je me suis trompée. Je me suis trompée parce que Heather ne m'a pas aidée à faire mes devoirs.

Poppy jeta un coup d'œil dans le rétroviseur pour voir ce que faisait Star. Le visage de l'enfant disparaissait à moitié sous la capuche de sa veste.

— J'aurais pu t'aider si tu me l'avais demandé.

— Tu avais toujours des A quand tu allais à l'école ?

— Non.

— Pourquoi ?

— Parce que je m'agitais beaucoup et que je ne faisais pas attention. Je n'ai pas appris autant que j'aurais pu et je dérangeais les autres enfants qui, eux, travaillaient. Je n'étais pas sage en classe et j'ai déçu mes parents. Faire le pitre n'est pas une bonne idée, Missy.

Missy n'avait pas dû apprécier la réplique parce qu'elle détourna la tête et regarda par la fenêtre.

— D'accord, Missy ?

Pas de réponse, mais un haussement d'épaules nonchalant qu'elle décida d'ignorer.

— Et toi, Star ? Comment était ta journée ? Star ?

Il en fut ainsi pendant les deux heures suivantes. Poppy posait des questions, suggérait des activités et n'obtenait pour toute réponse que le silence ou un haussement d'épaules. Elle fit cuire des pommes – des Cortlands – dans l'ambre sombre du sirop d'érable, celui récolté tard dans la saison, moins fin que le primeur, mais meilleur pour la cuisine. Les filles lui tendaient ce dont elle avait besoin, sans un mot.

Puis Star les quitta, juste comme ça. Elle se leva de la table de la cuisine où elle coloriait, se dirigea vers la porte et sortit.

Poppy la regarda faire, surprise.

— Star ? Où vas-tu ? cria-t-elle en manœuvrant son fauteuil.

Mais Star ne répondit pas et la porte claqua.

La nuit tombait et il faisait sombre et froid. Star n'avait pas de bottes ni de veste. Juste des tennis, une salopette en velours et un petit pull.

De la porte, Poppy vit l'enfant grimper sur la colline et disparaître à sa vue.

— Reviens, Star ! cria-t-elle de nouveau.

Sans résultat.

— Mon Dieu, murmura Poppy. Elle ne peut pas sortir comme ça.

Une réflexion qui lui venait de sa mère, en ligne directe de son enfance, et ignorée à ce moment-là aussi sûrement qu'elle l'était aujourd'hui. Poppy imagina alors Star, perdue dans la forêt, attaquée par un renard, gelée à mort dans l'air glacial de la nuit. Et elle était incapable de lui courir après, de grimper cette colline, particulièrement avec cette neige.

— Star, reviens ici tout de suite ! hurla-t-elle aussi fort qu'elle put avant de se tourner vers Missy. Enfile ta veste et va voir où elle est ! ordonna-t-elle.

— Elle va bien.

— Non, elle ne va pas bien ! cria Poppy. Elle ne porte pas de veste.

— Elle est seulement allée jusqu'à l'arbre d'Heather.

— Quel arbre d'Heather ? Où est l'arbre d'Heather ? Cours après elle, Missy. Moi, je ne peux pas.

Elle lui tendit sa veste.

— Mets tes bottes et prends celles de Star.

La fillette s'exécuta et s'éloigna à son tour.

Poppy alluma la lampe au-dessus de la porte et suivit l'évolution de Missy jusqu'à ce qu'elle disparaisse en haut de la colline. Puis elle attendit. Des images d'horreur lui traversaient l'esprit, les deux fillettes égarées dans le noir, des équipes de secours passant les environs au peigne fin dans la nuit glaciale. Et elle, coincée dans ce satané fauteuil, impuissante. Jamais elle n'avait plus haï son handicap.

Au bout de ce qui lui sembla être une éternité, Missy réapparut à la périphérie de la lumière diffusée par la lampe au-dessus de la porte. D'abord, Poppy la crut seule, puis elle aperçut Star derrière et elle lutta pour retenir ses larmes, un combat qu'elle perdit quand Star fut dans ses bras. Attrapant la fillette, elle l'assit sur ses genoux et pleura silencieusement dans ses cheveux soyeux.

— Ne me refais jamais une chose pareille, Star Smith, gronda-t-elle d'une voix hachée.

— L'arbre d'Heather était tout seul. Je voulais qu'il sache que j'étais là.

— Eh bien, moi aussi, j'ai besoin de savoir que tu es là. Et j'ai besoin de te savoir ici parce que je ne peux pas te courir après. Si quelque chose t'arrivait là-haut, je serais incapable d'aller t'aider. Tu comprends ? Je ne pourrais pas te porter secours.

Je ne pourrais pas te porter secours. Cette pensée hantait Poppy sur le chemin du retour. Elle n'avait aucun droit de garder ces enfants si elle n'était pas capable de les secourir en cas de besoin. Pourtant elle se sentait une obligation envers Heather.

Une responsabilité terrifiante si l'on tenait compte de ses limites.

Écrasée par cette pensée, larmoyante, dépassée par son sentiment d'incompétence, elle tourna dans son allée et ses phares se posèrent sur le vieux tacot de Buck Kipling – maintenant propriété de Griffin Hughes. À sa vue, la colère envahit Poppy.

Elle freina brusquement, ce qui fit déraper la voiture. Mais elle parvint à la redresser. S'écartant du camion sans un regard, elle alla se garer aussi près que possible de la porte, éteignit le moteur et manœuvra le plateau élévateur qui lui permettait de monter et descendre de son véhicule.

Elle éprouva une certaine satisfaction à se retrouver sur la rampe d'accès de sa maison avant que Griffin sorte de son camion et la rattrape. Mais cette consolation fut de courte durée. Elle ne tenait pas à le voir quand elle se trouvait dans un tel état de vulnérabilité.

Elle lui adressa à peine un regard quand il la devança pour ouvrir la porte et lui fit signe de se pousser d'un air furieux avant de propulser son fauteuil à l'intérieur. Elle se dirigea droit sur son standard et ôta ses gants, sa veste et son chapeau qu'elle jeta d'un geste rageur tandis que Selia McKenzie concluait une conversation.

Selia était une des personnes auxquelles Poppy faisait régulièrement appel. Habitante de la zone, âgée de quarante-deux ans et sept fois grand-mère, Selia venait souvent pendant la journée. Vive, patiente et aussi désespérément en quête d'argent qu'heureuse de s'éloigner un peu du chambard qui régnait chez elle, elle se révélait une employée idéale.

S'approchant d'elle, Poppy tendit la main vers l'écouteur.

— Du nouveau ?

— Surtout des journalistes, répondit Selia en repoussant sa chaise pour laisser la place à Poppy. Et des gens d'ici qui viennent aux nouvelles.

Glissant l'écouteur sur ses oreilles, Poppy regarda le standard qui restait toujours aussi sombre. Évidemment, pas un bouton ne s'allumait.

Selia prit congé et Griffin se planta juste devant le bureau. Poppy se concentra sur le téléphone. Elle savait que ses yeux étaient rouges et que sa peau ne valait probablement guère mieux. Son cœur battait à tout rompre et elle se sentait contrariée.

Griffin glissa les mains dans les poches de son jean. Elle pouvait le voir sans tourner la tête, grâce à sa vision périphérique... qui lui rappela également qu'il était de taille moyenne et bien fait, avec de grands yeux bleus, des cheveux auburn et ondulés et un nez droit.

Toujours aucune lumière sur ce satané standard.

Lentement, Poppy leva les yeux. Le temps qu'ils rencontrent le regard de Griffin, elle bouillait. Que fais-tu là ? N'ai-je pas été assez claire ? Pourquoi ne me laisses-tu pas tranquille ? pensait-elle.

Elle ne dit pas un mot, se contentant de lui jeter un regard mauvais.

— On dirait que tu as besoin d'un beau chevalier en armure, lança-t-il avec un certain toupet.

Elle explosa.

— Et ce serait toi ? Ça m'étonnerait. D'ailleurs, je serais incapable de monter sur un cheval même si ma vie en dépendait.

Ses yeux se remplirent de larmes.

— Je peux répondre au téléphone. Voilà tout ce que je peux faire. Mais je ne peux pas grimper une colline, ni marcher avec des raquettes ou faire du ski. Je ne peux pas danser ou courir, ni seulement me promener dans la rue principale et je ne peux sûrement pas m'occuper d'enfants, ce qui est la raison pour laquelle je n'en aurai jamais.

— C'est pour ça que tu pleures ?

— Ça et un million d'autres choses. J'en ai le droit, tu sais. Poppy est une sainte, chantonna-t-elle. Poppy sourit toujours. Poppy ne se rebelle jamais contre l'injustice de la vie.

Sa voix reprit un ton normal.

— Eh bien, si. Ma meilleure amie est en prison, ses filles sont persuadées qu'elle les a abandonnées, son fiancé est à la veille de la semaine la plus chargée de l'année pour son travail et je suis coincée dans un fauteuil roulant. Et j'ai les mains sales.

Elle fixa ses mains.

— Je déteste mes mains. Quoi que je fasse, elles sont toujours sales et pleines de cals, même si je porte des gants.

Les glissant sous ses fesses, elle regarda Griffin.

— Si les choses étaient différentes, je pourrais aider Micah dans les bois, mais la vérité est que je ne peux pas. Je déteste ce fauteuil.

Elle le dévisagea, le défiant de dire quelque chose de condescendant.

— Tu veux un baiser ? demanda-t-il après un moment de réflexion.

— Et je ne veux *pas* de baiser !

Il sortit de sa poche un Kiss[1] enveloppé dans un papier de cellophane et le lui tendit.

Elle fit celle qui avait très bien compris de quoi il parlait.

— J'ai dit non. Je les achète aussi chez Charlie, tu sais. Les Kiss se vendent à la pelle. Dix cents les douze.

— Dix cents les dix, rétorqua-t-il en remettant le bonbon dans sa poche.

Puis il se dirigea vers le fond de la pièce. Un grand canapé y faisait face à la télévision et à la cheminée, dans laquelle brûlait un feu de bois.

Au pied du mur, une niche remplie de bûches. Griffin en prit une et la déposa dans le feu.

— La psychologie inversée ne marchera pas, dit-il en revenant vers elle.

— Pardon ?

— Inutile d'essayer de me décourager avec cette démonstration d'apitoiement.

Il s'assit sur le bord du bureau.

— Tout le monde connaît des phases de découragement.

— Quand a lieu la tienne ?

---

1. Jeu de mots : *kiss* signifie baiser en anglais.

— Quand je pense à ma sœur que je ne parviens pas à retrouver. En fait non, reprit-il après avoir réfléchi un instant en mordillant sa lèvre inférieure. En ce moment même, je me plains parce que j'ai par inadvertance mentionné quelque chose devant mon frère qui est probablement la cause de la présence du FBI ici. Si je pouvais remonter le temps, je ne referais pas cette bêtise parce que je sais que tu vas me détester pour ça et que je risque de perdre une chose à laquelle je tenais beaucoup. Mais je préfère que tu saches que c'était moi. Mon frère est agent du FBI. Il fait partie de l'équipe des affaires non classées. Quand j'ai quitté Lake Henry en octobre, je lui ai rendu visite à son bureau et il y avait cette photo de Lisa accrochée au mur. Elle ressemblait tellement à ton amie… Je suis désolé.

Cette confession calma net Poppy. Prise par surprise, elle resta sans voix. Au bout d'un moment, complètement dépassée, elle baissa la tête et croisa les bras. Elle éprouvait soudain une grande fatigue. Et de la tristesse. Une profonde tristesse. Elle ignorait pourquoi.

La tête baissée, elle se remit à pleurer. Une crise de larmes silencieuses, attendrissantes, l'extériorisation de tant d'émotions mêlées que les larmes restaient la seule expression possible de son chagrin.

Elle ne releva pas la tête, non pas parce qu'elle se sentait gênée, mais par fatigue.

— Oh, mon Dieu, murmura-t-elle enfin, en s'essuyant les yeux. Ces deux dernières journées ont été terribles.

Comme Griffin ne disait rien, elle osa croiser son regard.

— Quoi ? demanda-t-elle. Pas de commentaire facile ?

Ses yeux bleus exprimaient un grand désarroi.

— Je ne sais pas quoi faire, reconnut-il. J'aimerais m'approcher et te serrer dans mes bras, mais j'ai peur de ta réaction.

— Je n'ai pas besoin que tu me serres dans tes bras, répondit-elle aussi dignement que possible.

— Tu n'en as pas besoin, mais envie peut-être.

Il n'y avait pas de peut-être. Cela faisait un sacré moment que Poppy n'avait pas été serrée dans les bras d'un homme. Ou dans les bras de qui que ce soit d'ailleurs. En tout cas, pas de la seule façon qui aurait vraiment pu lui remonter le moral. Son fauteuil s'interposait, toujours présent pour lui rappeler son handicap.

— Je vais bien, affirma-t-elle rageusement.

Mais elle ne se sentait pas la force de continuer dans cette voie. La prudence exigeait de changer de sujet.

— C'est donc toi qui leur as parlé d'Heather, reprit-elle.

— Non. J'ai seulement dit à mon frère que je connaissais quelqu'un qui ressemblait à cette Lisa. Mais mon frère est un sacré fouineur.

— Pas assez bon quand même pour retrouver ta sœur.

Griffin fit une grimace et secoua la tête.

Son acquiescement redonna de la force à Poppy.

— Alors, il est bon comment ? Et toi, tu es bon à quoi ? Et qu'est-ce que tu fais ici d'abord ? Si tu cherches après moi, tu arrives douze ans trop tard et si tu cherches des informations pour un article, tu as sonné à la mauvaise porte. Je ne t'aiderai pas.

— Tourne la phrase dans l'autre sens. Je pensais pouvoir t'aider.

— Vraiment ? Au fait, magnifique, le bleu.

Griffin tâta délicatement l'ecchymose violacée sur son visage.

— J'ai dû batailler un peu pour faire comprendre au camion qui commandait.

Sa main descendit et frotta la barbe naissante sur ses joues.

— Ton pouce n'a pas bonne mine, non plus. Qui gagne la partie ?

— Moi. Définitivement. J'ai réussi à réchauffer la cabane et à remettre l'électricité. Je ne suis pas encore parvenu à rétablir l'eau, mais j'y travaille.

— Inutile de te fatiguer, dit-elle non sans un certain plaisir pervers. Les tuyauteries sont mortes et ne seront pas réparées avant le printemps.

Griffin la regarda d'un air consterné.

— Tu parles sérieusement ?

— Je le crains. Tout le monde est au courant. Ah, et autre chose. Il n'y a pas de plongeons à cette époque de l'année. Ce que tu as entendu ce matin, c'était Billy Farraway qui jouait avec son leurre. Il a soixante-quinze ans et passe l'hiver sur le lac dans sa cabane à luge.

Elle se demanda si Griffin avait déjà pêché dans la glace.

— Tu sais ce qu'est une cabane à luge ?

— Oui, mais je n'en ai vu aucune près de l'île.

— Probablement parce qu'elle était cachée sur une autre île. Sais-tu combien il y en a ?

— Non, répondit-il en souriant. Combien ?

— Trente-huit. Trente-huit îles sur le lac Henry et ce n'est pas un très grand lac. Si tu n'as pas encore rencontré Billy, ne t'inquiète pas. Il te trouvera.

— Un leurre à plongeons ? Tu es sûre ? Cela paraissait pourtant réel. Ce matin, quand j'ai raconté ça chez Charlie, personne n'a parlé de Billy.

— Non, dit-elle en soutenant son regard jusqu'à ce qu'il comprenne le message.

— Ahhh. Ils comptaient me laisser m'enferrer.

Elle hocha la tête et remarqua soudain qu'entre le bleu sur sa joue, son pouce contusionné, sa barbe naissante et ses cheveux ébouriffés, il n'avait pas l'air très frais, mais dans le bon sens du terme. Plus rude. Elle lui fit signe de reculer pour pouvoir l'examiner de la tête aux pieds.

— Belles bottes, constata-t-elle quand il se fut exécuté. Belle veste. Beau maillot de corps sous cette belle chemise en flanelle. Plus réchauffé maintenant, Griffin ?

— Oui, merci, répondit-il en souriant. Tout à fait réchauffé. Ta maison est très confortable.

Il contourna le bureau sans se presser et se laissa tomber sur le canapé.

Poppy le suivit des yeux. Elle aimait sa façon de bouger, ses épaules et aussi son sourire.

Mais ce sourire disparut brusquement et il lui lança un coup d'œil par-dessus son épaule.

— Tu as vu Heather ?

Retour à la réalité.

— Oui et elle ne va pas fort. Si c'est toi qui as renseigné les flics, alors je me sens responsable aussi. Tu es venu en octobre pour me voir.

Il étendit ses jambes et croisa ses chevilles.

— On peut s'asseoir et en débattre ou on peut chercher un moyen de résoudre cette affaire. Si j'ai bien compris, il faut arriver à prouver qu'Heather est bien Heather. Que dit-elle à ce sujet ?

— Pas grand-chose. Elle semble incapable d'en parler. Et inutile de me demander pourquoi parce que je l'ignore.

— C'est pour ça que tu pleurais ?

— Ce n'est pas dans mes habitudes, expliqua-t-elle en se remémorant sa crise de larmes.

— J'en suis sûr.

— Je m'occupais des filles et soudain, la petite, Star, est partie dans la forêt. Et je ne pouvais pas lui courir après. J'étais complètement paniquée. Ça fait longtemps que je ne m'étais pas sentie aussi impuissante.

Puis, Micah était revenu, le visage dur et fermé. Sans parler de sa discussion avec Maida. Elle ne comprenait toujours pas ce qu'elle avait espéré de sa mère.

— C'est très généreux de ta part de les garder, fit remarquer Griffin. Je ne peux pas croire que la moitié de la ville ne se soit pas proposée.

— Ils l'ont fait, mais les filles sont à moi. Je veux dire, dans un sens, s'empressa-t-elle d'expliquer. Bien sûr que ce sont les filles d'Heather. Enfin, pas légalement, mais dans les faits.

— Pourquoi pas légalement ? Elle pourrait les adopter.

— Elle et Micah ne sont pas mariés.

— Pourquoi pas ? Ils sont ensemble depuis... combien d'années ?

— Quatre. Heather n'a jamais voulu se marier. Elle ne voulait pas que les filles pensent qu'elle essayait de leur faire oublier leur mère.

— Tu la connaissais ?

— Oui.

— Comment était-elle ?

Poppy réfléchit pour trouver quelque chose de positif à dire.

— Une très jolie jeune femme. Elle est morte dans un accident de voiture quand Star avait deux mois.

Griffin poussa un petit sifflement.

— Ils étaient très amoureux, Micah et elle ?

— Oui. Pendant un temps, au moins.

— Jusqu'à ce qu'Heather arrive ?

— Oh, non. Non, pas du tout. Micah n'aurait jamais trompé Marcy. C'est un gars loyal.

— Alors, quel était le problème ? Et ne me regarde pas comme ça. Tu ne me dis pas tout, je le sens.

— Bien que née ici, Marcy avait toujours désiré beaucoup plus.

— Dans ce cas, pourquoi s'est-elle mariée avec un gars du pays ?

— Probablement parce que Micah était grand, sombre, beau garçon et que son côté silencieux, donc mystérieux, ajoutait à son charme.

— Tu étais sensible à son charme ?

— Non. Personnellement, je n'aime pas le genre silencieux et d'ailleurs, je ne le connaissais pas vraiment avant l'arrivée d'Heather. Ça demande du temps pour connaître Micah. Du temps et du travail pour découvrir qu'il a un cœur gros comme ça. Ce qui signifie que tu pourras peut-être réussir à me tirer les vers du nez – comme en ce moment, Griffin Hughes – mais que tu n'obtiendras rien de sa part.

— C'est une question de confiance entre toi et moi. Tu me fais confiance ?

— Pardon ? Répète ça ? Ce n'est pas toi qui viens d'avouer avoir attiré le FBI chez nous ?

— Non. J'ai dit que mon frère avait creusé à partir de ce que je lui avais raconté. Ce qui l'a, tout à fait par hasard, conduit jusqu'à Heather. Je t'ai dit la vérité et tu sais que je continuerai à le faire.

— Non.

— Si. Au fond de toi, tu le sais. Alors, Micah est-il approchable ? Si je vais lui parler, je serai bien accueilli ?

— Pas s'il apprend que tu es responsable de tout ça.

— Et s'il ne le sait pas. Pourrai-je réussir à le faire parler ?

— Parler du temps, de la forêt ou du sirop d'érable, peut-être. Mais suggère un instant d'écrire un article sur Heather et il te tue.

Griffin soupira et se redressa.

— Je ne veux pas écrire un article sur Heather. J'ai un autre travail en cours.

— Et qu'est-ce qui t'empêche de faire les deux ?

Il revint au bureau et nota un nom et un numéro de téléphone. Puis il tourna le papier pour qu'elle puisse lire.

— Prentiss Hayden. Appelle-le. Il te parlera de la date limite qui se rapproche très vite.

— Prentiss Hayden ?

Poppy le connaissait comme tout le monde. L'homme était une véritable légende vivante en politique.

— Je suis impressionnée.

— Inutile. Je n'étais pas son premier choix. Deux autres journalistes m'ont précédé et ont démissionné avant d'avoir écrit un mot.

— Il est difficile.

— Très.

— Dans ce cas, que fais-tu là ?

— Une chose est sûre, je ne te gagne pas à ma cause, remarqua Griffin avec un grognement. Bon, je suis là pour soulager ma conscience. Sans moi, tout cela ne serait pas arrivé. Mais je peux peut-être apporter mon aide. Je connais du monde dans tous les coins du pays.

— Par ton travail ?

— D'une part. Et par mon père. Un avocat d'affaires devenu directeur général de société. Il redresse des entreprises en difficulté. Il a réussi à se faire un nom dans le métier.

Poppy savait que Griffin possédait une certaine fortune – il le lui avait dit à l'automne. Mais, soudain, elle fit le rapprochement.

— Pas Piper Hughes.

— Si, Piper Hughes.

— Mais tu m'as dit que ton père se prénommait Griffin, lui aussi.

— C'est le cas. Griffin P. Hughes. Le « P » signifie Peter, mais comme il était un gamin populaire, toujours chef de bande, il est vite devenu Piper, en référence à Pied Piper[1], pour le distinguer de son père, le premier Griffin. Mon père a bien réussi, mais la source de la fortune, c'est mon grand-père.

— Qu'est-ce qu'il faisait ?

— Des biscuits. Les Hummers.

— Tu plaisantes ?

Poppy sourit en imaginant les biscuits au chocolat ou au beurre de cacahouète. Les Hummers arrivaient en seconde place chez les Blake derrière les S'mores, mais ces derniers, comme les hot-dogs, étaient surtout bons pendant les pique-niques sur le lac, en été. Les Hummers restaient la nourriture de première nécessité en hiver.

— Je ne plaisanterais pas avec une chose pareille, répondit Griffin avec un grand sourire.

Il attrapa la télécommande et alluma le poste.

— On ne plaisantait pas avec les Hummers à la maison.

— Ça fait un moment que je n'en ai pas mangé.

— Aucune perte. On a vendu l'affaire il y a une douzaine d'années. À la mort de mon grand-père, nous avons tous hérité d'une part du gâteau.

Il zappa sur les chaînes.

— Pas de flash d'actualités, fit-il remarquer.

— Pas sur Heather. Pas pendant les prochains vingt-neuf jours.

— Moins que ça, si nous parvenons à trouver quelque chose. Les charges peuvent être abandonnées.

— Ce qui nous ramène à tes contacts. D'accord, Griffin. Quel est ton prix ?

— Une douche.

1. Le Joueur de flûte d'Hamelin.

Elle leva les yeux au plafond.

— Je parle sérieusement. Nous, riches garçons, sommes habitués à l'eau chaude. Je n'en ai pas et tu viens de m'apprendre que je n'en aurai pas de l'hiver. Si tu savais comme je me sens crasseux. Alors faisons un marché. Une info sur Heather ou Lisa en échange contre une douche chaude.

L'air choqué, Poppy posa une main sur sa poitrine.

— Pas question que je laisse un étranger utiliser ma douche.

— Je ne suis pas un étranger. Tu me connais. Si tu veux une référence, appelle Prentiss. Non, demande plutôt à parler à sa femme. J'ai habité chez eux pendant quelque temps.

— Ah. La carte postale de Charlottesville.

— Elle te dira que je suis un garçon très bien.

— Pourquoi moi ? gémit Poppy. Pourquoi ici ? Va prendre une douche chez quelqu'un d'autre.

— C'est ça, pour qu'on se moque de moi. Ils se tordent déjà de rire à cause des plongeons et de l'absence d'eau. Et pas d'eau signifie pas de sanitaires et pas de sanitaires signifie un trou dans le sol. Je serais prêt à parier qu'en ce moment même, à cette minute exactement, quelqu'un chez Charlie ouvre les paris pour savoir combien de temps je vais tenir avant de craquer et de me précipiter dans la première auberge venue.

— S'ils ne sont pas en train de le faire en ce moment, ils le feront un peu plus tard. Les jeudis soir, tout le monde se réunit dans la salle à l'arrière de l'épicerie. Musique et discussions. Je ne te conseille pas d'y aller.

— Pourquoi pas ?

— Parce que le moment est mal choisi.

— Et tu crois qu'ils vont me laisser utiliser leur douche ? Alors qu'est-ce que je dois faire ? Allez, Poppy. Un peu de pitié. Sois sympa.

Poppy ne tenait pas à ce que Griffin prenne sa douche chez elle. Vraiment pas. Mais il n'avait pas tort. D'ailleurs être sympa revenait à être copain. Aucun romantisme là-dedans. Elle ne risquait rien. Elle avait pu le vérifier. Elle était devenue la meilleure amie de la plupart des hommes de la ville. Rien ne l'empêchait donc d'être sympa avec lui surtout si cela pouvait lui rapporter des informations susceptibles d'aider Heather.

— Si tu t'imagines que je vais fournir les serviettes, tu rêves. Ma maison n'est pas un bain public. Et je ne ferai pas ta lessive.

— Je ne te le demande pas. J'irai à la laverie. On apprend des tas de choses dans une laverie. Même les riches garçons savent ça.

— Personne ne te dira quoi que ce soit en ville.

— On verra bien.

7.

Vendredi matin, Micah consentit à rencontrer le FBI, non sans quelques réticences, il faut bien l'avouer. Mais Cassie l'avait pressé de coopérer au prétexte qu'un refus ne ferait qu'aiguiser leur appétit. Elle estimait par ailleurs que l'honnêteté foncière de Micah jouerait en faveur d'Heather.

La réunion eut lieu dans le bureau de Willie Jake en présence de Cassie, deux faits qui ne procurèrent aucun réconfort à Micah. C'était un homme franc. Si on lui posait une question, il répondait. Posez-lui la même question plusieurs fois de suite et il s'énervait sérieusement, n'appréciant pas du tout qu'on le soupçonne de mensonge.

Autant dire qu'après deux heures d'interrogatoire, il se sentait au bord de la crise de nerfs. Finalement, le FBI les laissa partir et ils prirent le chemin de la prison. Cassie expliqua à Micah qu'elle ne l'accompagnait que pour lui permettre de bénéficier de l'intimité de la salle de réunion réservée aux avocats. Cinq minutes après l'arrivée d'Heather, elle trouva un prétexte pour leur accorder un peu de solitude.

À peine la porte refermée, Micah attira Heather dans ses bras. Sa douceur lui manquait. Fermant les yeux, il se concentra sur ce corps si familier. Pourtant tant de choses avaient changé.

— Cassie est en colère contre moi, murmura Heather, la tête enfouie dans sa chemise.

— Moi aussi. Parle-moi, bébé.

Elle ne répondit pas, se contentant de s'accrocher à lui. Micah avait toujours deviné quelque sombre épisode dans le passé d'Heather, mais jamais terrible au point qu'elle refuse d'en parler, même pour se défendre d'une accusation de meurtre.

— Explique-moi ce qu'il y a, plaida-t-il.

Elle garda le silence.

— Je savais que tu me cachais des choses, dit-il. Je ne t'ai jamais posé de questions parce que je ne voulais pas te faire de peine.

Elle ne fit aucun commentaire.

— Cela m'était égal tant que tu restais près de moi.

Heather était entrée dans sa vie quatre ans auparavant, alors qu'il pleurait encore sa femme. Sa vie se résumait alors aux deux bébés et à son travail, ce qui ne lui laissait guère de répit et aucune place pour envisager une nouvelle relation. Et puis Heather avait proposé de lui garder les enfants pendant la journée. Il l'aimait bien, il lui faisait confiance et cela lui avait paru une bonne idée.

Au début, il s'arrêtait à la maison pendant la journée, juste pour vérifier que tout se passait bien. Ensuite, l'habitude était prise et il continua à rentrer pour déjeuner, s'arrêtant parfois également pour un café au cours de la matinée ou de l'après-midi. Heather l'accueillait toujours avec son doux sourire et bientôt ces rencontres lui devinrent indispensables.

À quel moment, les choses avaient-elles changé ? Après leur premier baiser.

Enfin, pas juste un baiser. Comment se contenter d'un baiser avec Heather ? Cela faisait plusieurs semaines qu'il y songeait, que ses sentiments évoluaient bien qu'il ne cessât de se répéter que ce n'était pas une bonne idée. La nuit, il tournait dans son lit et son désir montait, douloureux dans son intensité.

Heather ne faisait rien pour l'encourager. Elle ne le touchait pas, ne faisait jamais le moindre geste équivoque, mais son regard argenté le bouleversait.

Puis, un jour, pendant la récolte, alors que son équipe et lui avaient veillé tard dans la cabane à sucre, elle était restée pour mettre les filles au lit. Plus tard, après le départ des autres, elle était venue le rejoindre pour l'aider à nettoyer et là, dans l'atmosphère chaude et sucrée, il l'avait remerciée d'un baiser – un geste spontané qui lui avait semblé la chose la plus naturelle du monde.

Mais, ensuite, ils n'avaient plus pu s'arrêter. Ils s'étaient embrassés, caressés, déshabillés. Micah n'avait pas employé de protection, ne supportant pas le moindre obstacle entre leurs deux corps. Il se moquait d'ailleurs qu'elle tombe enceinte. En fait, une part de lui le désirait. Il l'aimait tellement qu'il ne pouvait penser à autre chose.

Un amour toujours aussi fort à ce jour qui rendait son absence insupportable. Il dormait seul depuis deux nuits et en éprouvait une souffrance comme il n'en avait jamais ressenti, même à la mort de Marcy.

— Ils ne cessent de me demander ce que je sais, dit-il.

— Qui ?

— Le FBI. Ils me considèrent comme un complice.

— De quoi ?

Il eut un mouvement d'impatience. Il n'aimait pas être pris pour un imbécile et encore moins par Heather. Elle savait très bien de quoi il parlait.

— Ils ont fouillé la maison, lui annonça-t-il plus sèchement qu'il ne l'aurait voulu, mais le simple fait de le mentionner réveillait sa colère. Tout mis sens dessus dessous. Ils ont vidé les tiroirs, les placards, retourné les matelas et les tapis, passé au peigne fin la cabane à sucre.

Ils avaient même retiré quelques bûches de la pile, ce qui lui avait causé quelques frayeurs, mais ils n'avaient pas insisté.

— Ils n'ont rien trouvé. Alors ils ont emporté l'ordinateur.

— Mais il contenait tous nos dossiers, s'écria-t-elle en reculant.

— Ils s'imaginent probablement y découvrir quelques secrets.

— Non, non, non. Rien d'autre que les comptes de l'entreprise, dit-elle les yeux brillants. Tu en as besoin.

— Pour quoi faire ? Je ne sais pas me servir de cette machine.

— Camille pourra t'aider. Appelle-la.

— Ça ne servirait à rien puisqu'ils ont l'ordinateur.

Heather se redressa avec un petit sourire.

— Les disquettes de sauvegarde, murmura-t-elle. Elle en fait chaque fois qu'elle vient s'occuper de la comptabilité. Nous avons estimé que c'était plus prudent au cas où il y aurait le feu.

Bon. C'était déjà quelque chose. Mais cela ne mettait pas pour autant son entreprise à l'abri si Heather ne revenait pas très vite.

— Je me sens seul, bébé, dit-il incapable de se retenir. La nuit, je reste allongé les yeux ouverts et je réfléchis dans le noir. Je voulais t'épouser, mais tu as dit non. Je voulais un enfant et pas toi. Pourquoi ?

Elle se décomposa devant lui, se transformant en une inconnue qu'il ne reconnaissait pas.

— Je ne pouvais pas... Je ne suis pas... Il y avait Marcy.

— Marcy est morte.

Elle n'ajouta rien. Micah tenta de sonder son regard, mais la tristesse qu'il y découvrit le chavira. Cette tristesse n'appartenait pas à Heather.

Il recula d'un pas. Peu après, Cassie revint et ils prirent congé.

Micah rumina pendant tout le trajet du retour et sa conviction se renforça. Heather lui cachait quelque chose d'important et penser qu'elle ne lui faisait pas confiance le rendait fou. Pourquoi ne se confiait-elle pas à lui ?

Devant la maison, il claqua la portière du pick-up et fonça droit sur la cabane à sucre et le tas de bois. Il fixa l'endroit où il avait caché le sac comme s'il pouvait le voir derrière les bûches.

Heather avait apporté le sac quand elle s'était installée chez lui. Il l'avait aperçu dans ses affaires avant qu'il ne disparaisse de la circulation. Il l'avait retrouvé par hasard un jour qu'il cherchait les décorations de Noël. Il n'y avait pas touché. Une crainte sourde le retenait de regarder à l'intérieur.

Encore aujourd'hui. Il avait beau se traiter d'idiot, il avait trop peur de ce qu'il pourrait découvrir.

Tournant les talons, il rentra donc dans la maison où il attrapa un bonnet en laine, des gants fourrés et chaussa ses raquettes. Après un détour par la remise pour récupérer sa tronçonneuse, une hache et une luge, il prit la direction des bois.

Griffin se gara derrière le pick-up de Micah. À peine eut-il coupé le moteur qu'il entendit le bruit de la tronçonneuse, distinct, mais éloigné.

Il alla néanmoins frapper à la porte pour le cas où. N'obtenant aucune réponse, il se dirigea vers la cabane à sucre. La pièce abritait beaucoup de matériel, mais un énorme récipient en acier inoxydable de près de deux mètres de large sur cinq de long tenait indiscutablement la vedette. Il reposait sur une arche en brique avec une porte en fonte. Au-dessus, une hotte surmontée d'une cheminée en acier qui s'élevait jusqu'à la coupole du toit. Cette coupole se trouvait juste au-dessus de l'évaporateur dont elle avait les mêmes dimensions.

— Il y a quelqu'un ? appela-t-il.

Personne ne répondit. Il ressortit et contourna la cabane. Un gros tas de bûches était posé contre la façade arrière près d'une double porte en bois. Il y avait également deux gros réservoirs en acier. Un autre réservoir, encore plus imposant, reposait sur une plate-forme un peu plus haut sur la colline. Près d'un groupe de sapins, un garage sans porte abritait un tracteur avec une grille jaune de chasse-neige en guise de pare-chocs.

Griffin décida de suivre le bruit de la tronçonneuse et s'élança à l'assaut de la colline. Dès qu'il eut dépassé le chemin tracé, ses bottes commencèrent à s'enfoncer plus profondément dans la neige, mais il avait maintenant des bottes adaptées et le bruit ne semblait pas très éloigné. Il franchit une crête et découvrit un bouquet d'érables dénudés aux branches recouvertes de neige, plantés à égale distance les uns des autres. Il reprit sa route vers la droite et dut franchir une nouvelle crête avant d'apercevoir Micah au loin. Griffin soufflait comme un asthmatique en crise et suait sang et eau avant d'avoir parcouru la moitié de la distance. Micah, qui l'avait repéré, arrêta sa machine.

Si Griffin avait été du genre timide, il aurait sans doute tourné les talons et pris ses jambes à son cou. Micah Smith le dépassait d'une bonne tête et la tronçonneuse ressemblait à un jouet entre ses grandes mains. De plus, sous son bonnet orange, son visage affichait une expression sombre et menaçante.

En vérité, Griffin n'aurait pas pu s'enfuir, même pour sauver sa peau. C'est à peine s'il put franchir les derniers mètres. Mais il s'entêta et afficha un visage souriant, aussi détendu que possible. Arrivé devant Micah, il tendit la main.

— Je suis Griffin Hughes, annonça-t-il.

— Je sais qui vous êtes.

Micah se retourna vers l'arbre qu'il venait d'abattre. La souche se trouvait à trois mètres, entourée de sciure et des branches qui avaient déjà été coupées et entassées. D'un seul coup, Micah démarra la tronçonneuse et se remit au travail.

Griffin le regarda tandis qu'il commençait à débiter le tronc qui faisait bien trente centimètres de diamètre. Pourtant, aux yeux de Griffin, l'arbre semblait en bonne santé. Ne pouvant refréner sa curiosité, il s'approcha jusqu'à entrer dans le champ de vision de Micah.

— Il était malade ? cria-t-il par-dessus le bruit de la machine.

— Non.

— Alors pourquoi le scier ?

— La neige, répondit laconiquement Micah.

— Quoi, la neige ?

Micah coupa encore deux rondins avant d'éteindre la machine. Puis il se redressa.

— C'était un bon arbre, expliqua-t-il. Je l'ai planté moi-même et j'ai commencé à l'inciser il y a deux ans. Comme il était exposé au sud, il recevait un bon ensoleillement et avait un beau feuillage.

Il considéra l'érablière autour d'eux. Certains arbres arboraient encore quelques feuilles qui n'avaient pas eu le temps de tomber avant de geler.

— Un feuillage trop dense pour son bien. En octobre, quand la première neige est tombée, épaisse et mouillée, les branches n'ont pas supporté le poids.

Il indiqua de la tête le tas de branches empilées près de la souche.

— Les plus grosses ont craqué, entraînant presque la moitié du faîte. Or, sans l'amidon fourni par les feuilles, un arbre ne produit pas de sève. Pas de feuilles, pas d'amidon. Pas d'amidon, pas de sève. Si je l'avais laissé debout, il n'aurait fait que prendre le soleil d'un arbre plus productif.

Il remit la tronçonneuse en marche et reprit sa tâche.

Griffin examina les arbres autour de lui. Les érables semblaient figés par le froid, espacés régulièrement les uns des autres. Seuls quelques sapins apparaissaient dans un coin, comme des bergers surveillant le troupeau.

— Ils servent de coupe-vent, expliqua Micah. Ils protègent les érables des rafales du nord-ouest.

Griffin pouvait comprendre tout ça, mais il avait des tas de questions plus intéressantes à poser. Cela dit, il ne voulait pas courir le risque d'énerver Micah. Son intuition lui soufflait qu'il avait déjà eu beaucoup de chance d'obtenir un tel discours de sa part.

— Vous vendez le bois ? cria-t-il par-dessus le bruit.

— Non.

— Qu'en faites-vous ?

— Je l'utilise pour alimenter l'évaporateur. Je dois prévoir des réserves au cas où la saison durerait longtemps.

Griffin remarqua la hache et fut fortement tenté. Pendant son adolescence, il avait passé tous les étés dans leur chalet du Wyoming où son grand-père lui avait appris à couper du bois.

Conforté par ces souvenirs, il s'empara de la hache et la soupesa. Il la fit tourner un moment dans sa main gantée jusqu'à s'être familiarisé avec l'instrument. Puis il attrapa un des gros rondins qu'il posa debout sur la neige. Jambes écartées, il leva alors la hache, les yeux fixés sur l'endroit où il devait frapper, et la laissa retomber. Le rondin se coupa en deux par le milieu.

— Parfait, pavoisa-t-il en relevant la tête, s'attendant presque à découvrir son grand-père devant lui, un sourire illuminant son visage.

La vue de Micah, l'air mauvais, refroidit instantanément son enthousiasme.

— Ne comptez pas me poursuivre en justice si vous vous coupez le pied.

— Je ne me couperai pas le pied. J'ai eu un bon professeur.

Avec un grognement sceptique, Micah se détourna et relança sa tronçonneuse.

Plein d'enthousiasme, Griffin termina son rondin et en attrapa un autre. Il ne tarda pas à trouver son rythme et continua tranquillement sa tâche.

Quand Micah eut fini de débiter l'arbre, il commença à entasser les bûches sur le traîneau. Une fois sa pile terminée, Griffin indiqua un tas de branches.

— C'est pour le petit bois ?

— Une autre fois.

Micah lui montra les liens de cuir qui traînaient dans la neige à l'arrière du traîneau.

— Attrapez les rênes, dit-il.

Griffin s'en empara juste comme Micah commençait à tirer. La place arrière aurait dû être facile à tenir. Micah servait de moteur. Tout ce que Griffin avait à faire, c'était de saisir les rênes pour empêcher le traîneau de partir dans la pente. Mais le temps qu'ils aient accompli tout le chemin et rejoint la maison en bas de la colline, ses bras le brûlaient autant que ses cuisses.

— À quoi sert donc ce putain de tracteur ? demanda-t-il.

— À faciliter les choses.

— Alors pourquoi ne pas l'utiliser ?

— Parce que j'avais besoin de me défouler, répondit Micah sur le même ton. Ça vous pose un problème ?

— Aucun.

Et ils n'avaient pas fini. Micah entreprit aussitôt de

décharger le traîneau, ajoutant les bûches sur la pile contre le mur de la cabane à sucre, et Griffin l'imita sans hésiter – quelques muscles douloureux étaient un moindre prix à payer pour un peu de respect.

Mais lesdits muscles commençaient sérieusement à crier grâce. Finalement, Micah tourna la tête vers la route et annonça :

— Poppy.

La vue du Blazer rouge donna à Griffin la poussée d'adrénaline dont il avait besoin. La voiture descendit le chemin et disparut devant la maison. Ils posaient les dernières bûches sur la pile quand deux fillettes arrivèrent en courant pour se jeter dans les bras de Micah. Deux enfants ravissantes avec des vestes et des bonnets de couleurs vives, de longs cheveux sombres et de grands yeux noirs. Griffin crut lire de l'espoir dans ces yeux et, ne souhaitant pas assister à leur déception quand elles apprendraient qu'Heather n'était pas rentrée, il ôta ses gants et leva la main en signe d'adieu.

— Merci pour cet exercice, dit-il avant de s'éloigner en direction de la maison.

Poppy se trouvait déjà sous le porche. Griffin gravit les quelques marches deux à deux et trébucha à la dernière, ses jambes tremblant encore de l'effort fourni au cours des dernières heures. Mais il réussit quand même à lui ouvrir la porte.

Elle passa devant lui en lui jetant un coup d'œil circonspect. Une fois à l'intérieur, elle ôta ses gants, attrapa un chiffon dans son panier et entreprit d'enlever la neige de ses roues.

— Tu es venu embêter Micah ?

— Non. Juste transpirer un peu. Tu veux un baiser ?

Elle regarda le bonbon et parut sur le point de faire une remarque acerbe. Mais, à ce moment-là, la porte arrière claqua et ses yeux se tournèrent dans cette direction, l'air inquiet.

Lui prenant le chiffon des mains, Griffin se pencha et finit de nettoyer les roues. Les bruits étouffés des fillettes qui se débarrassaient de leur veste leur parvinrent, suivis de petits pas qui trottinaient vers la maison. Puis la plus jeune apparut dans l'embrasure de la porte où elle s'arrêta, imitée par sa sœur.

— Qui tu es ? s'enquit la plus âgée.

— C'est... C'est..., commença Poppy.

Bien que Griffin trouvât sa gêne adorable, il fut incapable de la laisser souffrir.

— Griffin, répondit-il en se baissant et en tendant la main.

— Voici Missy et Star, dit Poppy.

De toute évidence, les Smith ne serraient pas les mains. Micah probablement par hostilité, les fillettes par prudence. Après tout, elles ne l'avaient jamais vu.

L'intuition de Griffin lui souffla que, s'il parvenait à apprivoiser les deux sœurs, sa cote remonterait favorablement auprès de Poppy.

— Je suis heureux de vous connaître, déclara-t-il. Je suis un ami de Poppy et j'ai donné un coup de main à votre père pour couper du bois.

— Tu viens pour la saison du sirop ? demanda Missy.

— Oh, non. Juste en ami.

Il sourit et, comme aucune des fillettes ne lui rendait son sourire, il plongea la main dans sa poche et en retira quelques bonbons.

— Vous voulez un baiser ? proposa-t-il.

Les fillettes regardèrent sa main.

— Missy ?

— C'est Melissa. Et nous ne mangeons pas de bonbons au chocolat. Seulement des bonbons au sirop d'érable.

— Oh. Je ne savais pas. Vous faites les bonbons vous-mêmes ?

— Avec Heather, répliqua-t-elle.

À ce moment, Star dépassa Missy et s'avança vers Griffin sans quitter sa main des yeux.

— J'aime bien le chocolat, dit-elle d'une toute petite voix. Tu les as achetés chez Charlie ?

— Oui, bien sûr. J'avais l'habitude d'en acheter plein dans le magasin près du chalet de mon grand-père dans le Wyoming.

Poppy s'éclaircit la voix et il lui jeta un coup d'œil.

— C'est vrai. Tu ne crois quand même pas qu'un type qui a pu inventer les Hummers vivait dans une tour à Manhattan ?

— Ils contiennent des noisettes ? questionna Star.

— Pas ceux-ci, répondit Griffin en examinant les papiers.

Il replongea la main dans sa poche.

— Celui-ci, oui, annonça-t-il après avoir vérifié la couleur de l'emballage. Tu le veux ?

La fillette prit le bonbon, ôta doucement le papier et le glissa dans sa bouche.

— J'aime bien ceux avec les noisettes. Si tu reviens, apporte ceux-là, dit-elle avant de tourner les talons et de partir en courant en direction de la cuisine où sa sœur l'avait précédée.

— Tu joues avec le feu, prévint Poppy. Cette gamine est vulnérable.

Griffin leva le bras et, d'une passe de basket, lança le chiffon dans le panier.

— Je ne lui ferai pas de mal, répliqua-t-il. Elle le sait. Les enfants sont comme les animaux pour ça. Ils sentent à qui ils ont affaire.

— Qu'est-ce que tu en sais ?

— J'ai douze neveux et nièces. J'ai eu le temps de les observer. Ils devinent immédiatement si quelqu'un les aime ou non. Au fait, j'ai quelque chose pour toi.

— Je t'ai déjà informé que je ne voulais pas de baiser.

— Non, dit-il en posant une main sur chaque bras du fauteuil.

Mais même avec ce support, ses cuisses protestèrent et il ne put retenir un gémissement de douleur.

— Oh, mon Dieu, remarqua Poppy en souriant. On dirait que tu as un petit problème.

— Rien qu'une bonne douche chaude ne puisse résoudre. J'ai reçu quelque chose de Californie. Quand veux-tu le voir ?

Poppy était installée près du canapé, toutes ses pensées concentrées sur le paquet posé sur ses genoux. Le standard momentanément délaissé, elle considérait les photos étalées qui montraient Lisa Matlock lors d'une remise de diplôme à l'école avec des amies ou en train de servir dans un restaurant au cours de ce qui ressemblait à un mariage. Il y avait également un tirage de son permis de conduire.

— Qu'en penses-tu ? demanda Griffin, debout derrière elle.

Poppy prit le cliché de la remise de diplôme et l'examina de près pendant un long moment.

Aucune ressemblance, avait-elle envie de crier. Ce sont deux personnes différentes. Mais impossible.

— Étonnant, soupira-t-elle, découragée.

— Elles se ressemblent.

— Oui.

Elle regarda Griffin qui, après avoir pris une douche, était plus mignon que jamais – elle voulait bien l'admettre. Mais ce n'était pas le moment...

— Si cette photo se trouvait sur le mur de ton frère, je comprends que tu aies été surpris. La ressemblance est...

— Troublante ?

— Ce qui ne veut pas dire que c'est elle, se hâta-t-elle d'ajouter et pas seulement par entêtement.

Elle était reconnaissante à Griffin de s'être procuré ces clichés parce qu'il lui permettait de comprendre le pourquoi de tout ce malentendu. Mais sa loyauté l'empêchait encore d'accepter le fait qu'Heather était Lisa.

— Tout le monde se ressemble un peu. Seuls les yeux, les nez et les bouches diffèrent. Pareil pour les cheveux.

— Et les sourires ? C'est ce qui a retenu mon attention. Même sans la cicatrice, le sourire est le même.

Pour Poppy, c'étaient surtout les yeux. Sur la photo en couleur de la remise de diplôme, les yeux de la fille avaient le même reflet argent que ceux d'Heather.

— D'après le dossier, ses notes de classe étaient bonnes ainsi que les recommandations de ses professeurs. Pas étonnant qu'elle ait obtenu une bourse.

Elle tira une feuille. Il s'agissait d'un rapport médical

des urgences d'un hôpital de Sacramento, rédigé huit mois avant le décès de Rob DiCenza. La coupure au coin de la bouche de Lisa n'était pas la seule blessure mentionnée. Il était aussi fait mention de plusieurs coups au visage et le médecin, malgré les dénégations de la patiente, avait soupçonné un cas de violences conjugales.

— Pourquoi n'a-t-il pas insisté ? demanda-t-elle, sachant que Griffin lisait par-dessus son épaule.

— Il n'en avait aucun droit. Lisa affirmait avoir dix-huit ans. C'était un mensonge, mais il l'ignorait. Il serait peut-être intervenu si elle s'était représentée dans un sale état, mais cela ne s'est jamais reproduit. S'il y a eu d'autres incidents, elle s'est fait soigner dans un hôpital différent.

— Ton homme n'a pas trouvé d'autres rapports ?

— Pas encore. Il enquête toujours.

Poppy revint aux photos sur lesquelles on voyait nettement la cicatrice. Sauf sur le permis de conduire.

— Quand a-t-elle obtenu son permis ? demanda-t-elle.

— Pour ses dix-sept ans.

— Son anniversaire est en avril. Celui d'Heather en novembre.

Griffin ne fit aucun commentaire.

— Tu crois qu'Heather a menti. Nous savons que Lisa est capable de mensonge puisqu'elle a affirmé au médecin avoir dix-huit ans. Mais personne ici n'a jamais pu prendre Heather en flagrant délit de mensonge.

Une sonnerie retentit au standard et Poppy fit rouler son fauteuil jusque-là. L'appel concernait la ligne de Micah, ce qui ne la surprit pas.

— Allô ? dit-elle d'une voix tendue.

— Micah Smith, s'il vous plaît, demanda une voix masculine.

— De la part de qui ?

— Samuel Atkins, du *Sacramento Bee*.

Il parlait d'un ton nonchalant comme s'il téléphonait à Micah tous les jours.

— Samuel Atkins du *Sacramento Bee*, répéta lentement Poppy. Et vous pensez vraiment que je vais vous le passer ?

— Qui est à l'appareil ?

— Son service de presse. Il ne prend aucun appel et n'accorde aucune interview.

— Je suis prêt à payer.

— Ah, ça, c'est nouveau. Mais ce serait de la prostitution de la part de M. Smith. Il n'est pas désespéré à ce point, vous savez, Samuel Atkins du *Sacramento Bee*.

Elle raccrocha avec un soupir.

— Cet homme a déjà appelé. Il m'avait donné un nom différent, mais j'ai reconnu sa voix.

Elle poussa un nouveau soupir, puis s'exhorta à la détente. Finalement, elle retourna près du canapé et des photos.

Elle examina une nouvelle fois celle de la remise de diplôme à la recherche d'une différence, si petite soit-elle, mais en vain.

— Bon, dit-elle finalement. Si j'étais Lisa et si j'étais aussi intelligente qu'elle, j'aurais certainement apporté quelques modifications à mon apparence. Voilà la preuve que ces deux femmes ne sont pas une seule et même personne. Il aurait été complètement stupide de disparaître et de refaire surface ailleurs avec exactement la même tête.

— Sauf si cet ailleurs se trouvait être le dernier endroit où un agent du FBI viendrait la chercher. De plus, avec une nouvelle identité – nouveau nom, nouveau permis de conduire, nouveau numéro de sécurité sociale – la mystification était complète. Acheter des faux papiers est certainement beaucoup plus simple qu'une opération de chirurgie esthétique. Quelques questions au coin d'une rue pour savoir à qui s'adresser, un peu d'argent et le tour est joué.

Poppy essaya d'imaginer Heather dans ce rôle, mais le personnage ne collait pas.

— As-tu appris quelque chose sur Heather elle-même ?

— Non, pas encore. D'ailleurs, je ne te donnerai certainement pas toutes mes informations d'un seul coup, pas si je veux prendre une douche chaude deux ou trois fois par semaine. Au fait, ta douche est super.

— Une fois que tu enlèves ma chaise de douche, fit remarquer Poppy.

— Elle est légère comme tout. Nous, riches garçons, adorons les bacs de douche géants.

— Nous, paraplégiques, en avons besoin, ainsi que de tas de médicaments. Si tu as jeté un coup d'œil dans la pharmacie, tu as dû les voir.

Il continuait à agir comme si tout était normal. Mais c'était faux. Sa vie n'avait rien de normal, du moins aux yeux de la plupart des gens.

— Je n'ai pas fouillé. Inutile. Quand je suis parti d'ici, en octobre, j'ai potassé sur la paraplégie. Je suis au courant de tous les médicaments à prendre quotidiennement pour contrôler les crampes musculaires.

— Potassé sur la paraplégie ? répéta Poppy.

Soudain, l'idée qu'il avait peut-être obtenu son dossier médical, comme il l'avait fait pour Lisa, lui traversa l'esprit. C'était tout à fait illégal… Pourtant cela ne la dérangeait absolument pas quand il s'agissait de Lisa. Ce qui faisait d'elle une belle hypocrite.

Elle décida donc de ne pas insister sur l'aspect violation de la vie privée.

— Tu sais ce qui se passe si j'oublie de prendre mes pilules ? demanda-t-elle. Mes muscles peuvent se nouer. Pas vraiment excitant. Alors, à trente-deux ans, j'avale des cachets tous les jours et pour le restant de ma vie.

— Pas très différent d'un diabétique qui s'injecte de l'insuline, répliqua Griffin, peu impressionné. Désolé, ma belle, mais il en faudra plus pour me décourager.

— Je ne suis pas ta belle. Je croyais avoir été claire sur ce point-là.

— Tout ce que tu m'as dit, c'est que tu avais des moments de découragement et je t'ai répondu : comme tout le monde. Donc, je ne suis toujours pas rebuté.

— Très bien. Et si je te dis que j'ai un passé assez sombre.

— Tu parles de l'accident ?

Pendant un instant, elle se demanda ce qu'il savait exactement.

— Avant l'accident. J'étais une enfant difficile, rebelle. Ma mère pourra t'en parler.

— Poppy, pourquoi voudrais-tu que je m'intéresse à l'enfant que tu étais ?

— Parce que... Parce que c'est ma vraie nature.

Il médita un moment.

— Je ne crois pas, affirma-t-il finalement. Je pense que la nature des gens change. C'est la vie. Des événements, des traumatismes surviennent, les gens apprennent et s'adaptent. C'est le cas pour toi comme cela a pu être le cas pour Heather.

— Alors tu penses qu'elle est Lisa ? s'empressa-t-elle de demander, trop heureuse de changer de sujet. Si c'est le cas, tu n'es plus le bienvenu. Va-t'en, ajouta-t-elle en indiquant la porte.

Il attrapa son doigt et le secoua gentiment.

— Je ne pense pas qu'elle soit Lisa. Je crois qu'elle est Heather... aujourd'hui.

Elle retira sa main et se préparait à répliquer vertement, partagée entre la loyauté, la frustration et la peur. Mais son regard tomba sur la photo de la remise de diplôme et elle garda le silence. Si on ne lui avait rien dit, elle aurait pu jurer qu'il s'agissait d'Heather.

Micah n'était pas doué pour la coiffure. Missy l'en informa sans détour après qu'il lui eut arraché quelques cheveux en même temps qu'un cri de douleur.

Et Dieu sait qu'il ne voulait pas faire de mal à ses enfants. Il avait tenté de les protéger à la mort de Marcy et il recommençait aujourd'hui. Il pouvait cuisiner, lire des histoires, mais les cheveux restaient une énigme. Et les filles préféraient Heather.

Seulement, elle n'était pas là. Elle se trouvait en prison et se comportait de telle façon qu'il était impossible de l'aider. Il se demanda ce qu'elle pouvait bien cacher et les différents scénarios qui lui venaient à l'esprit le rendaient fou. Il passait alternativement de la colère à la culpabilité. Il essayait de se convaincre qu'elle avait dû traverser des épreuves très difficiles et voulait se montrer compréhensif, mais il détestait rester ainsi dans le noir, exclu et impuissant.

Il mit les filles au lit et, retournant à la cuisine, il sortit par la porte de derrière. Sous ses pieds, la neige résistait, ferme et dense, mais il savait que ça ne durerait pas. D'ici peu, elle commencerait à fondre à la mi-journée. Pas besoin de vérifier la météo ou le thermomètre. Il le sentait dans ses os. Il n'était pas le fils d'un acériculteur pour rien.

Il fallait profiter de nuits comme celle-ci pour laver les différents récipients et outils. Cela avait déjà été fait en avril dernier lorsque la sève s'était arrêtée de couler. Mais il fallait recommencer. Tout devait être lavé à la Javel et rincé trois fois pour enlever toute trace de goût. Une propreté irréprochable se révélait un impératif pour un sirop de qualité et si le but ne visait pas à la perfection, autant ne rien faire.

Il venait d'allumer le gaz pour réchauffer l'eau quand une terrible pensée lui traversa l'esprit. Si une des filles faisait un cauchemar ou était malade, il ne pourrait pas l'entendre. Il n'en saurait même rien.

Cette idée coupa net son élan et, malgré tout le travail qui l'attendait, il regagna la maison.

8.

Le samedi matin, Griffin fut réveillé en sursaut par le ronflement agressif d'un moteur. Persuadé que quelque chose allait incessamment s'abattre sur la cabane, il repoussa vivement les couvertures et se leva d'un bond. La pièce était illuminée par une lumière provenant de l'extérieur où l'aube pointait juste son nez. Ouvrant la porte, il jeta un coup d'œil et fut ébloui par un faisceau lumineux.

— Qui est là ? demanda-t-il en abritant ses yeux d'une main.

Quand il réalisa qu'avec le bruit du moteur la personne ne pouvait l'entendre, il agita le bras.

La lumière vira de bord et s'éloigna. Avant que l'engin ait disparu au coin de l'île, Griffin distingua une motoneige qui glissait sur le lac en tirant un gros chargement. Trente secondes plus tard, le moteur se taisait.

Refermant la porte, Griffin regarda sa montre. À peine six heures. Le poêle s'était éteint pendant la nuit et il faisait frais dans la cabane, mais il avait maintenant un stock de bûches à l'intérieur, sèches et prêtes à brûler.

Il remplit donc le poêle qui ne tarda pas à ronronner.

À la lumière du feu, il s'habilla rapidement, attrapa sa veste, la lampe de poche qu'il avait achetée chez Charlie et ressortit. La neige bien tassée du chemin rendait maintenant la marche facile et, une fois sur le lac, il suivit les traces de la motoneige et de sa remorque, qui le conduisirent jusqu'au bout de Little Bear. Il leva sa lampe.

— Comment va ? demanda la voix d'un vieil homme.
Griffin s'approcha.

— Billy Farraway, j'imagine ?

— Lui-même.

— On m'avait prévenu que vous finiriez bien par me rendre visite un jour ou l'autre.

— C'est à cause des Jours de Glace. Je me trouvais pas loin d'Elbow Island et la pêche était bonne. Mais des gars vont venir s'installer dans le coin, ce week-end, et je ne vois pas pourquoi je devrais partager mon espace avec qui que ce soit. Il devrait bien y avoir des truites par ici. Z'avez du café ?

— Pas encore, mais je peux en faire, offrit Griffin.

— D'accord. Pendant ce temps, j'installe ma baraque. Vous cassez pas la tête. Je le bois noir.

Griffin regagna donc son chalet, mit la cafetière à chauffer et remplit deux grandes tasses. Quelques minutes plus tard, il repartait, ses deux tasses fumantes à la main, et découvrait la maison de Billy dans la lumière pourpre du matin. Une vraie maison en fait, petite, mais complète, en bois avec un toit en aluminium. Elle se dressait sur une plate-forme, elle-même posée sur des patins immobilisés pour l'instant par des briques à l'avant et à l'arrière.

Comme Griffin approchait, une lumière apparut derrière l'unique petite fenêtre. Ouvrant la porte du cabanon, il en découvrit l'ameublement sommaire : un matelas et une pile de couvertures, une chaise rembourrée et un poêle. Sur les murs, des livres et des boîtes de conserve remplissaient les étagères. Un panier contenait des bananes, un autre, des œufs. Sur le fourneau, une poêle noire attendait.

Le vieil homme, agenouillé pour l'instant devant le poêle qu'il garnissait, arborait une crinière grise et ébouriffée, d'épais sourcils, gris également, et des joues et des mains rougeaudes. Ses vêtements, mélange de peau et de laine, avaient vécu et montraient une usure certaine, mais aucune déchirure.

— Ça, c'est le plus grand danger, dit-il en refermant la porte du poêle. Le feu. Vaut mieux le surveiller de près.

— Vous passez tout l'hiver par ici ? demanda Griffin en lui tendant une tasse.

— Pratiquement.

— Avec votre leurre à plongeons ?

— Avec mon leurre à plongeons, reconnut le vieil homme en buvant son café.

— Comment faites-vous pendant les tempêtes ?

— J'ai un toit et j'ai de quoi manger.

Il s'avança vers un coin de la cabane et tira sur un crochet. Une trappe s'ouvrit dans le sol.

— Je sors ma foreuse, je creuse un trou et je laisse tomber ma ligne. Puis je referme l'écoutille et j'attends que le drapeau remue pour m'avertir que j'ai une touche. Pendant ce temps, je reste au chaud.

— Ce tas de bûches ne va pas faire long feu, fit remarquer Griffin.

— L'homme des bois m'en délivrera d'autres.

— Qui est l'homme des bois ?

Comme le vieil homme rejetait la question d'un geste vague de la main, Griffin changea de sujet.

— Où habitez-vous pendant le reste de l'année ?

— En ville. J'ai un campement sur la rive avec un groupe de vieux gars comme moi.

— Où sont-ils en ce moment ?

— En Floride, répondit-il avec un ricanement de mépris. Aucune chance qu'on m'y voie. Non. Le lac en hiver, j'ai ça dans le sang.

— Vous avez habité ici toute votre vie.

— Toute ma vie. Et ma saison préférée n'est plus loin.

— Le printemps ?

Le vieil homme parut perdu dans ses pensées.

— Me demande ce qui a pu lui arriver. Je l'aimais bien.

— Le printemps ?

— Heather, rectifia-t-il en jetant un regard ennuyé à Griffin. Heather. De qui croyez-vous que je parlais ? De quoi parle-t-on d'autre par ici ? Même en vivant sur le lac comme moi, on entend des choses. Beaucoup de choses. 'Videmment, on ne m'a pas demandé mon avis.

— Que savez-vous ?

Le vieil homme le fixa un long moment.

— Je sais que je ne vous connais pas.

— Vous pouvez me faire confiance, insista Griffin en tendant la main.

Billy ricana.

— Mais je m'y connais en sirop d'érable, ça je vous le dis. Je sais comment entailler l'arbre, comment empêcher la sève de brûler dans l'évaporateur. Je sens le moment exact où le bouillon change de consistance et se transforme en sirop.

— Comment savez-vous tout ça ?

— Ah, aucune importance. Dites, ça vous dirait de me regarder jeter ma ligne ? proposa-t-il soudain, les yeux brillants.

Pendant les Jours de Glace, Poppy utilisait un Arctic Cat. Il ne lui appartenait pas, mais le vendeur local était un ami qui l'installait joyeusement, l'attachait et lui posait un casque sur la tête. Poppy se sentait en sécurité à l'intérieur du Cat – véhicule tout-terrain avec quatre pneus larges, une boîte de vitesses automatique et une plage arrière qui pouvait contenir près de trois cents kilos de nourriture, des boissons ou des enfants. Il n'allait pas vite, mais ça ne posait pas de problèmes. Poppy ne recherchait pas la vitesse.

Aujourd'hui, la plage arrière abritait Missy et Star, toutes les deux emmitouflées et casquées, et deux douzaines de grandes pizzas dans des sacs isolants, maintenues en place par des tendeurs.

Poppy releva sa visière et regarda les deux fillettes.

— Tout va bien ? s'enquit-elle.

Les deux casques montèrent et descendirent de concert.

— Prêtes au départ ?

Comme elle obtenait leur assentiment, elle leva le pouce et attendit. Missy et Star levèrent à leur tour la main avec de larges sourires.

Poppy avait espéré ces sourires. Depuis que Micah les avait déposées, ce matin, un peu grognons d'avoir été tirées du lit aux premières lueurs du jour, les deux filles avaient conservé un visage grave.

— J'ai du travail, avait expliqué Micah quand Poppy avait ouvert la porte.

Poppy savait quelle responsabilité pesait sur lui. Elle avait grandi avec cette pression, au milieu du verger de ses parents. Il s'agissait alors des pommes et de la fabrication du cidre, mais le résultat était le même. Il fallait ramasser et vendre les fruits au marché pendant qu'ils étaient encore frais, puis presser les pommes trop mûres pour obtenir du cidre avant qu'elles soient abîmées. Et de cette activité concentrée sur une petite période de l'année dépendaient les revenus de la famille.

La récolte des pommes était la dernière récolte de l'année, celle du sirop d'érable, la première, et avec elle, le cycle recommençait. Poppy avait toujours aimé la poésie qui se cachait derrière le rythme des saisons.

Cela étant, l'heure n'était pas à la rêverie. À peine réveillée elle-même, elle avait installé les deux fillettes directement dans son lit avec elle, avait relevé les coussins et branché la télévision. Puis elle avait savouré cet instant sans remords, se sentant utile et en sécurité. Oubliant un instant Heather, elle avait apprécié la chaleur des deux petits corps près d'elle et éprouvé du soulagement de savoir qu'en cette minute les deux enfants étaient contentes.

Mais pour autant, recevoir maintenant leurs sourires lui mettait du baume au cœur.

Elle baissa sa visière et tourna la manette d'accélération. Évitant les pierres qui saillaient sous la neige sur la rive, elle s'engagea sur le lac et se dirigea vers le stand que Charlie avait dressé. Quand les deux fils de Charlie eurent déchargé les pizzas, elle fit demi-tour et retourna chercher un deuxième chargement. Après les pizzas suivirent les boissons, puis les hot-dogs, les hamburgers, les petits pains et les assaisonnements.

Le travail terminé, elles partirent en exploration. Elles firent le tour du lac, croisant d'autres motoneiges, des skieurs de fond et des marcheurs en raquette. Plus loin, elles regardèrent une course de voitures et observèrent les windsurfeurs chercher le vent et filer à toute allure sur la glace.

Enfin, elles reprirent le chemin du retour. Le temps de regagner la cabane de Charlie, les fillettes avaient suffisamment faim pour dévorer un hot-dog et une part de pizza. La foule commençait à envahir les lieux et les voitures s'alignaient le long de la route, sur la rive. Les motoneiges étaient garées les unes à côté des autres et une population emmitouflée dans des vêtements chauds se rassemblait lentement, les joues rouges et le sourire aux lèvres. Près du stand du concours de pêche, les spectateurs comme les pêcheurs applaudissaient à chaque nouvelle prise ; celle-ci était pesée et étiquetée avant d'être suspendue pour être admirée.

Poppy savait que, comme chaque année, il y avait nombre d'étrangers parmi la foule, venus des États voisins pour participer. Et probablement aussi, quelques journalistes. Elle tenta d'en repérer, mais le seul qu'elle reconnut sans le moindre doute fut Griffin. Le soleil faisait ressortir le roux de sa chevelure et, avec seulement un bandeau bleu pour protéger ses oreilles du froid, sa tête aurait pu servir de fanion. Poppy avait l'impression de le voir partout. Elle refusait pourtant de le chercher des yeux, mais son regard tombait sans arrêt sur lui.

Il la salua de loin et elle agita sa main en retour avant de reprendre sa conversation. Les Jours de Glace étaient un véritable événement social pour la petite communauté. Après les longs mois d'hiver où chacun vivait calfeutré chez soi la plupart du temps, les gens profitaient de l'occasion pour reprendre contact avec la civilisation, se réjouissaient de retrouver leurs amis et de partager les dernières nouvelles. On parlait du temps, des prévisions météorologiques et de leur impact éventuel sur le début de la coulée de sève, on s'inquiétait de savoir si Micah était prêt, on commentait les drames – divorces – ou les événements plus heureux – naissances, mariages. Évidemment, on parlait d'Heather et Poppy, sa plus proche amie, constituait la cible principale des questions.

Les premières étaient inoffensives et naturelles : Pourquoi Heather ? Pourquoi maintenant ?

Puis venaient les observations, en apparence innocentes, mais qui véhiculaient un aspect inquisiteur. Tu as vu la photo à la télé ? Cette fille ressemblait vraiment à Heather, tu ne trouves pas ?

À la mi-journée, les questions se firent plus pointues. D'où vient-elle ? Où est-elle née ? Elle a sûrement de la famille quelque part. Tu es son amie, Poppy. Que sais-tu ? Et Micah ? Il doit bien savoir quelque chose puisqu'il vit avec elle.

Finalement, la consternation habitait tous les esprits. En fait, nous ne savons rien d'elle. Cela fait quatorze ans qu'elle vit parmi nous et nous ne savons rien d'elle. Comment peut-on rester aussi secret ?

Griffin se mêlait à la foule, s'efforçant de paraître aussi détendu et amical que possible, ce qui ne lui demandait aucun effort. Il connaissait Aspen, Vail ainsi que Snowmass et l'ambiance revigorante des scènes hivernales, mais celle-ci le charmait. Ce qui lui manquait en sophistication, elle le compensait en sincérité. Les gens montraient un vrai plaisir de se rencontrer, exprimaient une affection et un enthousiasme sincères.

D'un naturel curieux, poser des questions était pour lui une seconde nature, mais il prenait soin de les garder innocentes. Il se renseigna sur les cabanes à luge qui avaient poussé pendant la nuit, sur les appâts utilisés par les pêcheurs ou sur les courses de ski qui auraient lieu le lendemain.

Il aurait aussi aimé poser des questions sur Heather, mais son statut d'étranger et surtout de journaliste lui interdisait une telle audace. Il se contentait donc de traîner en tendant l'oreille quand il surprenait une conversation. Mais sitôt qu'ils le repéraient, les gens se taisaient.

Il glana quelques informations auprès des fils de Charlie qui tenaient le stand de pizzas. Âgés de seize et dix-huit ans, ils se montraient moins soupçonneux que leurs aînés. Ils lui confirmèrent qu'Heather avait travaillé au café jusqu'à ce qu'elle se mette en ménage avec Micah, qu'elle les avait gardés quand ils étaient petits et que leurs parents lui confiaient le magasin quand ils partaient en vacances. Lorsqu'il leur demanda si elle avait jamais fait allusion à sa vie passée, ils le regardèrent en haussant les épaules. Manœuvre qu'ils répétèrent quand il plaisanta en suggérant qu'ils avaient été ses confidents. Et quand il reconnut qu'ils ne lui diraient rien de toute façon, ils sourirent.

Griffin déambula ainsi un moment sur la glace suffisamment épaisse, au dire des habitants du coin, pour supporter le poids d'une armée. Les motoneiges filaient près de lui, des gens approchaient, croisaient son regard et passaient rapidement leur chemin.

Où que ses yeux se posent, il apercevait Poppy naviguant nonchalamment au milieu de la foule dans son engin à quatre roues, les deux fillettes à l'arrière. Ils se saluèrent de loin, une fois, mais elle ne s'approcha pas de lui. Elle se trouvait dans son élément.

Lui, d'un autre côté, était *persona non grata*.

Il finit par se sentir seul et, en début d'après-midi, il regagna son camion, bien décidé à rejoindre Little Bear. Il avait du travail. L'île ne recevait peut-être pas de connexion cellulaire, mais le centre-ville si et il avait déjà reçu trois messages de Prentiss Hayden. Oui, vraiment beaucoup de travail en perspective.

Pourtant, le camion de Buck ne prit pas le chemin de Little Bear. Il se dirigea résolument vers la maison de Micah.

Comment peut-on rester aussi secret ?

Cette question tournait sans répit dans la tête de Poppy.

Pour se changer les idées, elle décida d'emmener les filles en balade. Le soleil descendait déjà sur l'horizon, mais les rayons qui balayaient encore le lac dégageaient une certaine chaleur.

— Cramponnez-vous, cria-t-elle.

Baissant sa visière, elle accéléra d'un coup rageur du poignet et l'Arctic Cat s'élança sur la surface glacée.

Surprise par cette accélération brutale, elle ralentit immédiatement et regarda en arrière. Les filles étaient bien attachées et lui rendirent son salut de la main.

Elle continua donc sa route, zigzaguant entre les différents stands, échangeant quelques saluts avec les pêcheurs. Puis Missy toucha son épaule et cria « Encore ! ». Poppy poursuivit donc les zigzags. Les fillettes poussaient des cris aigus de plaisir qui lui réchauffaient le cœur.

Empruntant les traces d'une précédente motoneige, elle continua tout droit jusqu'à une partie inviolée du lac. Là, incapable de résister, elle engagea le véhicule sur la neige vierge et accéléra avec l'impression de rouler sur du velours. L'impression ressentie était tellement grisante qu'elle en oublia son handicap. Revigorée, elle roula ainsi un long moment au milieu des ombres grandissantes de cette fin d'après-midi. Sa vitesse augmentait insensiblement, mais cela en valait vraiment la peine. Pendant ces quelques minutes de pure liberté, elle n'oublia pas seulement qu'elle ne marcherait plus jamais. Elle oublia également Heather.

Et soudain, la mémoire lui revint, accompagnée d'une brusque poussée d'adrénaline. Ralentissant vivement, elle se retourna. Les fillettes allaient bien et lui firent un signe de la main. À vitesse raisonnable maintenant, elle fit un grand cercle et reprit le chemin du retour. Plus elle se rapprochait, plus elle ralentissait, de sorte qu'elle ne les envoya pas dans le décor quand un casque cogna contre le sien. Quelques secondes plus tard, Star relevait la visière de Poppy.

— Là-bas, ils maquillent le visage des enfants, dit-elle.

Poppy se tourna vers la direction indiquée.

— Oh, mon Dieu ! On a failli oublier, s'exclama-t-elle en prenant la direction du stand.

Se garant à proximité, elle coupa le moteur. En une seconde, les filles avaient ôté leur casque et bondi dehors.

— Bonjour, tata Poppy !

Le cri venait de la queue devant le stand. Ruth, six ans, la plus jeune fille de Rose, attendait son tour avec sa sœur aînée, Emma. Missy et Star les rejoignirent en courant. Missy et Emma étaient camarades de classe et amies.

Rose quitta les mères avec lesquelles elle discutait et s'approcha de Poppy. Comme d'habitude, elle avait soigné sa tenue et portait une parka avec un pantalon assorti de couleur prune, un chapeau, des gants et des bottes bleu marine. Elle posa une main sur sa gorge en s'arrêtant devant sa sœur.

— Je t'observais, murmura-t-elle. Comment peux-tu rouler à une telle vitesse ?

Poppy se raidit, non sans une pointe de culpabilité.

— Je n'allais pas si vite que ça.

— Si, affirma Rose l'air affolé. Tu as commencé à accélérer après les pêcheurs. Je n'en croyais pas mes yeux. Et les autres non plus. Tu allais de plus en plus vite et je m'attendais à ce que la moto fasse un tonneau et vous écrase toutes les trois.

— Rose, ces véhicules ne se retournent pas. Les pneus sont trop larges. Ils adhèrent au sol comme de la colle.

— Tu roulais sur de la glace, pas sur une route. Encore, si tu avais été seule. Mais avec les filles !

— Les filles étaient attachées avec une ceinture de sécurité et portaient un casque.

— Je ne crois pas que tu devrais t'occuper d'elles.

— Pourquoi pas ?

Sa sœur fit un geste vague de la main.

— Non, Rose, dis-moi. Pourquoi pas ?

— Tu sais, répliqua sa sœur avec un coup d'œil sur ses jambes. Et il n'y a pas que ça. Je sais que tu es l'amie d'Heather et t'occuper des enfants est formidable de ta part, surtout avec tous les soucis de Micah. Mais ne surestimes-tu pas tes forces ? Je veux dire, que se passera-t-il s'il y a un problème ? Si l'une d'elles tombe ? Pourras-tu la relever ?

Poppy se hérissa. Bien qu'elle se soit posé la question elle-même il n'y avait pas si longtemps que ça, l'entendre dans la bouche de Rose était humiliant.

— Oui, je pourrai la relever, affirma-t-elle d'un air de défi.

— Comment ?

— Comme tout le monde, avec mes bras. Mes bras sont forts, Rose. Je serais même prête à parier qu'ils sont plus forts que les tiens.

— Peut-être. Mais il n'y a pas que les chutes. Tu n'as jamais été mère, tu ignores de quoi tu parles.

— Des femmes aveugles ont des enfants, répliqua Poppy, en colère contre le ton blessant de sa sœur. Des femmes sourdes sont mères. Des femmes avec un QI au ras des pâquerettes ont des enfants. Es-tu en train de dire que je pourrais être pire que ces dernières ? Mais, rassure-toi, je n'envisage pas d'avoir des enfants. Je connais les risques et les problèmes. J'essaie seulement de me rendre utile et d'aider mes amis. Si tu t'inquiètes tellement pour Missy et Star, pourquoi ne pas proposer tes services ?

Elle regretta aussitôt ses paroles parce qu'elle savait ce qui allait suivre. Rose représentait l'archétype d'une mère accomplie.

— C'est une excellente idée, lança-t-elle aussitôt avec son enthousiasme naturel. Art a loué des films et nous achèterons des pizzas. J'adorerais avoir Missy et Star avec nous. Tu crois que Micah accepterait ?

Ce dernier allait sûrement travailler une bonne partie de la nuit et apprécierait sans nul doute que les filles soient en bonne compagnie. Poppy avait envisagé de les garder avec elle, mais elles seraient aussi bien avec leurs amies. Emma et Ruth étaient deux enfants charmantes et Poppy faisait confiance à Rose. Elle ne l'aimait pas toujours, mais elle lui faisait confiance.

Ce qui signifiait donc qu'elle passerait la soirée seule à ruminer les réflexions de sa sœur. Charmante perspective.

Griffin ressentait une énorme satisfaction. Micah n'avait pas prononcé plus de dix mots de l'après-midi, mais ils n'avaient pas perdu leur temps et, tandis que le jour déclinait à l'extérieur, ils pouvaient contempler le fruit de leur travail dans la chaleur humide de la cabane à sucre. Par trois fois, ils avaient lavé et rincé d'innombrables tubes en plastique, des seaux et nombre d'instruments en acier inoxydable : thermomètres, hydromètres, réfractomètres, écumoire et autres louches. Griffin n'avait aucune idée de l'usage de tout ce matériel, mais s'était jusque-là abstenu de toute question, vu l'humeur peu communicative de Micah.

Les quelques mots que ce dernier avait exprimés s'adressaient plus à lui-même qu'à Griffin.

— Même si on a déjà cabané à la fin de la dernière saison, je ne peux pas prendre de risque, avait-il murmuré dans sa barbe. Les micro-organismes se développent très vite et peuvent ruiner la qualité du sirop.

Pourtant la curiosité démangeait Griffin qui estima pouvoir se permettre quelques questions pendant les derniers rangements.

Il montra une grande machine non loin de la cheminée.

— C'est quoi ? s'informa-t-il.

Micah jeta un coup d'œil dans la direction indiquée.

— Un osmoseur. Il permet de réduire la teneur en eau de la sève tout en retenant les molécules de sucre, et ce avant même que la sève pénètre dans l'évaporateur. Économie de temps et de carburant.

— Et ça ?

— Un filtre. Dès que le sirop est formé, on le verse tout chaud là-dessus pour le débarrasser des impuretés susceptibles d'altérer son apparence ou sa saveur, inadmissibles dans un sirop de qualité supérieure.

— Combien vous faites ? demanda Griffin qui s'interrogeait sur les bénéfices que l'on pouvait retirer de cette fabrication.

— Dans une bonne saison, pas loin de cinq cents litres.

Ce n'était pas exactement ce que voulait savoir Griffin, mais il ne rectifia pas et enchaîna.

— Et c'est quoi une bonne saison ?

— D'abord, un bon été avant. Si un arbre reçoit du soleil et de l'eau, il se développe bien et un arbre en bonne santé donne de la sève plus douce. Ensuite, il faut un hiver tardif suivi d'un printemps précoce. Dans ces conditions, la sève peut couler jusqu'à six semaines. Ou s'arrêter au bout de deux.

— De quoi dépend la durée de la coulée ?

— De l'eau. La sève coule quand la température tombe en dessous de zéro pendant la nuit et remonte bien au-dessus au cours de la journée. Un décalage de quinze degrés est idéal. Tout chaud ou tout froid et la coulée n'aura pas la qualité requise. Une tempête de neige, des dégâts dans l'érablière et les problèmes commencent si vous ne pouvez pas réparer au plus vite. Et tout doit être fini avant que les arbres se mettent à bourgeonner parce qu'ensuite la sève n'a plus de goût.

— C'est votre père qui vous a appris tout ça ?

— Et mon grand-père, et mon oncle.

Micah regarda Griffin avec l'ombre d'un sourire qui adoucit son expression et le rendit moins intimidant.

— Dans la famille, on est sucrier de père en fils. Avant la guerre civile, on se vantait d'être la seule exploitation qui n'embauchait pas d'esclaves. La famille proche ou éloignée, les adultes, les enfants, tout le monde participait. Ma mère mettait en bouteille. Ma grand-mère cuisinait pour tout le monde. Les hommes se partageaient le reste des tâches et, à l'époque, il n'y avait ni osmoseur ni filtre. Bon sang, ils n'utilisaient même pas de tubes quand j'étais gamin. Je me rappelle les seaux.

Il s'arrêta, perdu dans ses pensées, un sourire aux lèvres. Mais son sourire s'effaça bien vite, remplacé par la fatigue.

— Évidemment, l'érablière n'avait pas la taille qu'elle a aujourd'hui. Il serait impossible à l'heure actuelle de transporter des seaux d'un bout à l'autre du domaine, sans compter qu'on ne trouve pas d'aide pour quatre semaines par an, six au mieux, grommela-t-il dans sa barbe en recommençant à frotter le sol. Les jeunes veulent de l'argent facile. Alors nous avons remplacé les seaux par des tuyaux, ce qui diminue grandement le boulot et nous permet de rester une opération familiale. Du moins, en théorie. Je comptais sur Heather.

Il s'arrêta net.

L'espace d'un instant, Micah avait quand même baissé le masque et montré son vrai visage derrière le mur de froideur. Griffin voulait interpréter ça comme une marque de confiance.

— Je souhaitais vous en parler justement.

Micah lui jeta un regard méprisant.

— Je me demandais quand vous y arriveriez.

— Je peux vous aider, expliqua précipitamment Griffin. J'ai des contacts, je peux obtenir des informations. Vous avez besoin d'en apprendre plus sur Lisa et j'ai les moyens d'obtenir les renseignements nécessaires. Donnez-moi seulement un point de départ.

— Qu'est-ce que vous y gagnez ?

Griffin ne pouvait invoquer son sentiment de culpabilité. Micah avait redressé le mur autour de lui et lui parler de Randy gâcherait tout.

— Poppy. Je l'aime bien et je veux aider ses amis.

— C'est elle qui vous a envoyé ?

— Non. Elle vous protège et elle n'est pas encore certaine de pouvoir me considérer comme un ami.

— Et moi, je devrais ?

— Oui, parce que je vous donne ma parole. Et mes raisons vont plus loin encore que Poppy. Je bénéficie de contacts influents que j'utilise pour toutes sortes de choses, mais là, l'enjeu est de taille. J'aime Lake Henry, j'aime ses habitants. Lily Blake en a bavé à l'automne et maintenant, c'est le tour de Heather.

— Cassie va m'aider.

— Oui, mais les ressources de Cassie sont limitées. Les miennes sont beaucoup plus étendues.

— Qu'est-ce que ça va me coûter ?

— Rien. Comme je vous l'ai dit, je suis un ami et je dispose d'un réseau de connexions efficace. Cela ne vous coûtera pas un sou. Vous êtes le pivot de cette histoire, celui qui détient le plus d'informations à l'heure actuelle. Vous seul pouvez me mettre dans la bonne direction.

Avec un ricanement, Micah entreprit de ramasser les torchons mouillés qui traînaient.

— Je n'ai pas besoin de beaucoup, insista Griffin. Un lieu de naissance, une ville, une école, n'importe quoi.

— Je ne peux rien vous dire.

— Peux ou veux ?

— Peux, répondit Micah en quittant la pièce.

Griffin attrapa leurs vestes et chemises et lui emboîta le pas.

— Parce que vous ne savez rien ? Quand vous l'avez rencontrée, la première fois, elle a bien dû vous dire d'où elle venait ?

L'air froid lui piqua la gorge.

— Pourquoi ? Elle habitait Lake Henry depuis quelque temps déjà. Pourquoi lui aurais-je posé des questions sur son passé ?

— Par curiosité. Bon d'accord, vous ne lui avez rien demandé. Mais depuis quatre ans, elle a bien dû mentionner quelque chose, un indice.

— Si c'est le cas, je n'ai pas remarqué, murmura Micah en se dirigeant vers la maison.

Ses bottes écrasaient la neige gelée qui craquait sous ses pas.

— Elle ne reçoit jamais de courrier ?

— Tout le temps. Nous sommes une entreprise.

— Du courrier personnel, comme une carte d'anniversaire, une carte postale ?

— Non. Mais c'est elle qui ramasse le courrier. Alors qui sait ?

— Vous pensez qu'elle vous a peut-être caché quelque chose ?

— Non, affirma-t-il d'une voix forte en ouvrant la porte de la cuisine.

Griffin rattrapa la porte avant qu'elle claque et le suivit à l'intérieur. Micah traversa la pièce sans s'arrêter et passa dans la buanderie où il entreprit de remplir la machine à laver.

— Je ne demande pas une biographie complète, mais un indice pour pouvoir commencer, pour pouvoir prouver qu'elle n'est pas Lisa.

— Je ne sais rien.

Micah referma la machine et versa de la lessive.

— Un voyage qu'elle aurait fait. Une fête d'anniversaire. Un cadeau. Un parent. Elle n'a donc point de parent ? Un passe-temps, un rêve. Les rêves révèlent beaucoup de choses. Merde, vous devez bien savoir quelque chose, s'énerva Griffin. Elle venait bien de quelque part en débarquant ici.

Micah perdit son calme lui aussi.

— Probablement, mais je n'en sais rien! hurla-t-il. Je n'en sais foutrement rien! Vous croyez que ça m'amuse?

Un silence de mort accueillit cet éclat. À la périphérie de son regard, Griffin nota un mouvement et tourna la tête. Poppy fixait Micah d'un air affolé.

Il laissa échapper un soupir.

— Non, je suppose que non, répondit-il d'une voix lasse. Bon, je crois que j'en ai assez fait pour aujourd'hui.

Découragé, il prit congé.

Poppy ne se souvenait pas d'avoir jamais entendu Micah crier. Il était du genre silencieux, mais également réservé et fier. L'aveu qu'il venait juste de faire avait dû lui coûter.

— Je suis désolée, dit-elle doucement. Je ne savais pas qu'il viendrait ici.

Baissant la tête, Micah passa la main sur sa nuque.

— Quelle importance? Peut-être qu'il laissera tomber maintenant.

Poppy n'aurait pas parié là-dessus. Et d'ailleurs, elle n'était pas certaine que Griffin doive laisser tomber. Il était le seul à bénéficier de contacts quand tout le monde s'enlisait.

— C'est vrai? demanda-t-elle. Tu ne sais vraiment rien?

Micah releva la tête et lui lança un regard blessé.

— Rien du tout.

Et soudain, il sursauta et jeta un coup d'œil derrière elle.

— Bon sang, est-ce que les filles ont entendu?

— Non. Je les ai laissées en ville avec les Winslow. Elles allaient se faire maquiller avec Emma et Ruth, et même Star semblait s'amuser. Rose les a invitées à dîner. Elles regarderont un film ensuite et Rose aimerait les garder pour dormir. J'ai dit que je t'en parlerais.

— Pas de problème. Elles sont aussi bien là-bas. Je ne suis pas bon à grand-chose.

— C'est faux. Et Heather n'aimerait pas t'entendre parler ainsi.

Il se retourna pour la regarder.

— Je ne peux absolument rien faire, Poppy. Je ne sais rien du tout. Je n'ai pas arrêté de réfléchir, de me remémorer toutes ces années pour tenter de retrouver un mot qu'elle aurait pu laisser échapper, mais rien.

Il passa les mains dans ses cheveux.

— Comment est-il possible que je sache si peu ? Nous étions si proches. Elle savait tout de moi, elle devinait ce que je pensais et je croyais qu'il en était de même pour moi. Quel idiot ! On ne débarque pas ainsi à dix-neuf ans sans passé. Pourquoi n'ai-je pas posé de questions ?

— Parce que ça n'avait pas d'importance.

— De toute évidence, si. Bon sang, mais pourquoi n'a-t-elle rien dit ?

— Peut-être parce que c'était trop difficile... Ou parce qu'elle avait peur...

— De moi ? Mais je l'aime. Elle le sait. Et comment croire qu'elle ait pu faire quelque chose de mal ? Elle est si bonne, si patiente, si généreuse et compréhensive. Depuis que je la connais, elle n'a jamais, *jamais*, eu le moindre geste ou la moindre parole méchante. Elle ne s'est jamais mise en colère contre les filles ou moi. Alors, comment aurait-elle pu faire une chose aussi terrible ?

— Je l'ignore.

— Elle ne t'a jamais rien dit à toi non plus ?

— Non.

Il baissa la tête et étudia le sol en réfléchissant, les mâchoires serrées.

— Tu crois qu'elle est Lisa ? demanda-t-il finalement, l'air perdu.

— Non. Je crois qu'il s'agit d'autre chose.

— Dans ce cas, pourquoi ne parle-t-elle pas ?

— Parfois, c'est impossible.

— Désolé, ça ne prend plus.

— Supposons qu'il lui soit arrivé quelque chose de terrible, quelque chose de si horrible que, si elle avait continué à y penser, elle serait devenue folle. Comment survivre à un tel traumatisme ?

Micah garda le silence.

— En le refoulant, reprit Poppy avec la conviction de quelqu'un qui savait de quoi il parlait. Je ne sais pas quelles épreuves Heather a pu traverser. Je la connais aujourd'hui et je sais qu'elle est incapable de faire du mal. Elle t'aime, Micah. Et elle aime les filles. Si elle ne veut pas parler du passé, c'est peut-être tout simplement parce qu'elle en est incapable. Parce qu'elle ne peut survivre qu'en oubliant le traumatisme subi.

Cette nuit-là, Micah faillit bien ouvrir le sac. Il le sortit de sa cachette et joua avec la boucle. Il se dit qu'il ne contenait probablement rien et qu'Heather ne l'avait gardé que pour sa valeur sentimentale.

Mais, dans ce cas, pourquoi le garder caché dans un placard depuis quatre ans ? Non. Si elle l'avait conservé pour des raisons sentimentales, elle le lui aurait montré.

Ouvrir ce sac constituerait-il une trahison ?

Pas avec les charges qui pesaient sur elle.

Alors pourquoi n'ouvrait-il pas ?

Parce qu'il redoutait ce que le sac pouvait révéler.

Il en arriva à se demander ce qui serait le pire à ses yeux. Trouver des papiers prouvant qu'Heather était bien Lisa ou apprendre qu'elle était mariée à un autre homme. D'où son refus de l'épouser.

Elle aurait pu divorcer.

Mais son mari avait peut-être menacé de la tuer.

Et la fuite avait été sa seule issue.

Ou elle était Lisa et elle avait bien commis un meurtre.

Et elle finirait sa vie en prison.

Si c'était le cas, il n'était pas pressé de l'apprendre. Il remit donc le sac au fond de la pile de bois et entassa les bûches par-dessus.

9.

Il commença à neiger aux premières lueurs de l'aube le dimanche matin et, le temps que le jour se lève complètement, un manteau de six centimètres d'épaisseur, immaculé et lumineux, recouvrait le sol. Mais cette vue magnifique n'inspira nullement Poppy. Après une nuit difficile, elle s'était réveillée plus fatiguée qu'en se couchant et avait du mal à sortir du lit.

Finalement, elle se leva péniblement, se doucha et enfila un pull vert vif, histoire de se donner un peu d'énergie. Elle se dirigea ensuite vers le standard dans l'intention de l'allumer, mais changea d'avis en chemin. Bifurquant vers la porte, elle récupéra son journal devant l'entrée et prit la direction de la cuisine pour se préparer un café.

Aucune mention d'Heather dans les gros titres à la une, à son grand soulagement. Une fois le café prêt, elle s'en servit une tasse et regagna le salon. De la fenêtre, elle contempla sans la voir la neige qui s'accumulait sur les branches des sapins devant la maison. Un couple de minuscules cardinaux voletait d'arbre en arbre, le mâle arborant un magnifique plumage rouge vif. Ils s'envolèrent soudain vers le ponton avant de s'éloigner au-dessus du lac gelé.

Les passereaux la firent réfléchir sur la liberté qu'offrait la capacité de voler, de monter très haut dans le ciel et de disparaître, sur la faculté de recommencer à zéro, fraîche et sans tache.

Ce serait formidable, décida-t-elle. Vraiment formidable.

Le problème avec les rêves, c'était le réveil. Le retour à la réalité se révélait par contraste particulièrement douloureux. Avec un soupir, elle jeta un œil au standard qui ne lui offrait qu'une possibilité d'évasion limitée. Mais aucun bouton ne clignotait. Les habitants de Lake Henry répondaient à leurs appels ou assistaient dans les montagnes aux courses de ski ou de luge.

Elle resta donc devant la fenêtre et s'y trouvait encore quand le camion apparut au bout du chemin. Pas le chasse-neige venu dégager son allée, mais Griffin, qui disparut pour se garer à côté du Blazer.

Poppy ne bougea pas, incapable de définir les sentiments qui l'agitaient à sa vue. Ni colère, ni ennui. Peut-être un peu d'agacement en raison du soupçon d'anticipation qu'elle éprouvait bien malgré elle. Elle attendit.

Une portière s'ouvrit. Puis un silence. Qui s'éternisa. La portière se referma enfin et elle entendit les pas de Griffin sur la neige. Elle se demanda soudain s'il avait apporté à manger. Un bon repas de chez Charlie serait le bienvenu. Charlie préparait un excellent chili qu'elle aurait volontiers dégusté à cet instant.

Griffin tapa ses pieds devant la porte d'entrée, puis frappa. Elle ne répondit pas. Il frappa de nouveau, tourna la poignée, ouvrit la porte et appela.

— Y a quelqu'un ?

Puis, l'apercevant, il sourit.

— Bonjour.

Il entra et referma derrière lui.

— Comment ça va ?

— Bien.

Elle était contente de le voir, mais déçue de ne pas sentir l'odeur du chili.

— Tu es drôlement emmitouflé.

Il ôta ses bottes, les posa près de la porte, restant en chaussettes de laine, et enleva le bandeau autour de sa tête.

— Qu'est-ce qu'il tombe, commenta-t-il.

— Ils doivent adorer ça dans les montagnes. Je suis surprise que tu n'y sois pas allé.

— J'y suis allé. Je pensais t'y voir d'ailleurs. Tu semblais bien t'amuser, hier.

— Hier, cela se passait sur le lac. Aujourd'hui, la fête est consacrée au ski.

— Tu as déjà skié ?

— Tous ceux qui grandissent ici font du ski. J'en faisais beaucoup avant.

— Je veux dire depuis l'accident.

Elle fut surprise qu'il lui posât la question. La plupart des gens ne l'auraient pas fait. Mais Griffin ne serait pas Griffin s'il ne posait pas de questions.

— Non. Tu n'as peut-être pas remarqué, mais j'ai... un petit problème.

— Tu n'as jamais essayé le ski-bob ?

— Que sais-tu à ce sujet ? demanda-t-elle, légèrement mal à l'aise tout à coup.

— Seulement qu'on s'amuse beaucoup avec.

— Ah. Et tu connais des gens qui l'ont utilisé ?

— En fait, oui, dit-il en ouvrant un peu sa parka.

Elle aperçut sa chemise rouge et quelques poils dans l'ouverture du col.

— Tu as parlé à ces gens pendant que tu potassais sur mon infirmité ? s'enquit-elle innocemment.

Il ne broncha pas, ses yeux bleus soutenant son regard sans la moindre trace de remords.

— J'étais curieux, c'est tout.

— Que sais-tu de mon handicap ?

— Qu'il ne concerne que le bas de ta colonne vertébrale. C'est un handicap partiel.

— Ce qui signifie que je suis moins mal lotie que certains, que mes muscles abdominaux fonctionnent toujours, que je conserve le contrôle de pas mal de choses contrairement à certains paraplégiques, que je pourrais peut-être marcher à nouveau si je le voulais, mais que ce ne serait pas une démarche souple ou facile et certainement pas élégante. Quelqu'un n'a pas su tenir sa langue en ville. Qui ?

— Si je te le disais, tu ne lui adresserais plus la parole.

— John ? Charlie ? Mon kiné ? Ma masseuse ?

— Ouah ! Une masseuse en ville ? Elle est bonne ?

— Griffin !

Il leva les bras en signe d'apaisement.

— Ne nous disputons pas. Tu avais l'air si heureuse hier au lac que j'en ai conclu que tu aimais les sports de neige, avant. Tu feras de la luge avec moi ?

— Non.

— De la motoneige ?

— Non.

— À cause de l'accident ?

— Non ! cria-t-elle, ce qui était un mensonge.

Comme le ski, la motoneige faisait partie de sa vie antérieure. Depuis l'accident, douze ans plus tôt, elle n'y pensait même plus.

— Tu as peur ?

Elle poussa un soupir.

— Pourquoi insistes-tu ?

— Parce que je sais que rien ne t'empêche de pratiquer ces activités et que je veux les partager avec toi.

— Nous avons déjà abordé ce sujet à l'automne, mais tu refuses d'accepter la vérité. J'ai eu beaucoup de chance dans mon malheur, une chance que j'apprécie et dont je me contente. Je suis très heureuse ainsi.

— Très bien, concéda-t-il avec un sourire contrit. N'en parlons plus. En fait, je recherche simplement un peu de compagnie parce qu'on me traite comme un paria par ici. Personne ne voulait me parler hier au lac, ni ce matin, dans les montagnes. Je suis passé chez Charlie, mais il n'y avait personne.

— Tout le monde est à la montagne.

En fait, elle se sentait désolée pour lui, ce qui, paradoxalement, lui fit du bien. Un peu comme si elle accomplissait une bonne action. Ce qui avait en plus le mérite de justifier sa présence chez elle.

— Sauf cette femme, continua Griffin comme si elle n'avait rien dit. Comme elle était seule chez Charlie, nous avons commencé à discuter et, avant que j'aie pu comprendre ce qui se passait, elle avait sorti un chat de son sac.

— Ah ! s'exclama Poppy. Charlotte Badeau.

— Comment le sais-tu ? demanda Griffin, étonné.

— Elle adore les chats. Elle débarque chez Charlie quand elle est sûre qu'il y aura du monde – et il y aura beaucoup de monde tout à l'heure – pour apporter les chats de gouttière qu'elle a ramassés et auxquels elle tente de trouver un foyer. Il y en avait probablement une demidouzaine dans son sac.

Soudain, Poppy eut un sursaut.

— Tu n'as pas fait ça ? demanda-t-elle en lorgnant vers sa veste. Dis-moi que tu n'as pas fait *ça* ?

Comme il ne niait pas, elle ressentit une ridicule bouffée d'affection.

— Tu es un homme des villes, l'avertit-elle quand même. Tu as déjà eu des animaux domestiques – chat, chien, poisson rouge ?

— Non, mais celle-ci est... si mignonne.

— Tu l'as prise ? Tu l'as réellement prise ?

— Dis-moi que tu es allergique ?

— Non.

— Que tu détestes les chats ?

— J'adore les chats. Nous en avions toujours quand j'étais petite. Mais je connais Charlotte. Elle part du principe que tout le monde devrait avoir un chat, ce qui est faux. Je l'ai vue refiler un animal à des enfants de la zone qui ont à peine de quoi manger pour eux. Et en moins de temps qu'il ne faut pour le dire, ils se retrouvent avec une portée.

— Celle-ci est une chatte d'intérieur et elle a déjà un foyer. D'ailleurs je suis un gars responsable. J'ai acheté tout ce qu'il fallait chez Charlie. Il n'y a donc pas de problèmes.

— J'en vois deux, répliqua Poppy parce qu'elle avait envie de lui prouver qu'il n'avait quand même pas assez réfléchi.

» Les chats ont besoin de chaleur et le chalet de Little

Bear n'est pas chaud sauf si tu es là pour recharger le poêle, ce qui signifie qu'il faudra que tu l'emmènes avec toi si tu dois t'absenter un certain temps et surtout quand tu retourneras à Princeton, New Jersey, ce qui nous amène au deuxième problème. Les chats détestent les voitures.

Il jeta un coup d'œil à l'intérieur de sa veste.

— Celle-ci n'a pas paru gênée par le voyage jusqu'ici. Elle a dormi presque tout le long. Elle dort toujours d'ailleurs. Oh, murmura-t-il soudain. Elle se réveille. Bonjour, ma belle, gazouilla-t-il d'une voix aiguë.

Poppy aperçut une touffe de poils roux dans l'ouverture de sa veste.

— C'est un bébé ? demanda-t-elle.

— Pas vraiment. Charlotte a dit qu'elle avait deux ans, ce qui est adulte pour un chat. Mais elle est petite.

— Je peux la voir.

Traversant la pièce, il ouvrit sa veste suffisamment pour exposer le haut de la chatte.

— Elle est rousse comme toi, fit remarquer Poppy en riant et en caressant la petite tête. Regardez-moi ces yeux fermés. Elle a encore sommeil.

La tête se tourna en direction de la voix et la chatte renifla la main qui le caressait. Se rapprochant, Poppy retint son souffle.

— Oh, mon Dieu, dit-elle doucement.

— Oui. Comment aurais-je pu dire non ? Apparemment, elle voyait quand elle est née, mais il a dû se passer quelque chose. Ses propriétaires l'ont abandonnée au bord d'une route. Quand on l'a trouvée et soignée, il était trop tard pour sauver sa vue. Charlotte l'a gardée deux mois, mais elle en a déjà tant.

— Les autres chats étaient méchants avec elle ?

— Non. Elle a dit qu'ils se montraient au contraire protecteurs. Mais elle a besoin d'une paire de genoux pour l'accueillir et Charlotte ne reste jamais tranquille longtemps.

— Et toi ?

— Moi si, quand je travaille.

Poppy laissa la chatte la renifler, puis, incapable de résister, la prit dans ses bras.

— Bonjour, toi, murmura-t-elle. Tu es une bien jolie jeune fille. Qu'est-ce que tu renifles ? C'est une eau de toilette de Ralph Lauren. Tu aimes ?

La chatte frotta son nez sur la joue de Poppy et pointa le museau vers un coin derrière son oreille.

— Elle a bon goût, commenta Griffin sur un ton si tendre que Poppy en resta sans voix.

Il se tenait tout près d'elle, très beau avec ses cheveux ébouriffés, ses yeux bleus et une ombre sur ses mâchoires qui témoignait qu'il ne s'était pas rasé depuis sa dernière douche, deux jours plus tôt.

Sa présence si proche la troubla et sa gorge se serra. Elle se remémora soudain leur première rencontre, elle dans son fauteuil roulant, lui debout au fond de la salle de réunion dans l'église du centre-ville. Au téléphone déjà, le courant était passé, mais de visu, l'impression s'était révélée nettement plus forte, plus forte même que tout ce qu'elle avait connu jusque-là. Il aurait été vain de le nier, même si elle refusait de s'interroger plus avant à ce sujet, probablement par peur de ce qu'elle pourrait découvrir.

La peur demeurait, mais moins intense. Peut-être la présence de la chatte. Comment ne pas fondre devant cette petite boule de fourrure – aveugle qui plus est ?

À cet instant, l'animal se dégagea et sauta sur le sol.

— Attends ! cria Poppy dont les yeux cherchèrent Griffin. Attrape-la.

— Non, non. Tout va bien.

— Elle ne connaît pas la maison. Elle va se blesser.

La chatte se retourna dans leur direction, le corps élégamment arqué. Elle redressa la tête avec fierté et s'assit sur ses pattes arrière en face du bureau sur lequel se trouvait le standard. Son nez se fronça légèrement et ses moustaches frémirent. Se remettant sur ses pattes, elle s'avança vers le pied du bureau le plus proche, le renifla, y frotta sa joue, puis son cou et son dos jusqu'à la queue. Avec la même précision, elle continua jusqu'à l'autre pied, puis le troisième et le quatrième. Ayant enregistré les lieux, elle glissa avec grâce en direction du mur.

Poppy retint son souffle, certaine que la chatte allait se cogner la tête. Mais là encore, l'animal s'arrêta à temps, bifurqua et longea le mur sur toute la longueur comme si elle avait déjà fait ça des centaines de fois. Elle se frotta contre l'angle de la porte et, toujours avec beaucoup de noblesse, progressa en direction de la cuisine.

— Elle cherche la salle de bains, dit Griffin qui fonça vers la porte, sauta dans ses bottes et se précipita à l'extérieur.

Suivant le chat, Poppy vit disparaître la queue rousse dans la cuisine où l'animal recommença son exploration méthodique. Finalement, se dressant sur ses pattes arrière, il appuya ses pattes avant contre le placard sous l'évier. Approchant le fauteuil, Poppy le souleva et le déposa sur le plan de travail en granit.

La porte d'entrée s'ouvrit et se referma, des bottes tombèrent et un trottinement de chaussettes annonça le retour de Griffin.

— La litière de Madame est avancée, lança-t-il.

Il tenait une grande boîte en plastique et deux immenses sacs de litière.

— Il faut de la nourriture, dit Poppy.

Elle avait ouvert le robinet et le chat avait parfaitement positionné sa gueule dessous.

— De la nourriture, répéta Griffin avant de déposer son chargement et de rebrousser chemin.

Le temps qu'il revienne, le chat avait sauté de l'évier et explorait à présent le fauteuil roulant. Pour ne pas la gêner, Poppy ne bougea pas et indiqua seulement à Griffin l'assiette qu'elle avait sortie et qu'il remplit de croquettes.

— Mmm, mmm, bêtifia-t-il. Du poulet et du foie.

Il tint l'assiette un moment sous le nez du chat qui comprit aussitôt le message. Griffin déposa alors son plat dans un coin, hors du chemin.

La chatte fut dessus en un éclair.

— Comment fait-elle ? s'étonna Poppy.

— Elle renifle, elle entend et elle devine. Ses moustaches sont de véritables antennes. Elles la préviennent des obstacles et elle est si vive qu'elle peut naviguer sans problème.

Il se baissa pour remplir le bac de litière et se tourna vers Poppy d'un air interrogateur.

— Où je le mets ?

Elle indiqua du menton le cagibi à côté de la cuisine qui contenait la machine à laver et le séchoir, une grande alcôve avec une ouverture très large pour permettre le passage du fauteuil roulant. La place n'y manquait pas pour un bac de litière.

Poppy remplit un bol d'eau qu'elle posa à côté de l'assiette de croquettes. La chatte but un peu, puis retourna au menu principal. De temps en temps, quelques petits morceaux de croquettes tombaient sur le sol, ce dont Poppy se moquait complètement.

Une fois son repas terminé, la chatte s'assit sur ses pattes arrière et entreprit de se débarbouiller. Mouillant sa patte d'un coup de langue, elle nettoya son museau. À chaque passage, la patte agrandissait la surface jusqu'aux yeux d'abord, puis jusqu'aux oreilles.

Quand elle eut fini, Griffin, accroupi près de la porte de la buanderie, claqua sa langue et frappa doucement du doigt sur le sol. La chatte s'approcha, reconnut son odeur et se frotta contre sa jambe avant de se diriger vers la litière.

Griffin se redressa alors et se frotta les mains.

— Là. Maintenant, je me sens mieux, déclara-t-il.

— Elle aussi, probablement, plaisanta Poppy. Quel est son nom ?

— J'y réfléchissais en conduisant, répondit-il. Bébé me semblait bien, mais maintenant, je n'en suis plus aussi sûr.

— Pas question d'appeler cette chatte Bébé. C'est une insulte au vu de son courage.

— Alors, quel nom donne-t-on à une fille courageuse ?

— Gillian. Voilà un nom fort.

Mais la chatte rousse n'avait pas une tête à s'appeler Gillian.

Des grattements leur parvinrent du bac, puis la chatte

émergea et s'arrêta sur le seuil de la pièce pour s'orienter. Puis, redressant sa queue, elle se dirigea droit sur Poppy.

— Victoria, dit cette dernière. Pour son port royal.

Sans l'ombre d'une hésitation, le chat sauta sur ses genoux.

— Victoria ? appela Poppy.

La chatte frotta sa tête contre le menton de sa maîtresse et se mit à ronronner. Elle tourna un moment, cherchant le meilleur angle, puis se posa en boule.

— Et tu ne peux pas l'emmener à Little Bear, décida Poppy. Elle connaît la maison maintenant. Il serait cruel de la déraciner de nouveau.

— Mais c'est mon chat, protesta Griffin.

— Elle peut rester ici.

— Seulement si je reste avec elle à mi-temps.

Poppy lui jeta un coup d'œil soupçonneux. Ce garçon cachait de toute évidence un côté retors sous ses dehors gentils et décontractés.

— Qu'est-ce que tu entends par « mi-temps » ?

Griffin contempla le plafond d'un air outré.

— Rien de plus que : j'ai du travail et tu as un immense bureau avec tout l'espace nécessaire pour que je puisse mettre mes affaires. La maison est chauffée et possède l'électricité et tu disposes d'une salle de bains. Sans parler de l'accès au réseau pour les téléphones portables. Comme tu bénéficies de plusieurs lignes téléphoniques, je pourrai en utiliser une pour mon accès Internet sans avoir à prier pour que ma connexion sans câble tienne le coup. Enfin, ton intelligence te permettra certainement de reconnaître que je n'ai pas tort. D'autant que tu as bon cœur, inutile de le nier. Après tout, je ne t'ai pas demandé de prendre la chatte en pension.

Non, en effet. Poppy réalisa soudain que l'arrivée de cette chatte allait sans nul doute soulever quelques sourcils. Pendant des années, Maida avait insisté pour qu'elle se procure un animal domestique – son choix allant plutôt vers un doberman ou un berger allemand. Rose l'avait également plus d'une fois priée de choisir un chiot parmi la couvée de sa chienne, un golden retriever. Mais un chiot finissait toujours par devenir grand et il n'y avait pas assez de place dans la douche pour un chien et un fauteuil roulant. Elle ne pourrait donc pas le laver et, si elle ne pouvait pas en prendre soin elle-même, autant s'en passer.

Et il y avait eu Charlotte – une véritable institution – débarquant à toutes les fêtes locales, son panier sous le bras. Les enfants s'agglutinaient autour d'elle à chaque apparition, tandis que les adultes s'éloignaient précipitamment. Pour Poppy, se laisser convaincre par Charlotte revenait à se faire avoir.

Pourtant, elle ne ressentait rien de tel pour l'instant et la chaleur du corps de Victoria lové contre son estomac qui, à la différence de ses jambes, n'avait rien perdu de sa sensibilité, lui procurait une agréable satisfaction.

Va donc pour le chat. Quant à Griffin…

— Où sont tes affaires ? demanda-t-elle. Tes papiers et ton ordinateur ?

— À Little Bear.

Elle jeta un coup d'œil à sa montre. Presque midi.

— Si tu vas les chercher et que tu t'arrêtes chez Charlie pour prendre du chili – l'envie ne l'avait pas quittée – tu peux être de retour pour une heure ?

— Bien sûr. Pourquoi ?

— Parce que, si tu veux bien assurer la permanence téléphonique pendant que tu travailles, j'irai rendre visite à Heather. Tu crois que les routes sont dégagées ?

Les routes étaient dégagées et Poppy se sentait bien. Le chasse-neige avait rempli son office et elle atteignit West Eames sans même une ébauche de dérapage.

À ce moment-là, le chili digéré, Griffin presque oublié, elle resta seule avec ses pensées. Les mêmes qui avaient troublé son sommeil, qui ne la quittaient pas et dont elle voulait s'entretenir avec Heather.

Elle fut conduite dans une grande pièce où d'autres détenus recevaient également leurs visiteurs – des détenus bien différents d'Heather. Elle parvint à trouver une chaise vide et une place près du mur.

Heather la repéra immédiatement. Après un rapide

survol de la salle, elle s'approcha et s'assit sur la chaise en face d'elle, les coudes sur ses genoux. Poppy l'imita et ce rapprochement leur offrit un peu d'intimité.

— Je sais, commença Poppy. Je ne suis pas Micah. Désolée.

— Il travaille, j'imagine, reconnut Heather, résignée. Mais quand on m'a annoncé que j'avais de la visite, j'ai cru...

— Il a passé le week-end à laver le matériel. Il compte installer le réseau de tubulures cette semaine pour être prêt quand le moment sera venu. La première coulée est toujours la meilleure.

— Je devrais être à ses côtés. Missy et Star lui donnent un coup de main ?

— Non. Je crois qu'il a besoin d'être seul.

— Mais il n'y arrivera pas tout seul. Sais-tu s'il a appelé Camille pour la paperasse ?

— Non.

— Elle est au courant de tout, Poppy. Dis-lui de l'appeler. Parle-moi de Missy et Star.

— Elles ont passé la journée avec moi, hier, puis elles ont dormi chez ma sœur avec Emma et Ruth. Aujourd'hui, elles sont à la montagne avec Marianne.

— Elles doivent me détester.

— Elles t'aiment, mais elles ne comprennent pas. Personne ne comprend. C'est pour ça que je suis venue. Pour que tu me racontes ce qui est arrivé.

Heather détourna les yeux.

— Non, non, non, chuchota Poppy en lui attrapant les mains. Ne fais pas ça. Ça ne sert à rien. Quand tu te déconnectes ainsi, tu fais du mal à tout le monde : à toi d'abord et à tes amis. Parle-moi. Nous avons toujours communiqué sans problème. Souviens-toi quand Micah t'a proposé de devenir la nounou des enfants. Tu m'as demandé mon avis et nous avons envisagé tous les avantages et les inconvénients de cette situation. Tu désirais vraiment prendre soin des filles. Je m'en rendais compte. Et quand la situation a évolué entre Micah et toi ? Tu m'en as parlé également parce que tu savais que je te répondrais franchement. Alors, pourquoi ne pas me faire confiance aujourd'hui ?

— C'est inutile, murmura Heather.

— Pourquoi ?

— Oh, Poppy. Tu n'as jamais rêvé de pouvoir recommencer ta vie – de revenir en arrière et d'agir différemment ?

— Tout le temps, tu le sais. Une seule balade en motoneige, même pas trente minutes, et tout a basculé. Je donnerais tout ce que je possède pour avoir la chance de revivre ces trente minutes.

— Mais tu ne peux pas. Tu ne peux que continuer.

— C'est ce que tu as toujours dit. Et moi aussi. Nous l'avons dit et redit en essayant de nous convaincre que c'était la seule solution. Mais peut-être pas.

— Si.

— Heather, ils veulent te poursuivre pour meurtre. Que tu sois Lisa ou non…

— Je ne suis pas Lisa.

— … ils vont te ramener en Californie et te faire un procès. Ils veulent voir le sang couler. Si tu n'aides pas Cassie, tu seras reconnue coupable.

— Je ne suis pas Lisa, répéta Heather.

— Parce que ce serait trop douloureux d'être Lisa ? Ou parce qu'il est trop difficile de parler de ce que tu as vécu avant d'arriver à Lake Henry ?

— Est-ce douloureux d'être Poppy ? rétorqua Heather.

Poppy avait deviné que cette question viendrait. C'était une des choses qui l'avaient hantée pendant la nuit. Et elle accueillit avec joie la chance d'en parler, de l'évacuer. Malgré les événements, elle savait qu'Heather saurait l'écouter sans la juger.

— La Poppy d'avant ? Certainement. Elle a fait des erreurs qu'elle paie aujourd'hui. Elle souffre aussi de tout ce qu'elle a perdu.

— Comme quoi ?

— Son esprit, son audace, son énergie. Toujours partante, quels que soient l'heure et le jour. J'ignore ce qu'elle serait devenue, mais elle était vivante. Et difficile aussi. Et rebelle. Et beaucoup d'autres choses encore, tout aussi pénibles à se rappeler. Mais ma situation est différente de la tienne. Pour moi, le passé est derrière moi. Tout le monde sait qui je suis et d'où je viens. Personne ne débarquera chez moi avec des menottes. Et si par hasard une telle chose arrivait, je ne manquerais à personne. Je n'ai pas de Micah ou d'enfants. Ils ont besoin de toi.

Heather se redressa et croisa les bras sur son ventre.

— Mais peut-être cherches-tu à te punir ? suggéra Poppy. Pour un événement de ton passé, si douloureux que tu refuses même d'en parler. Tu aurais pu épouser Micah et avoir d'autres enfants, mais tu as refusé. Peut-être estimais-tu ne pas le mériter ?

— Comme toi ? demanda Heather.

— Comment ça ?

— Quand tu mets des limites à tes désirs ?

— Je fais ce que je veux et j'accepte mes limites.

— Mais n'as-tu jamais envie de prendre quelques risques ?

— Lesquels ?

Heather lui adressa un regard entendu.

— Avec un homme par exemple. Tu n'es pas curieuse ?

— De quoi ? Du sexe ? J'en ai profité, et même plus qu'à mon tour, avant l'accident.

— Avant l'accident.

— Ma vie est satisfaisante. Je suis contente comme ça. Prends Griffin par exemple. Il est de retour en ville.

Les yeux d'Heather s'élargirent.

— Vraiment ? Quand est-il revenu ?

Brusquement elle comprit.

— Oh, évidemment. Il veut écrire un article sur moi.

— Non. Il dit qu'il veut juste t'aider. Il connaît du monde, il a des contacts. Il est chez moi en ce moment et assure la permanence téléphonique. Mais je n'ai pas envie de dîner avec lui pour autant. Ce soir, je reste à la maison pour répondre au téléphone et demain je dîne chez Lily et John. Puis, mardi soir, les filles viennent à la maison.

Évidemment, cette semaine, Heather ne participerait

pas à leur petite soirée hebdomadaire. Et son absence risquait de se prolonger plus longtemps encore.

— J'aime bien notre petit groupe, reconnut Heather.

— Alors laisse-nous t'aider.

— Qui sont les contacts de Griffin ?

Poppy ressentit une bouffée d'espoir.

— Des gens qu'il connaît grâce à son travail ou à sa famille. Un vrai réseau en fait. Il peut vraiment t'aider.

— Mais il y a un prix. Il y a toujours un prix à payer.

— Il est riche. Il n'a pas besoin d'argent.

Inutile d'avouer à Heather qu'il était à l'origine de ses problèmes.

— Il a trouvé des photos, des photos de Lisa, et quand on les regarde, on comprend tout de suite pourquoi il y a eu erreur sur la personne.

Heather se pétrifia, les yeux fixés sur Poppy. Sans même une inspiration, elle ouvrit la bouche et, sans émettre un son, forma quelques mots. Puis, avant que Poppy ait eu le temps de réagir ou même de se demander si elle avait bien compris, elle se leva et quitta la pièce.

10.

Griffin s'amusait beaucoup dans son rôle de standardiste, pour lequel il disposait d'ailleurs d'une expérience de première main. En effet, combien de fois n'avait-il pas lui-même téléphoné pour tenter d'obtenir des informations avant de se faire proprement rembarrer par Poppy ? Fort de cette initiation, il sut parfaitement comment s'y prendre quand trois journalistes appelèrent. Il se montra aimable, mais ferme : Lake Henry n'avait aucun commentaire à faire sur Heather Malone.

Les autres appels lui plaisaient tout autant. Maintenant qu'il jouait les doublures pour Poppy Blake, personne ne lui raccrochait plus au nez. Les gens s'enquéraient de Poppy, puis de lui, voulant savoir qui il était, et le situaient parfaitement aussitôt qu'il donnait son nom. Ils s'informaient alors du but de sa visite, de la durée de son séjour et de ses liens avec Poppy, questions auxquelles il répondait de bonne grâce. Le postier, Nathaniel Roy, qui téléphona pour rappeler à Poppy qu'elle n'avait pas ramassé son courrier depuis mardi, lui apprit qu'elle lisait *Newsweek*, *People* et le catalogue *Patagonia* – ce qui ne l'étonna pas – mais aussi *Martha Stewart Living* – beaucoup plus surprenant. La masseuse lui révéla qu'elle lui faisait un massage complet chaque semaine, généralement le lundi après-midi, sauf cette semaine, et que s'il était intéressé, elle pratiquait, outre le massage suédois, la réflexologie, l'hydromassage et les gommages. Il apprit également que les bûches pour la cheminée de Poppy étaient livrées chaque semaine par le même homme qui déblayait la neige, qu'elle jouait de la trompette quand elle était au lycée, au grand désespoir de sa mère qui considérait la trompette comme un instrument un peu trop viril et l'encourageait au contraire à se mettre à la flûte, et que, chaque été, elle faisait la traversée du lac, une tradition en ville au 4 juillet. Il apprit enfin qu'elle n'avait pas eu de petit ami sérieux depuis Perry Walker, sans parvenir à obtenir plus d'informations. Mais il avait déjà réussi à glaner quelques petites choses ici ou là au sujet de ce Perry.

Entre deux appels, il se connecta sur Internet et vérifia ses courriers électroniques. Ne trouvant rien d'urgent, il reprit ses recherches sur sa sœur. Ça lui arrivait de temps à autre, une espèce de passe-temps, un puzzle qu'il gardait inachevé et auquel il revenait régulièrement. Sept années le séparaient de Cindy, mais le fait qu'ils soient les deux plus jeunes de la famille les avait rapprochés et, si Griffin n'avait pu l'empêcher de s'enfuir de la maison, il avait ressenti sa disparition plus fortement que les autres. Elle lui envoyait d'ailleurs des petits mots de temps en temps. Pas souvent et sans adresse de retour. Mais toujours avec le cachet de la poste de New York et un code postal à un jet de la maison familiale.

Griffin savait parfaitement qu'elle n'habitait pas New York et qu'elle devait confier le soin de poster ses lettres à des amis de passage. N'ayant aucun moyen de remonter jusqu'à elle, il se consolait donc en croyant ce qu'elle racontait – à savoir qu'elle allait bien et ne se droguait plus.

Un compte était ouvert à son nom à la banque et elle aurait pu avoir tout l'argent qu'elle voulait si seulement elle disait à la famille où elle se trouvait – encore que Griffin détestât l'idée qu'elle fût obligée de demander pour avoir son argent.

Mais poète doué, tourmenté diraient certains, Cindy n'avait sans doute aucun mal à vendre son travail quand le besoin d'argent se faisait sentir. Elle n'était donc pas totalement démunie.

Laissant à Ralph Haskins les voies plus conventionnelles empruntées par les détectives privés, Griffin passait régulièrement en revue trois douzaines de magazines qui publiaient des poèmes et vérifiait les noms des auteurs. Comme Cindy n'utilisait sûrement pas son vrai nom – Cinthia Hughes –, Griffin essayait de découvrir quel pseudonyme elle avait pu choisir. Il cherchait notamment du côté de leur mère Rebecca avec laquelle Cindy avait toujours entretenu des relations très fortes d'amour et de haine, et les possibilités ne manquaient pas.

Après une recherche rapide et infructueuse, il se déconnecta. Il étala ensuite ses papiers sur le bureau et appela Prentiss Hayden, bien décidé à le convaincre que sa biographie occupait, seule, toutes ses pensées. Mais ce dernier lui coupa l'herbe sous le pied.

— Mon téléphone indique que vous appelez du New Hampshire. J'aurais dû m'en douter. Vous êtes là-bas, n'est-ce pas ?

— Exact, avoua nonchalamment Griffin. C'est l'endroit idéal pour écrire.

— Ouais. Dites plutôt pour suivre l'affaire DiCenza. Pour quel journal ?

— Je ne suis pas sur l'affaire. Il se trouve simplement que je connais des gens par ici et que, comme je l'ai déjà dit, l'endroit est idéal pour écrire.

— Pendant que vous furetez discrètement, renchérit le sénateur qui semblait plus curieux qu'ennuyé, qu'avez-vous appris ? On en parle beaucoup par ici. Donnez-moi quelque chose à raconter que je puisse avoir l'air encore dans le coup.

— Pour l'instant, rien ne transpire. On attend comme tout le monde.

— Ici, les langues vont bon train et il n'en ressort pas de jolies choses. Juste des racontars de personnes qui n'ont rien de mieux à faire. Comment c'est là-bas ? Jolie ville ?

— Très.

Un des boutons du standard se mit à clignoter.

— Excusez-moi, sénateur. Je dois vous quitter, mais je vous rappellerai bientôt.

Griffin prit l'appel qu'il transféra sans problème. Puis

il rangea ses papiers, ravi de remettre tout ça au lendemain.

Victoria le décevait beaucoup. Elle refusait de s'asseoir sur ses genoux. Il siffla doucement pour l'appeler et lui promit moult câlins. Sans résultat. Finalement, il l'attrapa et l'installa d'office sur ses genoux d'où elle s'échappa pour se diriger vers le canapé. Elle se déplaçait encore prudemment, prenant ses marques. Elle sauta sur les coussins et il n'aperçut plus que le bout de sa queue. Quand il s'approcha doucement, il la découvrit roulée en boule dans le coin opposé de la cheminée. La place de Poppy à en juger par la couverture sur laquelle Victoria s'était installée.

La place de Poppy. Le chat de Poppy. Griffin perdait sur tous les tableaux.

Paradoxalement satisfait, il observa le standard quelques minutes et, comme aucune lumière n'apparaissait, il décida de donner un coup de téléphone personnel avec sa carte de crédit. Ralph Haskins décrocha à la première sonnerie.

— Je te dérange ? demanda Griffin.

— Non. Je suis en surveillance. Mais je n'ai pas grand-chose à te dire ou je t'aurais appelé moi-même. Je me heurte à un véritable mur du silence. Je ne sais pas si les hommes du sénateur ont fait le tour récemment ou si les ordres tiennent toujours après quinze ans, mais tout le monde a perdu la mémoire. J'ai pourtant parlé à des gens qui connaissaient bien Rob et Lisa, mais soit il faisait trop sombre la nuit du drame, soit ils se trouvaient dans la maison. Comme ils l'avaient d'ailleurs raconté à la police.

— Mais je croyais que des témoins avaient entendu Lisa menacer Rob ?

— Exact. J'en ai rencontré trois qui racontent tous la même histoire. Ils n'ont pas entendu les paroles, mais ils ont vu sa colère et comment elle l'a poussé.

— Lisa ?

— C'est ce qu'ils disent.

— S'ils n'ont pas entendu un mot, comment savent-ils qu'elle voulait de l'argent ?

— Ça, c'est ce qu'affirme la famille. Ils prétendent que

Rob avait reçu plusieurs appels téléphoniques quelques jours avant que Lisa lui passe dessus avec la voiture.

— Ce ne sont que des suppositions.

— Non. La famille affirme que Rob le leur a dit, d'après les rapports en tout cas, parce que la famille refuse de prendre mes appels. Par contre, j'ai retrouvé la trace d'un autre compte rendu d'urgence, dans une clinique près de Stockton. Elle a utilisé un faux nom et payé en liquide, mais après le meurtre, le personnel médical l'a reconnue et assure que c'était bien elle.

— Quel nom a-t-elle utilisé ? demanda Griffin.

— Mary Hendricks.

— MH au lieu de HM. Une coïncidence à ton avis ?

— Je l'ignore. Peut-être. Lisa et Mary ont exactement le même groupe sanguin, type A. Les féds affirment qu'Heather aussi, mais sans insister. Quarante pour cent des Américains sont du groupe A.

— Pourquoi est-elle allée à la clinique de Stockton ?

— Quelques côtes cassées.

Griffin siffla doucement entre ses dents.

— Avons-nous la preuve que Rob en est l'auteur ?

— Elle ne voyait personne d'autre. Quand j'ai mentionné le deuxième compte rendu d'urgence à l'un des sbires de DiCenza, il m'a répliqué que Lisa était une jeune femme perturbée avec une tendance pathologique à mentir et un passé d'automutilations.

— C'est possible, murmura Griffin, pensif. Mais il se peut aussi que Lisa ait eu une vraie raison de craindre pour sa vie. J'aimerais vraiment connaître sa version de l'histoire.

— Les fédéraux aussi, ce qui m'amène à autre chose. Un des gars de l'équipe locale du FBI a joué au football avec Rob au collège. Il n'a pas grand-chose de bon à raconter à son sujet. Il m'a carrément lâché que Rob était brutal avec les filles. Il aurait assisté à une scène pénible pendant laquelle la fille aurait sûrement été blessée si plusieurs membres de l'équipe ne s'étaient interposés pour retenir Rob.

— Ses supérieurs au FBI sont au courant ?

— Oui et ils lui ont dit de la fermer.

— D'oublier ?

— Non. D'attendre. Ce qui revient au même.

— Je suis étonné qu'il t'en ait parlé.

— En fait, j'ai donné un coup de main à son père un jour. Un prêté pour un rendu en quelque sorte.

— Et pour notre autre affaire ?

— Rien. Mais ta sœur est intelligente – elle l'a toujours été – et elle sait brouiller les pistes. Il suffit d'un peu d'ingéniosité.

Griffin pensa à Heather Malone et à sa vie de rêve dans une petite ville pittoresque, le passé oublié. Cindy vivait-elle ainsi, elle aussi ?

— Comment la retrouver alors ? demanda-t-il.

— Une information, répondit Ralph. Ça fonctionne toujours comme ça. Un coup de chance.

Griffin ne le savait que trop. Mais il ne voulait pas attendre quinze ans avant de trouver Cindy. Soudain, il entendit le bruit d'une voiture qui approchait. À l'idée que Poppy revenait, son cœur se mit à battre plus vite.

— Je suis impatient, je suppose.

— Je reste vigilant.

— Merci, Ralph.

Comme il raccrochait, un bouton se mit à clignoter. La ligne privée de Poppy. Désireux de paraître professionnel devant Poppy, il lança un « Résidence de Poppy Blake » d'un ton lyrique.

— Qui êtes-vous ? demanda une voix accusatrice.

— Qui êtes-*vous* ? répliqua-t-il aussitôt.

— La sœur de Poppy, Rose.

— Ici Griffin.

Ils s'étaient rencontrés en deux occasions et dans les deux cas Rose lui était apparue comme une femme à ne pas prendre à la légère. Il aurait aimé discuter avec elle et la rallier à sa cause, mais ce n'était pas le bon moment. Poppy n'était pas loin. Il entendit d'ailleurs une portière claquer. Et Rose ne semblait pas d'humeur à papoter.

— Je peux parler à Poppy ? exigea-t-elle sèchement.

— Non.

Vu le ton de sa voix, pas question de la mettre en attente jusqu'à l'arrivée de Poppy.

— Mais je peux prendre un message ?

— Dites-lui que je dois lui parler. Merci, ajouta-t-elle avant de raccrocher.

À ce moment-là, la porte s'ouvrit et une femme entra – une version plus âgée de Poppy. Ses cheveux foncés, coupés court, tombaient parfaitement et ses yeux brillaient sur sa peau bronzée. Sous la veste, elle portait un jean et des bottes. Elle ôta ses gants l'un après l'autre, dégageant ses mains fines, et regarda autour d'elle.

Sur le chemin du retour, Poppy dérapa plusieurs fois. Après avoir rejeté la faute sur la neige, puis sur les routes mal dégagées, elle dut finalement reconnaître que la chaussée était bien sablée et que, si faute il y avait, elle lui en revenait exclusivement.

Elle conduisait en effet distraitement, luttant contre la panique qui l'habitait.

« Ce n'est pas une erreur. » C'est ce qu'Heather avait articulé quand Poppy avait fait allusion aux photos de Lisa. « En les regardant, on comprend tout de suite pourquoi il y a eu erreur sur la personne », avait-elle dit.

« Ce n'est pas une erreur », avait répliqué Heather silencieusement. Poppy était restée pétrifiée, complètement anéantie par l'énormité de la confession.

Et maintenant, les sentiments se bousculaient en elle : la déception, la peur, le désespoir, la confusion. Et plus que tout, elle se sentait blessée sans bien comprendre pourquoi. Après tout, elle ne pouvait pas reprocher à Heather d'avoir menti, à proprement parler, pendant toutes ces années. Elle s'était contentée de ne pas dire la vérité.

Tout comme Poppy. Ce qui ne l'empêchait pas de s'être rachetée, du moins à en croire la théorie de Griffin sur la maturité. D'après lui, une personne ayant subi un traumatisme pouvait en tirer la leçon et en ressortir meilleure. Donc Heather s'était certainement amendée elle aussi et, si elle avait quelque chose à voir avec la mort de Rob DiCenza, il y avait certainement une bonne explication.

Autodéfense par exemple ? Une théorie qu'elle avait hâte de partager avec Griffin. Mais à sa grande surprise, la voiture de Maida trônait à côté du camion de Griffin quand elle se gara devant chez elle.

L'espace d'un instant, Poppy passa en revue les personnes susceptibles d'avoir emprunté la voiture de sa mère pendant son séjour en Floride. Mais son intuition lui soufflait que celle-ci était de retour. Poppy avait détecté une intonation bizarre dans sa voix lors de leur dernière conversation téléphonique.

Inquiète, elle coupa le moteur en se demandant ce que Maida et Griffin avaient bien pu se raconter.

Comme elle arrivait sur le perron, la porte s'ouvrit, cédant la place à Maida, un grand sourire aux lèvres.

— Je crierais bien « Surprise ! », mais ce n'est pas mon genre.

Devant le sourire de sa mère, Poppy éprouva, bien malgré elle, un certain plaisir.

— Tu n'es pas ici, maman. Tu es en Floride.

— Oh, je m'ennuyais et il se produit plus de choses par ici. Alors j'ai fait mes bagages et me voilà. Quelqu'un a dû m'apercevoir quand je traversais la ville parce que Rose venait juste d'appeler quand j'ai débarqué et Griffin a dit qu'elle avait l'air de mauvais poil. Rentre vite. Il gèle.

— Tu as rappelé Rose ?

— Non. Elle attendra. Je voulais d'abord te voir. Poppy, *rentre*. Tu vas attraper *la mort*.

Quand Poppy franchit le seuil de la porte, Griffin enfilait sa veste.

— Tu as passé un bon après-midi ? demanda-t-il.

« Bon » n'était certainement pas le mot qu'elle aurait choisi pour décrire ce qu'elle venait de vivre. Mais elle ne voulait plus y penser et encore moins tout raconter devant sa mère.

— Tu pars ? répliqua-t-elle.

— Je l'ai invité à dîner, précisa Maida, toujours parfaite maîtresse de maison, mais il affirme qu'il a du travail.

Poppy huma les bonnes odeurs qui s'échappaient de la cuisine, des odeurs qui lui rappelaient d'excellents souvenirs et suggéraient que Maida était certainement là depuis un long moment – une constatation qui ne fit rien pour calmer ses inquiétudes.

Griffin glissa son bandeau sur ses oreilles.

— Ta mère et toi avez sûrement des tas de choses à vous raconter.

L'attention de Poppy fut attirée par un mouvement sur le canapé. Victoria. Elle l'avait oubliée, mais fut ravie de la retrouver. La chatte, qui avait élu domicile sur sa couverture, se leva et s'étira comme si elle se réveillait.

— Tu as vu mon chat ? demanda Poppy à sa mère.

— Ton chat ? intervint Griffin.

Victoria choisit cet instant pour descendre du canapé et s'approcher du fauteuil. Elle ne s'arrêta qu'un instant avant de sauter sans hésitation sur les genoux de Poppy qui se sentit fondre. Serrant l'animal contre elle, elle enfouit son visage dans la douce fourrure.

Un ronronnement s'éleva et Poppy ne put s'empêcher d'adresser un coup d'œil victorieux à Griffin.

— Parfait, dit ce dernier en s'appuyant contre le mur pour enfiler ses bottes. J'ai compris. Il y a des limites à ce qu'un homme peut supporter. Je vous abandonne donc, mesdames, lança-t-il avant de sortir.

Poppy caressa la tête de la chatte d'une main et ôta son écharpe de l'autre.

— Alors, tu as vu mon chat ? répéta-t-elle à l'intention de sa mère.

— Bien sûr. Elle s'est réveillée juste le temps de faire ma connaissance, puis elle s'est rendormie. Avec toi par contre, elle a l'air bien réveillée. Toi seule l'intéresses, on dirait. Tout comme Griffin, ajouta-t-elle avec un sourire.

— Griffin, précisa Poppy, s'intéresse surtout à ma salle de bains, à mon bureau et à mon téléphone. Je ne sais pas ce qu'il t'a raconté, mais la vérité, c'est que personne à Lake Henry n'aurait levé le petit doigt pour lui.

Mais elle aurait mieux fait d'économiser son souffle, parce que Maida avait déjà son idée sur la question.

— Il me semble très bien ce garçon, dit-elle. D'ailleurs, son attitude a été irréprochable pendant les problèmes de

Lily à l'automne. Je préférerais qu'il ne soit pas journaliste, mais John en est un, ce qui n'empêche pas Lily d'être parfaitement heureuse avec lui. Et je suppose que, si je peux accepter un gendre journaliste, un deuxième ne changera pas grand-chose.

— Ne commence pas à te faire des idées, maman. Je ne compte pas épouser Griffin.

— Oh, je sais, Poppy. Tu ne comptes épouser *personne*.

Elle attrapa la veste de sa fille qu'elle accrocha derrière la porte.

— Tu répètes ça depuis que tu as cinq ans. Pendant longtemps, je me suis inquiétée croyant que peut-être ton père et moi avions fait quelque chose qui t'avait dégoûtée du mariage. Et puis j'ai compris. En fait, c'est parce que tu l'aimais lui.

Ce qui était vrai. Son père, George Blake, avait été l'amour de sa vie – un homme doux et gentil, démodé dans le bon sens du terme, qui portait une salopette, cuisinait avec du vrai beurre, de la vraie crème et des œufs frais et tenait ses comptes à la main dans un grand cahier. Penser à lui évoquait pour Poppy la chaleur du soleil, l'odeur de la terre humide et des pommes mûres.

Penser à sa mère était synonyme de nervosité, une nervosité qui pesait lourdement sur ses souvenirs.

— Tu te contredis, lança-t-elle. Tu déclares que je ne vais pas me marier et tu affirmes que tu peux accepter Griffin comme deuxième gendre.

— Disons que je prends mes désirs pour la réalité.

Poppy savait que sa mère la faisait marcher, mais sans parvenir à y croire. Maida, respectueuse de la tradition, aurait dû pousser Poppy à encourager Griffin parce qu'après tout, se marier et avoir des enfants représentaient le but ultime de la femme. Et voilà qu'elle ne discutait pas. Elle se montrait même suffisamment honnête pour reconnaître qu'elle n'obtiendrait peut-être pas gain de cause et ce non sans un certain panache. Cette attitude pour le moins inattendue cloua le bec de Poppy.

— Tu vas bien ? demanda-t-elle.

Maida avait souffert de migraines pendant l'été et l'automne et Poppy redouta soudain qu'un médecin n'ait diagnostiqué une terrible maladie qui expliquerait la transformation de sa mère. Mais cette dernière semblait en parfaite santé.

— Très bien, confirma-t-elle d'ailleurs.

— Tu parais reposée et tu es toute bronzée, mais c'est la première fois que tu t'ennuies.

Maida se fit pensive – là encore, une attitude inhabituelle chez elle. Poppy et sa mère n'avaient jamais été amies, ni partagé leurs pensées intimes. D'ailleurs Maida ne l'avait sûrement jamais fait avec qui que ce soit. Mais elle s'exprimait maintenant d'un air songeur comme si elle cherchait les mots exacts pour décrire sincèrement ce qu'elle ressentait.

— Cette année, c'est différent. Lily est de retour et elle est mariée. Je veux la voir heureuse. Rose se montre dure avec Hannah, ce qui me met mal à l'aise parce que... Eh bien parce que, tout simplement. Et je me suis dit que je ferais mieux d'être ici pour m'occuper d'Hannah plutôt que de traîner en Floride. Et maintenant, toi et Heather.

— Moi et Heather? s'indigna Poppy. Heather et Heather.

— Que se passe-t-il exactement?

Poppy aurait aimé lui raconter sa rencontre, mais elle ne pouvait s'y résoudre et préféra garder le silence.

— Rien ne se passe. Heather est en prison et des gens mal intentionnés s'acharnent à rassembler suffisamment de preuves pour qu'elle retourne en Californie.

— *Retourne* en Californie?

— Soit jugée en Californie, rectifia Poppy.

— Elle venait de Californie?

— Je ne veux pas parler de ça, maman.

Victoria toujours sur ses genoux, elle se dirigea vers le standard téléphonique.

— Oh, mon Dieu.

— Quoi?

— Griffin a laissé une liste de tous les appels qu'il a reçus. Je vais finir par l'embaucher, ce garçon.

Il avait même pris la peine de mettre le haut-parleur

pour qu'elle puisse entendre si un appel arrivait pendant qu'elle discutait avec sa mère. Il avait également laissé ses propres documents en pile dans un coin et sa serviette au pied de la table, ce qu'elle pouvait interpréter comme une marque de confiance ou une invitation à y jeter un coup d'œil.

Elle bifurqua en direction des odeurs de laurier et de sauge. La cuisine embaumait littéralement. Elle ouvrit le four pour voir ce qui mijotait. Victoria remua et leva la tête pour renifler elle aussi.

— Ah, s'exclama Poppy. Personne ne sait préparer un rôti comme toi.

— Il n'y a rien de frais ici, remarqua Maida, redevenue elle-même. J'ai tout pris dans le congélateur.

— Tu n'avais pas besoin de faire tout ça.

— J'en avais envie. Je me sentais seule là-bas, Poppy, ajouta-t-elle d'un air sérieux.

— Mais tu as beaucoup d'amis.

— Ce ne sont pas mes filles.

Gênée par cet aveu, elle se tourna vers le comptoir et ouvrit un sac d'où elle tira des oranges.

— Vous êtes toutes les trois de braves filles.

— Eh bien, *ça* c'est nouveau, lâcha Poppy. Tu n'en aurais pas dit autant il n'y a pas si longtemps. Tu détestais ce que Lily faisait.

— J'avais peur, confessa Maida.

— Et qu'est-ce qui a changé aujourd'hui ?

— Je n'en sais rien. À mon âge…

— Tu as seulement cinquante-sept ans.

— Presque cinquante-huit. Avant je trouvais que c'était vieux et aujourd'hui je suis là avec trois filles qui auront la quarantaine avant que je m'en rende compte.

— Je n'ai que trente-deux ans.

— Ce que je veux dire, c'est que vous êtes toutes les trois adultes.

— Ce n'est pas nouveau.

— J'essaie de me faire à cette idée. Si vous êtes adultes, cela veut dire que je ne peux plus vous contrôler, vous dire ce qu'il faut faire. Vous devez vivre votre propre vie, faire vos propres erreurs.

Voilà, le grand mot était lâché. Les erreurs. Une chose qui effrayait Maida par-dessus tout. Des fois que sa vie ne serait pas parfaite.

— Ce qui ne signifie pas que je ne m'inquiète plus, continuait cette dernière. Je m'inquiète beaucoup. On ne peut pas changer en quelques mois.

— Sois heureuse de ne pas être la mère d'Heather. Que se passerait-il si c'était le cas ? questionna Poppy, curieuse. Si tu lisais ça dans le journal ? Que penserais-tu ?

— En admettant qu'Heather ne soit pas Lisa ?

— Oui, répondit Poppy avec un soupçon de culpabilité. Sa mère l'a abandonnée quand elle était petite.

Maida réfléchit une minute.

— Quel genre de mère peut faire une chose pareille ?

— Je n'en sais rien, mais disons qu'elle avait ses raisons. Que la séparation était nécessaire. Alors que ressentirais-tu si tu étais la mère d'Heather ?

— Je me sentirais exposée... affolée, inquiète, perplexe. Je me demanderais ce que j'ai bien pu faire pour qu'il lui arrive une telle chose.

— Tu irais la voir ? Tu la soutiendrais ? Tu trouverais de l'argent pour lui payer un excellent avocat ?

— Tout dépendrait de la nature de notre relation ou de la raison pour laquelle je serais partie quand elle était enfant.

— Nous parlons d'une mère et de son enfant. Est-ce que tu la soutiendrais ?

Maida poussa un soupir agacé.

— Eh bien, je suppose que ce serait la meilleure chose à faire.

— Mais le ferais-tu ?

— Il faudrait que je connaisse la vérité sur ce qu'elle a fait.

Poppy en aurait crié. Elle ne voulait pas entendre parler des conditions. Elle voulait une réponse. Ferme et définitive. Une réponse positive.

Ce qu'elle attendait de Maida, c'est qu'elle lui dise

qu'elle aimerait sa fille quoi qu'elle ait pu faire. Poppy voulait que Maida la perfectionniste exprime cette sorte d'amour inconditionnel.

Mais elle en exigeait trop et elle en fut blessée. Victoria choisit ce moment pour quitter ses genoux et se diriger vers son écuelle, ce qui détendit l'atmosphère.

— Comment sait-elle où se trouve sa nourriture ? interrogea Maida.

— Nous lui avons montré tout à l'heure. Elle s'en souvient.

Elles observèrent la chatte qui mangeait en silence. Victoria s'interrompit un instant pour aller vers sa litière qu'elle se contenta de renifler avant de revenir vers sa nourriture.

— Comment fait-elle ça ? demanda Maida. À l'odeur ?

— Odeur, mémoire, moustaches. Comme elle est aveugle, ses autres sens sont décuplés.

— J'imagine qu'elle est un chat d'intérieur.

— Je ne la laisserai certainement pas sortir.

— Et Griffin te l'a apportée ? Quelle gentille attention.

— En fait, il ne me l'a pas exactement apportée. Il l'a amenée pour me la montrer et, comme elle semblait aimer l'endroit, on a décidé qu'il valait mieux qu'elle reste ici. Mais seulement jusqu'au départ de Griffin.

— Je crois qu'il l'a apportée pour toi.

— Oh non.

— Il savait que tu avais besoin d'un animal de compagnie, continua Maida imperturbable.

— Je n'ai pas besoin d'un animal de compagnie.

— Tu as toujours adoré les chats. Tu te souviens de Tabby ?

— Oui, mais les choses ont changé et mon emploi du temps est particulièrement chargé en ce moment. Je ne cesse de sortir et de rentrer. Je croule sous les responsabilités et je n'ai vraiment pas besoin d'un chat.

— Il a vu celle-là et il a pensé que tu saurais en prendre soin, que tu comprendrais ses besoins.

Poppy n'aimait pas du tout le tour que prenait la conversation.

— De quels besoins parles-tu ? s'enquit-elle.

— Cette chatte est aveugle. Il faut être à même de la comprendre. Et tu es bien placée pour connaître ses besoins.

— Une chatte handicapée pour une fille handicapée ?

— Non, répliqua Maida. Une chatte handicapée pour une fille qui comprend. Je ne dis rien de plus, Poppy.

— Une chatte handicapée pour une fille handicapée, répéta cette dernière qui ne voulait pas lâcher le morceau.

Elle se demanda si Griffin avait eu la même idée, et en voulut à sa mère d'avoir soulevé la question.

— Pourquoi as-tu dit ça ?

— Je ne l'ai pas dit. Tu l'as fait. Je ne pensais absolument pas à ça.

— Je me suis construit une vie, maman. Une vie agréable et bien remplie. Je me suis habituée à ce fauteuil et ce en partie parce que les gens d'ici m'acceptent ainsi et n'y font pas attention. Je ne comprends pas pourquoi toi, tu te sens toujours obligée de me rappeler mon état.

Elle fit tourner son fauteuil et quitta la cuisine.

— Ce n'est pas vrai, Poppy, protesta Maida en lui emboîtant le pas.

— Si. Tu transformes le geste innocent de Griffin en une intention si... pathétique que je me sens comme une invalide.

Elle fit pivoter son fauteuil pour faire face à sa mère.

— Toi seule me traites ainsi. Pourquoi ? Pourquoi refuses-tu de m'accepter comme je suis ? Pourquoi refuses-tu de me considérer comme une personne normale ? Ça m'aiderait, tu sais. Ça m'aiderait vraiment beaucoup.

Effectuant une nouvelle pirouette à cent quatre-vingts degrés, elle se dirigea vers sa salle de gym et ferma la porte derrière elle. Pendant une minute, elle rumina, les mâchoires serrées.

Puis un miaulement plaintif s'éleva.

Poppy entrouvrit la porte pour permettre à Victoria de se glisser à l'intérieur. La vue de la chatte la calma et elle l'observa tandis qu'elle visitait la pièce.

— Tu es drôlement intelligente, murmura-t-elle doucement à cette dernière. Je vais te dire. Je te laisse le tapis de marche. Tu peux galoper autant que tu veux. Moi, je garde les autres appareils. D'accord ?

Victoria parut accepter le marché, mais ce fut la seule victoire de Poppy ce jour-là. Elle mangea avec Maida, sans parler beaucoup. Elle adorait la présence de Victoria, mais si Griffin avait voulu jouer les entremetteurs, il reprendrait son chat dès le lendemain. Et puis il y avait toujours Heather. Une fois que Poppy eut fini de ruminer au sujet de Maida, puis de Griffin, elle se pencha sur le cas d'Heather. Et pas seulement sur la question de son identité. Quelques heures plus tard, dans l'intimité de sa chambre, elle se remémorait encore les paroles de son amie.

« Est-ce douloureux d'être Poppy ? »

11.

Griffin avait passé la soirée à regarder sa montre. Après avoir quitté Poppy, il s'était arrêté chez Charlie pour acheter des sandwichs qu'il avait ensuite partagés avec Billy Farraway. Il prenait maintenant son temps pour regagner sa cabane. La nuit sombre et brillante était illuminée par des milliers d'étoiles et une lune aux trois quarts pleine qui se reflétaient sur le manteau de neige fraîche. Le col relevé, les mains enfoncées dans ses poches, il admira un moment le paysage qui baignait dans le silence, troublé épisodiquement par le bruit éloigné d'un véhicule sur la route. Il aperçut un renard qui traversait le lac non loin de lui, se figeant un instant pour scruter dans sa direction avant de reprendre sa course et de disparaître derrière les arbres.

Finalement, Griffin rentra dans la cabane, remit du bois dans le feu et de nouveau jeta un coup d'œil à sa montre. Puis il prépara du café et regarda encore l'heure.

Quand il fut assez tard, il enfila ses vêtements les plus chauds et rejoignit son camion. Il mit le chauffage en marche et attendit quelques minutes que la température se réchauffe avant de démarrer. À quelques kilomètres de là, il se gara et appela Poppy.

Comme toujours, les battements de son cœur s'accélérèrent dès qu'il entendit le son de sa voix.

— Eh, dit-il. Je ne t'ai pas réveillée, j'espère ?

Mais elle ne semblait pas endormie, plutôt pensive.

— Non. Je suis réveillée. Trop de choses en tête. Je croyais que tu n'avais pas de réception satellite.

— Je ne suis pas sur l'île. Je suis dans le camion sur le bord de la route, à l'endroit pile où la connexion s'effectue. Je suppose qu'on finit par apprendre ce genre de choses.

— Quelle heure est-il ? s'enquit-elle.

Elle avait dû consulter son réveil parce qu'elle répondit elle-même.

— Onze heures. Il ne doit pas faire chaud là-bas.

— Ça va. Il n'y a pas de vent. Mais je ne pouvais pas t'appeler plus tôt. Je voulais être sûr que ta mère soit partie. Comment ça s'est passé ?

— Comment s'est passé quoi ? interrogea Poppy d'une voix sèche.

— Le dîner avec ta mère.

Il y eut un silence, puis Poppy reprit la parole d'une voix plus douce.

— Bien. Merci de le demander.

— Elle a été parfaite avec moi. Mais j'ai senti qu'il y avait quelques tensions entre vous. Je suppose qu'il s'agit de ces rapports difficiles mère-fille ? La compétition. Femme contre femme. Le fossé des générations. Tout ça.

— Oui. Griffin, je peux te poser une question ?

Le cœur de Griffin s'emballa. Il se sentait prêt pour une question personnelle, genre est-ce qu'il sortait avec quelqu'un à Princeton ou comment considérait-il vraiment le fait qu'elle soit dans un fauteuil roulant. Oui, il était fin prêt.

— Je t'écoute. Demande-moi ce que tu veux.

— Est-ce que tu pensais à moi quand tu as pris le chat ?

Bon. Il s'agissait bien d'une question personnelle, mais un peu différente de ce qu'il espérait. Il crut que la chatte était malade et que Poppy essayait de le lui annoncer gentiment.

— Quelque chose ne va pas ? Elle est malade ?

— Non. Elle dort sur le lit, à côté de moi. Charlotte avait raison, elle est très câline. Mais elle est aussi aveugle.

Alors je voudrais savoir si en apprenant ça tu as aussitôt pensé à moi.

— Tu veux dire, pensé que tu aimerais ce chat ?

— Je veux dire, pensé qu'on serait bien assorties. Deux handicapées. C'est ça ?

— Non, répondit-il honnêtement. Je n'ai pas pensé à ça. Je ne l'ai pas prise avec toi en tête. Je l'ai prise pour moi parce qu'elle... me touchait.

— Parce qu'elle est aveugle ?

— Parce qu'elle avait besoin d'une maison.

— Parce qu'elle est aveugle ? insista Poppy.

— Oui, peut-être.

— C'est ce que tu ressens pour moi ?

— Tu as déjà une maison, s'exclama-t-il en riant.

— Mais pas d'homme. Pas de relation amoureuse. Alors ce genre de sensibilité qui te pousse à trouver un toit à un chat aveugle te conduit peut-être aussi à t'intéresser à moi. Je voulais que tu saches que je ne suis pas si frustrée que ça. Beaucoup d'hommes m'ont couru après depuis l'accident.

— Je n'en doute pas.

— Tu connais Jace Campion ? Il tient une forge à Hedgeton.

— Une forge ?

— Il est forgeron. Enfin, à l'occasion seulement. Il n'y a plus beaucoup de chevaux par ici. Le reste du temps, il sculpte le métal. Il est célèbre et son travail est exposé à New York. On a beaucoup parlé de lui dans les magazines.

Griffin ne répondit pas. Il sentait qu'il valait mieux laisser Poppy vider son sac.

— Je te dis ça pour que tu comprennes que je serais avec quelqu'un si je le souhaitais. Je ne veux pas de ta pitié. Je n'ai pas besoin de ta pitié. Jace m'invite sans arrêt et il n'est pas le seul. Alors si tu es ici parce que ton cœur est tout remué par mon état, je veux que tu saches que ma situation n'est pas aussi désespérée que ça.

— Merci beaucoup, glapit Griffin, indigné. Je ne suis pas désespéré non plus, Poppy. Je pourrais sortir avec des tas de femmes.

— Pourquoi ne le fais-tu pas ?

— Si je le savais ! s'exclama-t-il. Elles se montreraient sans doute bien moins difficiles que toi.

Il réfléchit un instant avant de reprendre.

— Mais que tu sois difficile me plaît. Aucune autre femme ne m'intrigue autant que toi.

— Il ne s'agit donc que de curiosité. Tu te demandes probablement comment c'est avec une paraplégique ?

— Oh, arrête ça, Poppy. Si c'est vraiment ce que tu penses de moi, alors il n'y a vraiment pas grand espoir pour nous. Ce qui m'intrigue chez toi, c'est ta personnalité. Tu es un chef, tu agis, tu fais ce que tu veux. Je n'ai jamais fantasmé sur l'idée de faire l'amour avec une paraplégique, figure-toi. Mais j'aimerais faire l'amour avec toi, ajouta-t-il d'une voix plus douce. J'ai passé beaucoup de temps à me demander comment ça serait. À m'en rendre physiquement mal à l'aise.

— Mal à l'aise ? Comme dans « dégoûter » ?

— Comme dans « bander », Poppy. Bander.

Un silence... qui s'éternisa.

— Tu es toujours là ?

— Je suis là, répondit-elle d'une voix cassée.

— Tu pleures encore ?

Elle renifla.

— La journée a été difficile.

— Ta visite à Heather ?

Il entendit un bruit qui ressemblait à un gémissement.

— Tout va bien ? demanda-t-il, inquiet.

— Oui.

Mais il ne fut pas convaincu.

— Je viens te voir, décida-t-il.

— Non. Non, je vais bien. C'est juste que tu exprimes parfois des choses tellement étonnantes. J'ai moi aussi un côté sensible.

— Je peux être chez toi dans dix minutes.

Elle rit.

— Non. Tu te tuerais. Tu sortirais de la route et emboutirais un arbre juste comme Marcy McCleary – Marcy Smith, la première femme de Micah.

— Parle-moi d'Heather. T'a-t-elle dit quelque chose ?

— Je ne sais pas.

— Comment ça ?

— Peut-être qu'elle a dit quelque chose. Mais je peux me tromper.

Griffin attendait qu'elle s'explique. En vain.

— Tu ne comptes pas me laisser comme ça, n'est-ce pas ?

— Je n'en sais *rien* ! cria Poppy.

— Elle est Lisa ?

— Je l'ignore.

— Elle t'a donné un indice ?

Poppy ne répondit pas et il n'insista pas.

— Puis-je venir demain matin pour préparer ton petit déjeuner ?

— Je suis capable de préparer mon petit déjeuner.

— Je le sais, mais j'aime bien cuisiner et l'installation sur Little Bear est sommaire. Alors, fais-moi plaisir, Poppy. Ou prends pitié de moi. Laisse-moi utiliser ton four. Allez, sois sympa.

— Il me semble avoir déjà entendu ça quelque part.

— Puis-je préparer le petit déjeuner ?

— Qu'est-ce que tu sais faire ? s'enquit-elle d'un ton hésitant.

— Qu'est-ce que tu aimes ?

— J'ai demandé la première.

— OK. Je sais faire les omelettes, les pancakes et un fabuleux pain perdu.

— Au four.

— Si tu veux. Qu'en dis-tu ?

— J'adore le pain perdu.

— Huit heures, ça va ?

— Oui.

— Parfait. C'est un rendez-vous.

Il regretta aussitôt le choix des mots, craignant qu'elle ne proteste. Mais elle ne releva pas, ce qui lui réchauffa le cœur.

— Après le petit déjeuner, tu me raconteras ce qui te blesse au sujet d'Heather ?

— Nous verrons, dit-elle doucement. Griffin ?

— Oui ?

— Merci.

— De quoi ?

— D'avoir appelé pour savoir comment ça s'était passé avec ma mère. De t'inquiéter parce que j'avais de la peine. Les gens ne font pas ça d'habitude.

Le cœur de Griffin se mit à sauter si fort dans sa poitrine qu'il décida de le prendre à la légère pour cacher son émotion.

— Ça, ma belle, c'est parce que tu donnes l'image d'une femme forte qui n'a besoin de personne – ce que tu es d'ailleurs. Mais, de temps en temps, ça fait du bien d'avoir quelqu'un qui prend soin de vous, non ?

— Ouais, probablement. Conduis prudemment.

— Promis. Dors bien.

— Toi aussi.

Cassie travaillait, tellement absorbée qu'elle sursauta quand une main se posa sur son épaule.

— Viens te coucher, murmura Mark.

Elle recouvrit sa main de la sienne et lui sourit.

— Bientôt.

— Tu as déjà dit ça, il y a une heure.

Il retira sa main et se redressa.

— Cela ne s'arrange pas.

Non. Il avait raison et c'était sa faute. Ils avaient conclu un accord lors de la thérapie de couple. Ils iraient se coucher en même temps plusieurs fois par semaine, que ce soit pour parler, pour faire l'amour ou simplement pour être dans les bras l'un de l'autre. Mais ils ne l'avaient pas fait depuis des lustres.

Elle passa une main dans ses boucles blondes et décoiffées – plus que d'habitude en tout cas, un reflet peut-être de son propre manque de contrôle.

— Je suis désolée. J'ai juste besoin de… ce moment de calme pour réfléchir.

Il se pencha pour regarder les papiers étalés devant elle.

— Au sujet du comité ?

— En partie. Nous devons vraiment protéger le lac. Nous buvons cette eau.

— Je croyais que tu avais terminé l'estimation du coût, vendredi.

— Oui. Trois policiers qui se relayeront toutes les huit heures, plus une voiture de fonction et l'équipement de test. Une très légère hausse des taxes foncières suffira à couvrir ces frais. Ce qui à mon avis n'est pas cher payé pour notre tranquillité d'esprit.

— Qui dit non ?

— Les habituels opposants. Alf Buzzell et le camp des j'ai-vécu-là-toute-ma-vie, qui disent qu'on se fait des idées, que Lake Henry est toujours aussi sûr qu'avant. Nathaniel Roy et le camp des vivre-libre-ou-mourir, qui protestent contre la présence de flics dans les parages. Willie Jake et *son* camp, qui affirment savoir ce qu'il faudrait pour protéger cette ville et que, si l'on veut vraiment empêcher quelqu'un de jeter des choses dangereuses dans l'eau, il faut neuf gars en tout – trois en même temps toutes les huit heures. Un seul ne suffit pas d'après lui et ce ne serait donc qu'un gaspillage d'argent. Et bien entendu, personne ne veut voir les taxes augmenter.

— Comment se présente le vote du conseil municipal ?

— En notre faveur, je crois. Mais ce sera juste et, d'une façon ou d'une autre, il y aura des mécontents.

— Tu dois mener une campagne de relations publiques pour informer les gens des risques.

— C'est ce que nous faisons, dit-elle en indiquant les tracts que quelqu'un avait imprimés à Concord. Malheureusement, les gens préfèrent enfoncer leurs têtes dans le sable, ignorer le danger. Ils aiment leur vie et ne souhaitent pas la voir changer.

Mark prit un document sur le dessus de la pile. Une photographie. Cassie la regarda avec lui. Même après l'avoir étudiée pendant des heures, elle était étonnée.

— Lisa Matlock ou Heather Malone, dit-il. Question piège.

— Pas de piège. C'est Lisa.

— Oh... Il semblerait que tu as un problème.

— Exact. Et Heather ne fait rien pour m'aider. Il est possible aussi qu'elle en soit incapable. J'ai discuté avec deux psychiatres qui estiment qu'elle souffre peut-être du syndrome de stress post-traumatique. Et, sans connaître les causes du traumatisme, nous ne pouvons rien faire. Soit elle ne se rend pas compte des risques qu'elle prend en gardant le silence, soit elle est vraiment coupable de tout ce dont on l'accuse et elle considère que tout ce qu'elle pourrait dire ne ferait que l'enfoncer un peu plus.

— Tu es son défenseur. Tu n'es pas censée penser ça.

— Peut-être pas, mais je ne sais plus quoi penser. J'ai reçu quelques documents préliminaires de Californie. La femme qu'ils décrivent pourrait très, très facilement être Heather. Comme cette photo. D'accord, j'ai des experts prêts à témoigner qu'une analyse graphologique n'est jamais infaillible. Mais c'est tout. Je n'ai rien d'autre. Rien. Heather est mon amie et je suis incapable de préparer sa défense. Elle ne me fournit aucun élément pour travailler et je ne peux pas en inventer, conclut-elle en s'énervant.

— Tente d'obtenir des informations sur Lisa.

— Cela n'aidera pas Heather.

— Si, si elle est Lisa. Parce que, si elle est Lisa et également la femme que nous connaissons, elle devait sûrement avoir une bonne raison pour renverser ce type. La femme que nous connaissons n'est pas une meurtrière. Elle n'est pas sujette à l'hystérie ou à des crises de colère. Elle n'est pas maniaco-dépressive et elle n'est pas folle. Alors il y a forcément une raison. Jusqu'à maintenant tu étais obsédée par l'idée de prouver qu'elle était Heather...

— Pas obsédée, coupa Cassie.

— Si, obsédée et c'était bien, Cass, parce que tu es une amie fidèle. Mais tu devrais peut-être essayer d'aborder le problème sous un angle différent.

Cassie tourna la tête pour le regarder.

— Et comment suis-je censée faire ça? demanda-t-elle. Je n'ai pas d'argent et Micah croule sous les emprunts. Alors comment obtenir des informations sur Lisa?

— Griffin.

— Griffin est un étranger. Et un journaliste.

— C'est lui qui s'est procuré cette photo.

— Pour Poppy. Non, Mark. J'ai besoin d'une personne indépendante qui travaille pour Heather, mais cela signifie payer les frais de transport, l'hôtel et ses honoraires. Je piocherais bien sur nos économies, mais elles sont insuffisantes. Alors que faire ?

— Utilise Griffin.

— Je n'ai pas confiance en Griffin.

— Vraiment ? N'est-ce pas plutôt une question de fierté ?

— Ce n'est pas juste, protesta Cassie.

— Tu es fière, tu l'as reconnu toi-même la semaine dernière.

En thérapie, en effet. Mais maintenant elle se sentait sur la défensive.

— J'ai dit que j'étais fière de mon travail et qu'à cause de ça j'avais parfois du mal à laisser tomber. Mais ça n'a rien à voir avec refuser de l'aide par fierté.

— Pourquoi ?

— Être fière de mon travail est un sentiment positif. Tu peux me reprocher de passer trop de temps sur mes affaires, mais pour mes clients c'est une bonne chose. Refuser de l'aide par fierté serait une attitude négative. Cela suggérerait que je ne fais pas tout ce qu'il faut pour mes clients. Je suis meilleur avocat que ça.

— Oublie l'avocat. Pense à toi en tant que personne. En tant que femme. Tu aimes te débrouiller seule.

— J'aime que les choses soient faites.

— Par toi. Et je peux le comprendre, Cassie. Tu es partie après le lycée, tu as quitté la ville alors que tu aurais dû rester. Maintenant tu essaies de te racheter.

Elle était partie pendant huit ans pour faire ses études. Au cours de ces années, son père était mort d'un cancer, sa sœur d'une overdose et sa mère de solitude. Cassie n'avait pas vraiment compris ce qu'elle aurait dû faire jusqu'à ce qu'elle se marie et devienne mère à son tour. Elle considérait le fait de fonder une famille et de la réussir comme une seconde chance qui lui avait été offerte. Se dépasser dans son métier d'avocat également. Mais, malgré ça, le reste de sa vie, elle se reprocherait de ne pas avoir été là pour ses parents et sa sœur.

— Tu n'as pas besoin de prouver ce que tu vaux sans arrêt, reprit Mark. Crois-tu vraiment que quelqu'un te reproche ton passé après tout ce que tu as fait depuis ton retour, il y a neuf ans ?

— Oui, je le crois. Les parents de mes amis se souviennent de ce que j'ai fait. Alf par exemple avec ses j'ai-vécu-ici-toute-ma-vie, moi, ou Nathaniel Roy. En apparence, il est aimable, mais la vérité, c'est qu'il me blâme de mon absence ; il m'en veut également d'être revenue et d'avoir pris la direction des choses. Si je faisais appel à Griffin, la vieille garde m'en voudrait encore plus.

— Ça compte pour toi ?

— Non. Si. Oui, ça compte, admit-elle en soupirant. Je veux gagner le respect de ces gens. Et puis il y a Heather. Que dois-je faire pour elle ? Je ne me suis jamais sentie aussi démunie dans une affaire.

— Appelle Griffin, conclut Mark. Je vais me coucher.

Étendue dans son lit, Poppy ne dormait pas. La lune se reflétait sur la neige, éclairant la nuit. Elle ne pensait pas à Griffin, ni à Heather d'ailleurs.

Elle pensait à Perry Walker. Un beau garçon – grand, des cheveux blonds qui tombaient sur ses épaules, des yeux rieurs et un large sourire –, le boute-en-train de toutes les fêtes, drôle jusqu'à la dernière seconde de sa vie. Il lui racontait une blague, criant pour se faire entendre par-dessus le bruit de la motoneige. Probablement une plaisanterie d'un goût douteux, car il adorait se montrer impertinent. Mais elle ne s'en souvenait pas. Sa mémoire avait effacé de son esprit toutes les minutes précédant l'accident.

Gémissant à ce souvenir, elle posa un bras sur ses yeux et sursauta en sentant un mouvement près d'elle. La chatte.

— Pourquoi ne dors-tu pas ? demanda-t-elle doucement.

Victoria bâilla, lécha une de ses pattes et la passa sur son visage.

Poppy s'interrogeait. Avait-elle des sensations derrière ses paupières fermées ou, au contraire, une insensibilité totale comme elle dans ses jambes ? Avait-elle vu avant de devenir aveugle et, si c'était le cas, est-ce que ça l'aidait pour se déplacer dans le noir ?

En tout cas, la mémoire n'apportait aucune aide à Poppy. Elle la blessait au contraire en lui envoyant des images de Perry pendant les quelques semaines précédant sa mort. Elle tenta de l'imaginer aujourd'hui s'il avait vécu. Il aurait probablement toute une tripotée de marmots, pas par conviction religieuse ou désir, mais parce qu'il ne prenait jamais aucune précaution. C'était un bon vivant qui adorait le sexe comme il adorait le hockey, la chasse ou une bonne bière. Il ne lui serait pas plus venu à l'idée de mettre un préservatif que de chasser avec des balles à blanc.

Poppy avait eu six semaines de retard, une fois. Elle avait été persuadée d'être enceinte, mais cela n'avait jamais été confirmé – elle avait eu bien trop peur pour passer un test. Et puis, un jour, ses règles étaient arrivées.

Soulagée, elle avait alors remercié sa bonne étoile et pris la pilule. À l'hôpital, après l'accident, elle avait décidé que c'était le destin qui l'avait empêchée de tomber enceinte. Elle n'était pas capable d'être mère. Elle n'avait aucun droit d'être mère.

C'était sa punition.

Comme d'être coincée dans un fauteuil roulant.

Comme de ne plus jamais skier.

Comme de ne plus rien faire, même pas *embrasser* un homme.

Puis elle se demanda ce qui se serait passé dans la situation inverse. Si Perry lui avait survécu. Que serait-il devenu ? Aurait-il changé ?

Victoria se dirigea vers le bord du lit et se laissa glisser à terre. Poppy la regarda aller près de la fenêtre et s'asseoir dans un rayon de lune, où elle reprit sa toilette, l'air détendu et satisfait. L'espace d'une seconde, elle dressa la tête vers la fenêtre entrebâillée. Puis elle s'approcha, leva ses pattes et se hissa sur le rebord où elle se tint, le museau dans l'ouverture.

La chatte semblait aventureuse et indépendante. Une fois qu'on lui avait fourni la nourriture et une litière, elle se débrouillait toute seule. D'accord, elle n'avait guère eu le choix que de s'adapter à son nouvel environnement, mais elle l'avait fait avec grâce.

Évidemment, elle n'était pas étouffée par la culpabilité, elle.

Micah venait à peine de s'endormir quand un petit cri le réveilla. Il se précipita et trouva Star assise dans son lit, en pleurs.

— Tu es malade ?

Elle secoua la tête.

— Un mauvais rêve ?

Hochement de tête.

Il jeta un coup d'œil vers l'autre lit où Missy dormait profondément.

— Tu veux un verre de lait ?

Comme elle hochait de nouveau la tête, il prit la fillette dans ses bras et marcha vers la cuisine où il n'alluma pas. La lune suffisait amplement.

Ayant installé Star sur le comptoir, il versa un peu de lait dans un verre. Elle but lentement en le tenant à deux mains. Tandis qu'il observait la fillette, Micah sentit son cœur fondre. Dès sa naissance, elle avait fait preuve d'une gravité, d'une maturité inhabituelles, comme si elle était sortie du ventre de sa mère en sachant parfaitement ce qui l'attendait. Mais elle n'en demeurait pas moins une enfant.

— C'était juste moi dans le rêve, murmura-t-elle.

— Juste toi ? Où j'étais moi ?

— Je ne sais pas, répondit-elle d'un ton solennel.

— Je ne devais pas être loin.

Elle haussa les épaules.

Récupérant le verre, il le posa dans l'évier et l'attira contre lui. Ses petits bras autour de son cou lui firent monter les larmes aux yeux.

— J'habite ici, dit-il. Avec toi et Missy. Je ne partirai pas.

Il la serra encore un moment contre lui, puis la ramena

dans la chambre ; après avoir glissé l'enfant dans les draps, il s'assit au bord du lit. La fillette se tourna sous la couverture et ferma les yeux. Mais il sentait toujours ses bras autour de lui. Enfant, il n'avait pas reçu tellement de caresses et il était persuadé que c'était pour ça qu'il aimait la présence d'une femme. Marcy d'abord, puis Heather, tellement différente de la première. Plus douce, plus honnête, plus sincère.

Mais tout ça n'était peut-être qu'une illusion, un mensonge de plus, comme son nom et son passé.

Cette possibilité le rendait fou.

En regardant dormir Star, il éprouvait le poids de sa responsabilité sur ses épaules et un énorme ressentiment envers Heather. La colère grondait en lui.

12.

Souhaitant faire ses exercices et se doucher avant l'arrivée de Griffin, Poppy sortit de son lit de bonne heure et accomplit sa routine habituelle – d'abord les poids pour la force, puis le vélo pour la souplesse. Victoria, assise au pied des barres parallèles, la suivait des yeux. De temps en temps, s'impatientant, elle s'étirait ou levait une patte.

— C'est bientôt fini, Victoria, l'encourageait Poppy.

Quand elle eut terminé, elle s'avança vers la chatte et lui caressa la tête. Les paroles étaient inutiles. La chatte devinait et sauta sur ses genoux où elle tourna un moment pour trouver la meilleure place. Poppy ne sentait pas son poids sur ses jambes, mais une fois qu'elle fut installée, elle perçut sa chaleur contre son ventre.

Caressant la chatte, elle observa les barres parallèles bien différentes de celles avec lesquelles elle jouait dans la cour de l'école quand elle était enfant. Véritable garçon manqué alors, elle n'avait aucun mal à faire la traversée pendue par les bras en utilisant le balancement de son corps. Les barres étaient à cette époque-là bien plus hautes qu'elle. Les siennes, aujourd'hui, montaient seulement à hauteur de la taille et elle aurait pu sans peine avancer entre ces barres à la force des bras. Mais ce n'était pas le but de cet appareil. Son objet était d'utiliser les barres pour garder l'équilibre et de progresser sur les jambes en avançant une hanche après l'autre. Probablement qu'avec un peu d'entraînement elle y parviendrait.

Contre le mur se trouvait une paire de prothèses orthopédiques. Peu élégantes, elles étaient en outre pénibles à mettre et surtout bruyantes. Les petits mécanismes cliquetaient à chaque mouvement, ce qui donnait à Poppy l'impression d'être un robot – une raison suffisante pour qu'elle refuse de se servir de ces engins.

D'ailleurs, les prothèses ne la dispensaient pas d'utiliser des béquilles et même ainsi la stabilité restait précaire. Elle ne voyait donc pas pourquoi elle aurait dû s'imposer ce calvaire alors qu'elle pouvait se déplacer si facilement dans son fauteuil.

Elle se souvenait bien sûr de Star disparaissant dans les bois et de son incapacité de la poursuivre. Mais il ne s'agissait que d'une situation exceptionnelle.

Évidemment si elle avait des enfants à elle...

Mais elle n'avait pas d'enfant, Dieu merci. Parce qu'elle n'était pas ce qu'on peut appeler une personne responsable. Et de loin.

— Tu es sûre que c'est ce qu'elle a dit ? insista Griffin.

— Regarde mes lèvres.

Poppy imita Heather quand elle avait prononcé la petite phrase.

— C'est clair, en effet, reconnut-il. Donc, elle est Lisa ?

Poppy se baissa, posa la joue sur ses genoux et attrapa ses chevilles avec ses mains. Griffin sentit son cœur se serrer.

— Tu ne vas pas encore pleurer, n'est-ce pas ? demanda-t-il.

Il ne pouvait pas supporter de la voir pleurer. D'ailleurs, ils devaient mettre au point une stratégie.

— Non. Je me sens... juste... lasse.

Il caressa sa tête. Ses cheveux bruns, coupés court, étaient doux et épais, encore un peu humides après la douche. Il enfonça ses doigts dedans, massant son cuir chevelu.

— La question est, reprit-elle d'une voix fatiguée, comment la Heather que je connais aurait-elle pu tuer Rob DiCenza ou qui que ce soit d'autre ?

— Nous devons reconnaître que Lisa n'est pas la méchante dans cette histoire – qu'elle n'est pas aussi mauvaise que les DiCenza voudraient nous le faire croire – et trouver la raison de son geste. Ralph est au pied d'un mur. En Californie, personne ne veut parler. Il ne reste donc qu'Heather.

— Elle n'a rien voulu dire à Micah.

— Mais elle a articulé ces mots pour toi. C'est une façon d'avouer.

— Elle pourrait le nier et m'en vouloir de te l'avoir répété.

— Elle pourrait aussi griller sur la chaise, lâcha Griffin.

Il regretta aussitôt ses paroles en sentant Poppy se raidir. Prenant sa tête entre ses mains, il s'approcha d'elle.

— Je crois que nous avons besoin d'un autre avis. Tu peux te faire remplacer au standard ?

Après avoir déposé les filles à l'école, Micah s'arrêta à la pompe pour prendre de l'essence. Il venait à peine de glisser le tuyau dans le réservoir quand un camion se gara derrière lui. Trois hommes se trouvaient à l'intérieur, tous les trois de Lake Henry. Deux d'entre eux avaient été à l'école avec lui, le troisième s'était installé en ville plus tard. Ils travaillaient pour un entrepreneur local et, d'après leurs vêtements, partaient au travail.

— Salut, Micah, lança Skip Houser, le conducteur. Ça va ?

Micah hocha vaguement la tête et se concentra sur son tuyau. Il ne se sentait pas d'humeur à papoter.

Skip descendit et dévissa à son tour le bouchon de son réservoir.

— Le soleil est haut, fit-il remarquer. Paraît que ça va grimper à zéro aujourd'hui. T'as déjà posé les tuyaux ?

Micah, qui suivait de près la météo, était déjà au courant. Zéro aujourd'hui et demain ? Si ça montait encore, la sève ne tarderait pas à couler. Il envisageait de commencer l'installation du réseau de tubulures dès ce matin et de travailler comme s'il avait le feu aux trousses.

Mais ça ne regardait pas Skip. Il se contenta donc de marmonner un « non » indifférent.

— Nous travaillons sur le chantier de la grande maison de l'autre côté de West Eames, reprit Skip. Je ne sais pas si je pourrai t'aider cette année. Je suis désolé d'autant qu'Heather n'est pas là et tout ça. Je l'aimais bien.

Micah n'apprécia pas l'emploi de l'imparfait.

— Comment ça se passe en prison ? demanda Skip avant de faire un geste en direction du camion. Dunfy y est resté quelques semaines quand on l'a accusé d'avoir touché à la gamine de Harry Schwicks avant qu'elle reconnaisse avoir menti. Il dit que l'endroit n'est pas trop mal.

Dunfy n'était pas originaire de la ville, mais Micah le connaissait bien. Une petite frappe qui avait probablement fait tout ce que la petite fille avait dit et même plus. Il ne valait pas un clou.

Furieux que Skip ait pu comparer Heather à cet individu, Micah retira le tuyau du réservoir à moitié rempli. Il vissait le bouchon quand Skip enchaîna.

— Tu savais qu'elle était Lisa ?

Micah releva lentement la tête.

— Tu as dit quelque chose ?

Skip, qui n'avait jamais été trop futé, prit ça comme une invitation.

— Je me demandais si tu savais qui elle était vraiment. Je veux dire, après tout, tu vivais avec elle toutes ces années...

Micah ouvrit sa porte.

— Qui a dit qu'elle était Lisa ? interrogea-t-il

— Eh, y'a pas que moi. Tout le monde le dit en ville. On en parlait encore chez Charlie tout à l'heure. Nous attendons des nouvelles, mais rien n'arrive. C'est comme si Heather avait juste débarqué ici un jour, sans passé. Et voilà qu'on l'imagine copine avec le fils d'un sénateur et peut-être même en route pour Washington au cas où le gars aurait été...

— Tu ne sais rien, Skip, coupa Micah. Alors, ferme-la.

— Y'a pas que moi.

— Eh bien, va leur dire de la fermer à eux aussi.

— Tu ne me paies pas assez pour ça, mon pote, renifla Skip, nerveux. J'ai travaillé pour toi, tu te rappelles ?

— Ouais, je me rappelle. À trois heures de l'après-midi, tu commençais déjà à chialer pour rentrer chez toi et boire de la bière. Eh bien, je n'ai pas besoin de toi, Skip. Ni de toi ni de tes copains.

Grimpant dans le pick-up, il démarra sans regarder derrière lui. Inutile d'ailleurs. Il savait très bien que Skip lui faisait un doigt.

Mais il pensait ce qu'il avait dit. Il n'avait pas besoin d'eux autour de lui. Pas s'il voulait garder sa pureté au sirop.

Poppy et Griffin prirent deux voitures. Elle avait insisté, prétextant que c'était plus facile ainsi. Comme elle avait réussi à trouver une remplaçante pour le téléphone, elle avait prévenu Griffin qu'elle ne rentrerait pas directement. Elle comptait passer voir sa sœur Lily ou s'arrêter à la librairie pour discuter avec Marianne. Ce qu'elle ne lui avait pas dit, par contre, c'est qu'elle déjeunerait chez Charlie. De peur qu'il ne s'invite.

— Tu parles, plaisanta Griffin. Avoue plutôt que tu ne veux pas être vue en ma compagnie.

Elle hésita un instant, avant de reconnaître qu'il avait raison.

Il devait s'en douter. Si elle se montrait chez Charlie avec lui, toute la ville oublierait Heather pour ne plus parler que de ça. Elle prenait déjà suffisamment de risques en traversant la ville avec Griffin en remorque. John McGillicudy qui dégageait la neige de son toit s'arrêta pour la saluer et les regarder passer, de même que Maddy Harris qui promenait son chien. Et que Luther Wolfe et Mercedes Levesque devant la poste.

Elle les salua en retour, non sans un certain enthousiasme. Elle se sentait revivre maintenant qu'elle faisait quelque chose pour Heather. D'accord, elle devait remercier Griffin. Elle n'avait pas su quoi faire de la confession d'Heather jusqu'à ce qu'ils en aient discuté.

Ce qui ne signifiait pas que toute la ville devait savoir qu'ils travaillaient ensemble.

Dieu merci, le bureau de Cassie se trouvait dans un virage, hors de vue du centre-ville. Une petite maison, bleu ciel avec des bordures blanches. Une plaque annonçait « Cassie Byrnes, Avocat ».

Cassie se considérait comme une personne proactive et directe. Elle aurait donc contacté Griffin. Peut-être pas tout de suite parce qu'elle ne se sentait pas prête et qu'elle ruminait encore sa discussion de la veille avec Mark, mais elle l'aurait contacté.

Et voilà que Poppy avait pris les devants en demandant un rendez-vous. Si bien que Griffin se garait à l'instant même devant sa porte, juste derrière son amie.

Elle le regarda courir jusqu'à la voiture de Poppy pour l'aider – une aide dont Poppy n'avait nul besoin, mais qui n'en demeurait pas moins charmante. Cassie tenta de définir ce qui la dérangeait chez lui. Mark avait touché un point sensible : Griffin était un étranger et un journaliste et, à cause de ça, elle refusait de le croire totalement désintéressé. En outre, il avait des relations, ce qui la dérangeait encore plus. Et, pour couronner le tout, il se rapprochait de Poppy, ce qui l'inquiétait vraiment beaucoup. Cassie se montrait aussi protectrice envers Poppy qu'envers Lake Henry ou Heather.

Et en ce qui concernait cette dernière, elle devait reconnaître son impuissance, source de frustration. Mark avait raison. Son amour-propre souffrait de cette incapacité de trouver une solution.

Cassie considéra son bureau en désordre. Elle connaissait bien les gens comme Griffin pour les avoir côtoyés à l'université. Or, pour eux, cabinet d'avocat signifiait tapis persans, bureaux en acajou, sol en marbre et tableaux de prix. Des cabinets qui embauchaient une armée d'assistants payés pour faire des étiquettes et classer les dossiers, un luxe que Cassie ne pouvait se permettre. Son bureau à elle se composait en fait d'une collection de dossiers, d'une bibliothèque et de plans de travail, ajoutés au fil des ans en fonction de ses besoins. Sur les murs, en guise de tableaux de maître, des photos et des dessins de ses enfants. Si les lieux reflétaient un manque de professionnalisme, elle ne l'avait jamais remarqué jusqu'à ce jour.

D'ailleurs elle adorait son désordre et en voulait à Griffin de la mettre involontairement sur la défensive. Pourtant, quand il entra, il se contenta de regarder le chaos autour de lui avec un sourire, avant de lâcher un « cool » appréciateur et de s'asseoir sur le siège que lui indiquait Cassie.

Puis Poppy lui raconta sa rencontre avec Heather et la gêne de Cassie s'évanouit, remplacée par une grande tristesse. Elle cacha sa tête dans ses mains un instant, puis se redressa et poussa un soupir.

— Je suppose que cela explique tout. Si c'est vrai, nous devons envisager une défense.

— C'est de ça que nous voulons te parler, dit Poppy.

— Légalement, que se passera-t-il si vous admettez devant le juge qu'Heather est Lisa ? demanda Griffin.

Cassie avait attrapé un bloc et prenait rapidement des notes.

— Si nous ne réfutons pas les charges et renonçons à l'audience d'extradition, elle repart aussitôt en Californie.

— Et, dans ce cas, quelles sont les chances pour qu'ils acceptent une liberté sous caution ?

— Pour une affaire capitale ? Aucune.

— Affaire capitale ? Comme dans peine capitale ? interrogea Poppy, affolée.

— Oui, mais le procureur ne la sollicitera pas nécessairement. Ils ne peuvent pas prouver la préméditation. Cela n'en reste pas moins une affaire de meurtre. Et il n'y aura pas de caution, sauf si nous apportons un fait nouveau qui change tout.

— Comme quoi ?

Jusqu'à présent, Cassie s'était concentrée sur l'erreur de personne. Mais, maintenant, elle commençait à envisager d'autres possibilités.

— Comme la légitime défense. Si Heather craignait pour sa vie par exemple. Si elle avait reçu des menaces, des coups ou si elle avait été violée. Par Rob ou par son père.

— Son père ? Oh, mon Dieu, je n'avais pas pensé à ça.

— Le problème reste qu'il nous faut un témoin.

— Gros problème, souligna Griffin. D'après mes informations, tous ceux qui ont connu Lisa ont reçu la visite des DiCenza. Personne ne pipe mot. Si quelqu'un a vu quelque chose, il ne viendra pas en parler. Et question relations publiques, son image n'a pas vraiment bonne presse.

Cassie s'appuya au dossier de sa chaise, jeta son crayon et croisa les bras.

— Que proposez-vous ? demanda-t-elle.

— Un rendez-vous privé entre Heather et moi.

— Privé ? Poppy et moi sommes ses amies. Micah est son fiancé. Pourquoi vous parlerait-elle à vous et pas à nous ?

— Pourquoi une femme raconte-t-elle à son psychanalyste des choses qu'elle n'avouerait jamais à son mari ? Parce que c'est un étranger. Elle ne redoute pas la censure. Heather vous aime, elle craint votre jugement. Moi, je ne suis rien pour elle.

Cassie reconnut qu'il n'avait pas tort.

— Vous êtes journaliste.

— Il ne compte pas écrire sur cette histoire, assura Poppy.

— Alors qu'est-ce qu'il y gagne ?

— Moi, répliqua Poppy d'un air satisfait. Il cherche à m'impressionner. Cassie, sérieusement, il dispose de ressources que nous n'avons pas.

— Et il voudrait les utiliser pour Heather ? Pourquoi ?

— Parce qu'il se sent coupable, intervint Griffin qui expliqua ensuite son rôle dans l'arrestation d'Heather.

Donc elle avait eu raison de se méfier de lui. Cassie en éprouva une brève satisfaction.

— Génial. Vraiment.

— C'est fait, Cassie, dit Poppy. L'eau a coulé sous les ponts. Il veut se racheter et nous aider. Il a les relations pour ça.

— Comme son frère ?

Cassie n'arrivait pas à digérer ce qu'elle venait d'apprendre. Si Griffin avait fermé sa bouche, rien de tout ça ne serait arrivé.

— Comme des détectives privés qui me doivent quelques faveurs, précisa Griffin. Rob DiCenza frappait les femmes. Or Lisa s'est retrouvée au moins deux fois aux urgences.

— Et vous pouvez relier les deux faits ? demanda Cassie en haussant les sourcils. Vous pouvez prouver que Rob était responsable de ces deux visites à l'hôpital ?

Elle le tenait là, elle pouvait le voir dans ses yeux.

— Quelqu'un pourra-t-il en témoigner ? Parce que, sans ça, nous n'avons rien. Une déposition sur la foi d'un tiers n'est pas recevable. Les rumeurs ne suffisent pas et une preuve indirecte reste problématique. En fait, si vous ne pouvez obtenir de témoignages de première qualité, il vaut mieux qu'Heather maintienne qu'elle n'est pas Lisa.

— Ce qui nous ramène au début. Griffin veut lui parler. Peux-tu organiser un rendez-vous ?

Cassie n'était pas sûre que Griffin puisse obtenir quoi que ce soit d'Heather. Le psychiatre avec lequel elle avait discuté avait affirmé que, si elle souffrait de stress post-traumatique, la vérité se trouvait peut-être profondément enfouie en elle et ne ressortirait pas sans une thérapie intensive. Griffin avait l'air d'un garçon bien – Cassie devait le reconnaître – mais il n'était pas psychiatre.

Alors quoi faire ? Micah n'avait pas d'argent et, si elle pouvait donner son temps, elle ne pouvait certainement pas se permettre de payer un psychiatre pour fouiller la mémoire d'Heather. Ni d'embaucher un détective privé. Griffin, d'un autre côté, avait des amis détectives, une mauvaise conscience et offrait ses services gratuitement. Elle aurait donc tort de refuser son offre. Sauf à donner raison à Mark.

Sans compter que pendant que Griffin torturerait Heather elle ne resterait pas inactive. Elle devait en apprendre plus sur les protagonistes de cette affaire – à savoir le gouverneur de Californie, le procureur général et son assistant, Charles DiCenza et sa femme et enfin sur le juge chargé de l'affaire. Quand elle se serait familiarisée avec les différentes personnalités de la partie adverse, elle pourrait plus efficacement décider d'une stratégie.

Elle avait elle aussi des relations, des amis de la faculté de droit en Californie qui lui diraient ce qu'ils savaient. John Kipling, de son côté, connaissait de nombreux journalistes qui se feraient un plaisir de le renseigner.

Pleine d'énergie, elle attrapa le téléphone.

— Quand voulez-vous y aller ? demanda-t-elle à Griffin.

Micah roulait la fenêtre ouverte, comptant sur l'air frais pour calmer sa colère, mais elle se raviva à la vue de la voiture garée devant chez lui. Deux agents attendaient sous le porche – les mêmes qui avaient fouillé la maison le jeudi précédent. L'un d'eux portait l'ordinateur d'Heather.

— Ça n'a pas été long, lança-t-il.

— Nous avons pensé que vous en aviez sûrement besoin.

— C'est faux. Vous avez tout regardé et rien trouvé comme je vous l'avais dit. Il ne contient que les dossiers de mes affaires.

— Et celles de Lisa.

— Je ne connais pas de Lisa. Seulement Heather.

— Vous jouez sur les mots. Où voulez-vous que je le mette ?

— Là où vous l'avez pris.

— Excusez-moi, mais je ne me souviens plus exactement de l'endroit où il se trouvait.

— Où travaille-t-on d'habitude ? rétorqua Micah.

Les deux agents échangèrent un regard.

Laisse-le tomber devant la porte, pensa Micah. Laisse tomber ce putain d'ordinateur et je te fous un procès aux fesses pour destruction volontaire de propriété.

Il fut presque déçu quand les deux hommes se dirigèrent vers l'arrière de la maison.

— La porte est fermée ? lança l'un d'eux.

— Elle l'était la dernière fois ? Avez-vous seulement vu un verrou ici ?

Quand ils eurent disparu au coin de la façade, Micah

claqua sa portière. Il attendit dehors et réfléchit. Deux choses lui revinrent alors en mémoire. L'une concernait les quelques mots qu'il venait d'échanger.

« Je ne connais pas de Lisa. Seulement Heather. » Et la réponse de l'agent : « Vous jouez sur les mots. »

« Je suis Heather Malone », avait affirmé Heather lors de sa première visite au tribunal. Peut-être jouait-elle sur les mots elle aussi ? En effet, elle pouvait affirmer de bonne foi être Heather Malone aujourd'hui et avoir été quelqu'un d'autre quinze ans auparavant. Ce qui le ramenait à la deuxième chose qui lui avait traversé l'esprit : le sac à dos. Brusquement il mourait d'envie de découvrir ce qu'il contenait.

Il patienta jusqu'au retour des deux agents qui le dépassèrent sans un mot et regagnèrent leur voiture. Il les regarda faire demi-tour et disparaître et se serait bien précipité à la cabane si une autre voiture ne s'était engagée dans l'allée – une petite Chevy vieille d'une douzaine d'années, mais bien entretenue. Tout ce qui appartenait à Camille Savidge était soigneusement entretenu.

S'arrêtant près de Micah, elle baissa sa vitre et jeta un coup d'œil derrière.

— Tout va bien ? demanda-t-elle.

— Ils ont rapporté l'ordinateur. À mon avis, l'intérieur est vide. Effacé.

Camille agita la main à la fenêtre de la portière. Elle tenait plusieurs disquettes.

— Je peux arranger ça. Et je peux me charger de la comptabilité si besoin est.

Ça aurait été n'importe qui d'autre, il aurait tourné les talons et disparu. Mais pas avec Camille – une personne charmante s'il en fut.

— Tout va bien pour l'instant, répondit-il en priant pour qu'elle parte.

— Tu sauras charger les fichiers ?

— Non. Je travaillerai comme j'ai l'habitude.

— Mais si tu ne sais pas ce qu'il y a sur les disquettes…

— Je me débrouillerai.

— Comment ?

Avec n'importe qui d'autre, il serait devenu grossier. Mais un homme ne jurait pas devant Camille. Aussi poliment qu'il put vu son impatience, il répéta :

— Je me débrouillerai, Camille. Pouvons-nous en parler un autre jour ? J'ai du travail.

— Laisse-moi m'occuper de ça, Micah. J'ai du temps devant moi et je veux t'aider.

— Tu peux faire sortir Heather de prison ? lança-t-il soudain. Tu peux prouver qu'elle n'est pas Lisa ? Tu peux la faire parler ? Tu peux expliquer à Missy et à Star comment une personne qui dit les aimer cache des secrets si horribles qu'elle n'arrive même pas à en parler pour sauver sa vie ? Tu peux me l'expliquer à moi ? Je ne connais pas cette Heather-là, Camille. Je veux celle d'avant. Nous étions heureux. Je veux qu'elle revienne.

En voyant l'expression blessée de son visage, Micah regretta aussitôt son éclat. Mais il n'avait pas pu se retenir. Il gardait ça sur le cœur depuis trop longtemps.

Incapable d'y réfléchir plus avant, il leva les deux mains en signe d'impuissance, fit demi-tour et s'en alla. Il avait du travail. La routine seule pourrait le sauver.

Les plans de Poppy tombaient à l'eau. Lily donnait des cours et Marianne était chez le dentiste. Et il était trop tôt pour déjeuner. Elle aurait pu s'installer près du poêle chez Charlie et discuter avec les gens, mais elle ne se sentait pas d'humeur. Elle voulait rester seule.

Elle roula donc un moment sans but. En fait, elle fit le tour du lac, sans radio, juste avec le bruit des pneus sur la neige mouillée. De retour au centre-ville, elle s'arrêta devant l'église. La flèche baignée de soleil et les murs blancs ressortaient sur le ciel bleu profond. Elle admira un moment ce décor de carte postale, puis elle contourna l'église et s'approcha du cimetière. Elle passa en revue les différentes personnes enterrées là et, à la pensée de son père, sa gorge se serra.

Elle reprit sa route lentement. Quand elle parvint sur la petite butte, son souffle ralentit. Elle était venue au cimetière depuis l'accident. Pour son père, mais aussi pour d'autres, comme Gus Kipling, le père de John quelques mois plus tôt. Et elle avait toujours réussi à éviter cette tombe. Mais aujourd'hui, elle ne parvenait pas à reprendre sa route. Elle se gara et observa la petite pierre tombale à l'écart.

Même sous le soleil, le paysage hivernal donnait l'impression d'être désolé ici. Les cornouillers qui flanquaient la tombe semblaient décharnés et nus et le banc sur lequel les gens pouvaient s'asseoir pour prier était complètement recouvert de neige.

La pierre tombale de Perry Walker s'élevait seule sur le site familial prévu pour tous les membres de la famille. À ce jour, seul Perry avait disparu.

Les parents de Perry habitaient maintenant à Elkland, à quarante minutes vers le nord. Poppy ignorait s'ils avaient quitté Lake Henry à cause de l'accident et si les autres frères et sœurs de Perry vivaient toujours dans le New Hampshire. Elle n'avait jamais posé la question, ne pouvant s'y résoudre. Elle ne voulait pas savoir. Et si quelqu'un y avait fait allusion au cours des années, elle n'avait pas entendu. L'esprit se déconnectait parfois quand des sujets douloureux étaient abordés.

Poppy n'avait qu'une envie : fuir loin et très vite. Mais ses yeux restaient fixés sur la tombe, sur les lettres bien dessinées visibles même à cette distance comme si la personne qui les avait gravées voulait qu'on puisse les apercevoir de loin, s'en souvenir et regretter.

Elle aurait aimé parler à Perry. Mais l'idée d'avouer certaines choses à haute voix, même à un mort, la terrifiait.

Alors, elle passa une vitesse et repartit. Quand derrière elle Perry l'appela, elle accéléra. En quelques secondes, elle s'était éloignée du cimetière, mais elle n'était pas quitte pour autant. Perry et elle devaient encore régler certaines questions en suspens. Restait à trouver le moyen de les aborder.

Grâce à l'intervention de Cassie, Griffin pénétra sans problème à l'intérieur de la prison où il se vit attribuer une des salles réservées aux avocats – une prouesse qui aurait été difficile voire impossible à réaliser à New York ou en Californie, mais qui demeurait un des charmes d'un petit État comme le New Hampshire.

La porte s'ouvrit. Heather entra et Griffin eut l'impression de retrouver une vieille connaissance. Il avait passé tant de temps à étudier les photos que ses cheveux noirs parsemés de quelques fils argentés, ses magnifiques yeux gris, sa peau claire et sa bouche souriante lui semblaient familiers.

Elle, par contre, s'arrêta, surprise.

Aussitôt la porte refermée, Griffin s'avança, la main tendue.

— Griffin Hughes, un ami de Poppy, se présenta-t-il. Poppy et Cassie ont accepté que je vienne. Voulez-vous vous asseoir ?

Elle ne répondit pas et resta debout près de la porte, prête comme à s'enfuir en courant si besoin était.

— Pourquoi ne sont-elles pas venues ? demanda-t-elle finalement.

— Elles ont pensé que vous vous sentiriez plus à l'aise sans leur présence.

Pour l'instant, elle paraissait surtout effrayée.

— Je suis un ami. Je ne vous veux aucun mal.

Griffin choisit de s'asseoir. Le fait de le dominer la rassurerait peut-être. Il avait décidé de ne pas faire allusion à ce qu'elle avait avoué à Poppy, mais de considérer cet aveu comme un besoin de se confesser.

— Voilà la situation, commença-t-il. Comme vous refusez de parler, nous n'avons aucun moyen de savoir d'où vous veniez quand vous êtes arrivée à Lake Henry. Répéter que vous êtes Heather Malone ne suffira pas. Le tribunal veut des preuves. Lisa Matlock a quitté la Californie il y a quinze ans. Vous devez prouver que vous étiez Heather Malone avant cette date. Des papiers suffiront ou un témoin – un ami, un parent, une collègue de travail –, quelque chose qui puisse corroborer vos dires, pour reprendre le vocabulaire des avocats.

— Vous n'êtes pas un avocat, fit-elle remarquer.

— Non, je suis écrivain et journaliste. Mais je ne suis pas ici pour écrire un article. Je suis venu en tant qu'ami parce que je pense pouvoir vous aider. En fait, je travaille comme journaliste d'investigation et mes histoires se vendent bien parce que j'arrive à obtenir plus d'informations que les autres. Pour ça, je dispose d'un réseau de relations dans tout le pays. Elles m'aideront et cela ne vous coûtera rien.

Heather ne semblait guère rassurée par ses propos.

— Donc il nous faut des preuves, continua Griffin de la même voix douce. Mais tant que vous vous obstinerez à garder le silence, nous ne pourrons rien pour vous. Mes contacts sont bons, mais ils ont besoin d'un point de départ. Nous savons qu'Heather Malone est arrivée à Lake Henry il y a quatorze ans, après avoir brièvement travaillé dans un restaurant à Atlanta. La piste s'arrête là. Alors, nous allons essayer de considérer les choses sous un angle différent, à partir de Lisa Matlock. Et la première question qui vient à l'esprit est : pourquoi Lisa a-t-elle écrasé Rob DiCenza ?

Heather glissa les mains dans les poches de sa combinaison carcérale orange.

— Pourquoi Cassie n'est-elle pas venue ? demanda-t-elle. Elle me déteste ?

— Elle ne vous déteste pas, mais elle est frustrée parce que vous ne voulez pas l'aider.

— Micah me déteste.

— J'en doute, sinon il ne serait pas aussi malheureux.

— Il n'est pas venu me voir.

— Il est débordé de travail. Et il doit s'occuper des filles.

Elle s'appuya contre la porte.

— Si vous cherchez Lisa, qu'attendez-vous de moi ?

— Des informations sur Heather. Un nom, un lieu, n'importe quoi parce que la situation est vraiment désespérée. De l'autre côté, ils ne ménagent pas leurs efforts. La famille DiCenza a contacté tous ceux qui connaissaient Rob et Lisa et plus personne ne dit un mot. Ce que je sais se résume à ceci : Rob était violent. Lisa a fait plusieurs passages aux urgences de différents hôpitaux en donnant de faux noms et elle a toujours nié les brutalités. Je sais aussi qu'elle était intelligente, qu'elle avait obtenu une bourse pour poursuivre ses études et qu'elle n'avait pas de casier judiciaire, pas même une contravention pour excès de vitesse. Je ne pense pas qu'elle voulait tuer Rob. À mon avis, il faisait nuit et il a surgi devant la voiture. Si ça se trouve, elle ne l'a même pas vu ou, si elle l'a vu, elle n'a pas pu s'arrêter. Il s'agirait donc d'un homicide involontaire et non d'un meurtre. Je ne crois pas qu'elle ait projeté de le tuer, je ne crois même pas qu'elle savait qu'il était mort. Elle s'est probablement enfuie avant de l'apprendre. Elle connaissait les DiCenza, une famille puissante, et elle savait qu'elle risquait gros juste pour l'avoir heurté avec sa voiture. Quand elle a appris qu'il était mort, elle a préféré disparaître.

« Et Dieu sait que je ne le lui reproche pas, continua-t-il. Vu l'influence de la famille, elle savait que personne ne croirait jamais son histoire. Pourtant – il se fit suppliant – quelqu'un doit avoir vu ou entendu quelque chose – une menace, une dispute. Rob DiCenza aimait faire la fête. Il y avait toujours du monde autour de lui. Le dossier contient des déclarations de témoins qui affirment que Rob et Lisa se voyaient en secret. L'un d'entre eux a sûrement été témoin d'un geste déplacé qui prouverait que Rob n'avait rien d'un gentleman.

— Mais vous avez dit que la famille avait pris soin de museler tout le monde. Si personne n'a parlé à l'époque, pourquoi parleraient-ils aujourd'hui ?

— Quinze ans ont passé. Si quelqu'un a menti, la culpabilité a pu le ronger pendant tout ce temps. Ou bien cette personne se trouve dans une situation totalement différente aujourd'hui, moins vulnérable vis-à-vis des DiCenza. Le père de Lisa a assuré qu'elle avait des amis. Pourtant aucun ne s'est présenté. L'un d'entre eux souhaite peut-être le faire aujourd'hui. Quelqu'un qui avait peur à l'époque et plus maintenant.

— Étant Heather, je ne peux vous répondre à ce sujet, dit-elle d'une voix tranquille.

— Aucune chance que vous et Lisa soyez des jumelles séparées à la naissance ? demanda-t-il avec un sourire.

Elle ne lui retourna pas son sourire et garda le silence.

— Je sais, reprit-il. Il y a la cicatrice.

Elle ne réagit pas.

— Aidez-moi, Heather. Aidez-vous.

Elle se recroquevilla légèrement contre la porte.

— À quoi ça servirait ?

— Vous plaisantez ? Vous risquez de passer le reste de votre vie en prison. Si vous persistez à affirmer que vous êtes Heather sans en apporter la moindre preuve, vous serez condamnée.

— Ils me déclareront peut-être folle.

— Dans ce cas, vous serez enfermée dans un asile de fous. J'ai écrit une histoire une fois sur quelqu'un qui s'en était « tiré », entre guillemets, en plaidant la folie. Croyez-moi, je ne dirais pas qu'il a gagné au change vu l'enfer qu'il a vécu ensuite. C'était terrible.

Les yeux d'Heather se remplirent de larmes.

Griffin insista.

— Alors même si vous vous moquez de votre sort, pensez à vos amis. Pour eux, vous pourriez au moins essayer de vous défendre. Ils vous aiment et en vous taisant vous les lâchez.

Son menton trembla et elle parut terriblement malheureuse.

Mais Griffin refusa de s'attendrir et d'atténuer l'impact de ses paroles. Gardant le silence, il laissa les mots résonner dans la pièce.

— Que voulez-vous de moi ?

— Ce que je vous ai déjà demandé : un nom, un lieu, une date. Quelque chose en rapport avec Heather ou Lisa, qui prouve qu'il y a erreur sur la personne.

Elle cacha son visage dans ses mains.

— Détestez-moi, Heather, lança-t-il, décidé à jouer le tout pour le tout quitte à la voir partir en courant. Détestez-moi tant que vous voulez, mais je pense que vous vous comportez de façon très égoïste. Égoïste, égocentrique et stupide. Vous n'êtes pas la seule concernée ici. Si vous ne voulez pas le faire pour Poppy ou Cassie, faites-le au moins pour Micah, Star et Missy. Votre silence les blesse. Ils vous ont acceptée dans leurs vies et dans leurs cœurs. Vous n'avez pas le droit de leur faire autant de mal. Ils méritent une explication.

Elle baissa la tête et, pendant un instant, il eut peur qu'elle ne s'écroule. Mais elle resta ainsi, le visage caché dans ses mains, le corps appuyé contre la porte. Griffin dut se faire violence pour ne pas dire quelque chose qui l'aiderait à se reprendre. Il se montrait rarement aussi cruel.

Mais il attendit sans un mot. Une minute s'écoula, puis une autre et une autre encore.

Finalement, Heather se redressa et laissa retomber ses bras.

— Aidan Greene, dit-elle d'une voix sourde avant de l'épeler. A-I-D-A-N G-R-E-E-N-E.

Griffin ne nota pas le nom. Inutile. Il s'était gravé dans son cerveau.

— Où puis-je le trouver ?

— Aujourd'hui ? Je n'en sais rien.

— Et il y a quinze ans.

— Sacramento, admit-elle d'un air malheureux.

Il sourit tristement, se leva, s'approcha d'elle et posa la main sur son épaule qu'il serra gentiment.

— Merci, Heather. C'est un point de départ.

Micah rentra à la maison plus tôt qu'il n'aurait dû, mais tandis qu'il posait ses tuyaux, que le soleil descendait et que les ombres s'allongeaient sur la neige, une seule pensée hantait son esprit : le sac à dos. Qui l'attirait comme un aimant.

Il pénétra dans la cabane à sucre et se dirigea droit sur la pile de bois d'où il retira le sac. Pendant un instant, la peur le retint. Mais il fallait qu'il sache. Alors il ouvrit.

Le sac ne contenait que trois enveloppes.

Dans la première se trouvaient trois photographies – des tirages en noir et blanc de deux jeunes femmes. Peut-être des adolescentes, mais c'était difficile à dire. Leurs vêtements, leurs cheveux, la rue même derrière elles, tout semblait étranger. Mais les visages étaient familiers et Micah crut y déceler les traits d'Heather. Sœurs ? Cousines ? Il n'y avait aucune inscription, aucune date.

Il remit les photos dans l'enveloppe et saisit la deuxième, à l'en-tête d'un cabinet d'avocats de Chicago et adressée à Heather à une boîte postale dans la même ville. Il en tira une lettre qu'il lut. Puis relut. Enfin, il ouvrit la dernière enveloppe, celle-là à l'en-tête d'un hôpital, mais sans adresse, ni timbre ou cachet de la poste. À l'intérieur, deux bracelets d'identité en plastique – le genre que l'on met au bras des patients ou des bébés dans les hôpitaux. Ils avaient été proprement coupés près de la fermeture en métal. Le plus grand portait le nom d'Heather et le plus petit indiquait : Bébé fille Malone.

C'était donc ça. Heather avait eu un bébé six mois avant de venir à Lake Henry et l'avait confié à adopter par l'intermédiaire d'un cabinet d'avocats à Chicago.

Micah laissa échapper un long soupir. Bizarrement, il n'éprouvait aucune colère. Heather n'avait pas voulu porter son enfant, mais il comprenait aujourd'hui pourquoi. Une partie de son cœur était restée avec l'enfant qu'elle avait abandonné pour Dieu sait quelle raison.

Il méditait sur sa découverte quand il entendit des bruits de pas à l'extérieur. Il leva les yeux comme Griffin franchissait le seuil.

Il ne lui vint même pas à l'esprit de cacher le sac. Bien que Griffin fût un étranger, Micah se sentait à l'aise avec lui. Peut-être justement parce qu'il était étranger. Ou peut-être parce que Poppy lui faisait confiance. En tout cas, Micah avait besoin d'aide.

Griffin parla le premier.

— Vous connaissez un homme du nom de Aidan Greene ?

— Non.

Il tendit les enveloppes à Griffin.

— Elles étaient dans le sac à dos d'Heather. Elle les cachait depuis son installation ici.

Griffin examina d'abord les photos.

— Des parentes ?

— Probablement.

Puis il lut la lettre et examina les bracelets. Quand ses yeux revinrent sur Micah, ils brillaient.

— On dirait qu'on a touché le gros lot aujourd'hui, s'exclama-t-il avec enthousiasme.

Il raconta sa conversation avec Heather.

— Et en plus on peut appeler le cabinet d'avocats et l'hôpital. Ils ont sûrement conservé les dossiers. C'est un début.

Micah tenta de partager son enthousiasme, mais la peur l'en empêchait. Une porte venait de s'ouvrir sur le passé d'Heather et ce qu'elle cachait le terrifiait.

13.

Mardi matin, Griffin fut réveillé par le soleil qui se faufilait par la fenêtre. Il tirait rarement les rideaux avant de se coucher, ne craignant pas les voisins. L'intimité restait un besoin citadin. Sur Little Bear, il disposait de son coin de planète à lui. Il avait de la lumière – bien qu'il s'éclairât la plupart du temps à la bougie – et, étant devenu maître dans l'art d'entretenir le feu, de préparer des petits repas sommaires et de satisfaire ses besoins dans les bois, il s'était fait à cette vie rudimentaire. Il y découvrait même un certain plaisir. Son téléphone portable ne marchait pas, mais cela ne présentait pas que des inconvénients. Jusque-là, Griffin avait passé près de deux heures par jour pendu au téléphone avec des amis, des relations professionnelles ou ses frères. Une façon comme une autre de communiquer.

Ici le téléphone constituait un accessoire, pas une nécessité. Les gens se rencontraient pour parler et, si les habitants de Lake Henry restaient encore un peu méfiants à son égard, ils s'habituaient lentement à sa présence, ne s'étonnant plus de le croiser à la poste ou à l'épicerie. Ils le saluaient par son nom et n'interrompaient plus leurs conversations quand il approchait, ce qui était une remarquable concession.

D'ailleurs, ici il n'avait pas besoin du téléphone pour s'occuper. Il n'était jamais seul, même au petit déjeuner, qu'il prenait avec Poppy ou Billy Farraway. Le vieil homme avait à présent l'habitude de s'arrêter pour manger des œufs et des toasts ; devant sa silhouette maigre et efflanquée, Griffin lui préparait le petit déjeuner même s'il devait retrouver Poppy. Billy était un vestige de Lake Henry. Il ne parlait pas beaucoup, mais ce qu'il disait avait de l'intérêt.

Ce matin, le réveil affichait à peine sept heures quand il débarqua. Une autre particularité de l'endroit. Ici, Griffin se réveillait toujours tôt et naturellement. Évidemment, il ne sortait pas le soir – ce qui ne lui manquait pas. Il se sentait bien. L'ecchymose de son visage s'atténuait, ses muscles avaient regagné leur souplesse et il débordait d'énergie.

De sorte qu'il prit le chemin de la ville sitôt le vieil homme parti après l'avoir gratifié d'une de ses maximes. « Par ici, avait-il dit, faut lever la tête pour bien vivre. Surveiller le soleil, les corbeaux, la cime des arbres. Bon feuillage, bonne sève. Corbeaux bruyants, la sève va pas tarder à couler. »

Griffin s'arrêta à l'épicerie le temps de prendre un café et le pouls de la ville avant de mettre le cap sur la maison de Micah. Il arriva en même temps que ce dernier, qui venait de déposer les filles à l'école.

Griffin le rejoignit, son gobelet de café à la main.

— J'ai donné les informations à mon détective, annonça-t-il en lui emboîtant le pas. C'est un professionnel. Il rappellera dès qu'il aura appris quelque chose. Vous avez besoin d'aide ?

Micah lui lança un regard qui reflétait le sentiment général chez Charlie. La saison serait en avance cette année. Le soleil brillait depuis deux jours, la neige fondait en gouttant le long des avant-toits, la douceur de l'air surprenait et la nature semblait s'ébrouer après un long sommeil. Pour Micah, cela signifiait l'urgence. Il lui restait peu de temps pour installer ses tuyaux.

Il attrapa un bonnet et des gants et tendit à Griffin une paire de raquettes. Puis il en jeta une pour lui à l'arrière de son pick-up. À la cabane à sucre, ils chargèrent le camion avec des tuyaux et se dirigèrent vers la colline.

La première partie du chemin était dégagée. Ensuite,

Micah fit descendre la grille chasse-neige devant le camion pour dégager le passage et continua de rouler à une vitesse telle que Griffin fixait la route d'un air effaré. Le danger était de rentrer dans un arbre mais il savait que Micah ne ferait jamais ça. Au contraire, ils continuèrent leur progression vers le sommet de la colline, très haut au-dessus du lac.

— Les érables aiment les pentes raides, commenta Micah.

Mais, pour l'instant, Griffin se moquait bien de la préférence des érables.

— Comment savez-vous où se trouve le chemin? demanda-t-il.

— Je connais les arbres. Je sais de quel côté de la route ils sont plantés.

Pour Griffin, ils se ressemblaient tous.

— Comment?

— Ils sont ma vie. D'ailleurs, je sais où est la route. C'est moi qui l'ai tracée.

Il ralentit un peu et Griffin se décontracta nettement.

— Quand?

— Il y a une douzaine d'années. Progressivement, j'avais acheté toutes les terres autour jusqu'au jour où l'érablière a été trop étendue pour la traverser à pied. Avant, on utilisait un cheval.

— Un cheval? Il y a seulement douze ans?

— Et des seaux. Certains les utilisent encore. Vous avez une idée de ce que ça représente de porter des seaux remplis avec la sève de deux ou trois mille arbres?

Il se gara, tira le frein à main et descendit.

Griffin l'imita et fixa ses raquettes. Puis il chargea un paquet de tuyaux sur son épaule et suivit son compagnon.

Griffin avait déjà utilisé des raquettes au chalet de son grand-père, mais des vieilles en bois comme on en faisait dans le temps. Celles-ci étaient plus petites et en aluminium. Passé les premiers pas maladroits, il se mit à marcher avec une facilité qui l'étonna. Ne pas s'enfoncer jusqu'aux genoux rendait l'avancée nettement plus aisée.

— Vous voyez ce tube noir? questionna Micah.

Griffin hocha la tête. Large de deux centimètres et demi, le tuyau faisait le tour de la zone où ils se trouvaient.

— C'est le conduit principal, expliqua Micah. Il est plus large que les tubes que nous allons connecter et il reste là toute l'année. Évidemment, cela signifie qu'il faut bien l'entretenir, mais c'est plus facile que de le démonter à la fin de chaque saison.

Griffin pouvait comprendre pourquoi. Le tube était fixé grâce à un système de piquets en fer, de câbles et d'attaches en plastique, une tous les trente centimètres. Tous les trente centimètres ? Sur une telle surface ? Il ne pouvait imaginer le nombre d'attaches que cela représentait.

— Sitôt la saison terminée, reprit Micah, je recouvre les ouvertures avec du ruban adhésif. Sinon, les insectes se glissent à l'intérieur et s'y installent. Ces dernières semaines, j'ai inspecté chaque centimètre du tuyau. J'ai dû remplacer ou réparer certains endroits que les écureuils ou les cerfs avaient grignotés. Aujourd'hui, nous allons poser les tubes latéraux qui amènent la sève de l'arbre au conduit principal, qui lui se charge de la transporter jusqu'à la cabane à sucre, en bas de la colline.

Griffin ne s'étonna pas d'un aussi long discours de la part de Micah. De toute évidence, l'acériculture le passionnait.

Maintenant, silencieux à nouveau, il s'activait. Il fixa l'extrémité d'un tuyau autour de l'arbre le plus éloigné du conduit principal, qu'il étira jusqu'à l'arbre suivant, puis un autre, alternant les côtés, un arbre à gauche, un autre à droite, gauche, droite – tirant au maximum pour que les tuyaux restent bien droits.

De temps en temps, il indiquait à Griffin où tirer plus pour augmenter la tension, mais les mots furent bientôt inutiles. Griffin avait compris le principe et pris le rythme.

— PTD, c'est la règle, dit Micah au bout d'un moment. Dans le sens de la Pente, Tendu et bien Droit.

Ce qui se comprenait sans explication.

Mais Griffin se rendait compte que, malgré l'apparente simplicité du processus, l'installation des tubulures était un art que Micah maîtrisait à la perfection. Il savait à quelle hauteur poser le tuyau, à quelle tension le tirer, comment éliminer la moindre mollesse. Il savait comment connecter le tuyau au conduit principal avec de petites fixations qu'il sortait d'un sac accroché à sa ceinture. Surtout, il semblait avoir une carte mentale de toute l'érablière, de sorte que d'un seul coup d'œil à la petite étiquette en métal attachée à chaque paquet de tuyaux, il savait à quels arbres les tuyaux étaient destinés.

Griffin remarqua soudain que Micah ignorait certains arbres.

— Vous sautez ces arbres ? demanda-t-il, étonné.

— Ils sont trop petits. Ils ne seront pas prêts à donner de la sève avant un ou deux ans. À ce moment-là, les plus gros seront secs.

Il parlait en indiquant d'un coup de tête les arbres en question, mais ses mains ne cessaient de s'activer, enroulant, tirant, attachant, fixant. Il procédait par groupe de quatre arbres qu'il reliait ensemble avant de les connecter au conduit principal. Puis il se déplaçait vers le groupe suivant et ainsi de suite.

Le camion était pratiquement vide quand la sonnerie d'un téléphone résonna. Griffin plongea la main dans sa poche, espérant des nouvelles de Ralph, mais c'était l'appareil de Micah qui sonnait.

— Ouais ? grogna-t-il. Rien... non... vingt minutes.

Il laissa retomber le téléphone dans sa poche.

— Poppy a préparé le déjeuner à la maison.

Le cœur de Griffin bondit. Un plaisir qu'il éprouva pendant qu'ils terminaient leur tâche, puis pendant le repas. Il lui suffisait de poser les yeux sur Poppy pour se sentir heureux. Ses yeux bruns et pétillants, ses joues rosies, ses cheveux ébouriffés, tout lui plaisait chez elle. Elle avait le sourire et insista pour que Griffin finisse son sandwich au thon, assurant qu'elle ne pouvait plus avaler une seule miette. Elle répéta à Micah qu'Aidan Greene les aiderait sûrement à tirer Heather d'affaire et, quand l'école téléphona pour prévenir que Star était malade, elle réagit aussitôt.

— J'y vais, lança-t-elle en attrapant sa veste.

Puis elle s'arrêta.

Micah se tenait debout près du téléphone qu'il venait de reposer, les sourcils froncés et les yeux fixés sur le sol. Elle s'approcha de lui.

— Nous n'avons pas parlé de cette question de bébé, dit-elle doucement. Comment le prends-tu ?

— Mal. Elle aurait dû m'en parler.

Poppy hocha la tête. Mais elle comprenait Heather.

— Cela faisait partie de son passé, un passé qui concernait un autre homme. Elle n'a peut-être pas jugé utile de mettre ça sur le tapis.

— Je savais qu'elle avait connu d'autres hommes avant moi, répliqua-t-il. Et elle n'était amoureuse de personne en arrivant ici. Je le sentais. Alors pourquoi ne pas me parler de cet enfant ?

— Peut-être parce qu'il était associé à l'autre homme.

— Un bébé est un bébé. Si elle avait été enceinte quand nous avons commencé à nous voir, j'aurais pris l'enfant. L'homme n'avait pas d'importance s'il ne comptait plus pour elle.

— Mais c'était son passé, insista Poppy. Un passé qu'elle souhaitait oublier. Pourquoi aurait-elle dû t'en parler ?

— Parce qu'elle m'aimait. Du moins, c'est ce qu'elle racontait. On ne cache pas une chose pareille à l'homme qu'on aime. Avoir un enfant est un acte majeur pour une femme. Pourquoi n'a-t-elle jamais évoqué ce sujet ?

— Peut-être parce qu'elle ne pouvait pas.

— J'ai du mal à le croire.

— Tu l'as dit toi-même. Avoir un enfant est un acte important pour une femme et l'abandonner doit représenter un terrible déchirement. Imagine toutes les émotions reliées à cette séparation.

Micah grogna.

— Ouais, eh bien, je commence à être fatigué d'imaginer. J'ai des sentiments moi aussi. Et j'ai deux petites filles à qui je ne sais plus quoi raconter. Chaque jour, j'en apprends un peu plus et je me rends compte que je vivais à côté d'une étrangère.

Poppy ressentait la même chose. Toute cette histoire était si déconcertante qu'elle ne savait plus comment réagir. Elle ne comprenait pas non plus pourquoi elle éprouvait de la culpabilité pour Heather, mais cela expliquait sans doute son besoin de la défendre.

— En ce qui concerne le bébé, je suis certaine qu'elle ne voulait pas te blesser.

— Elle aurait pu dire qu'après avoir abandonné un enfant elle ne pouvait se résoudre à en avoir un autre. Je n'aurais pas été d'accord, mais c'était mieux que de garder le silence. Et toi... Tu étais son amie, Poppy. De femme à femme, elle aurait pu te raconter. Cela ne te gêne pas toutes ces cachotteries ?

— Si, bien sûr, mais je ne connais pas les circonstances entourant la naissance du bébé.

— Parce qu'elle refuse d'en parler.

— Peut-être qu'il faut l'aider. Qu'il faut dire les mots pour elle, briser la glace. Qu'elle sache qu'on ne lui en veut pas.

Micah s'avança vers la table et commença à débarrasser.

— Je ne suis pas certain de ne pas lui en vouloir, reconnut-il d'une voix plus calme.

— Tu ne peux pas lui pardonner ?

Micah était un brave homme, honnête, décent et loyal. Poppy avait besoin de le croire capable de pardon. Mais Star attendait.

— Pouvons-nous reprendre cette conversation plus tard ? demanda-t-elle.

Il jeta les restes dans la poubelle, se redressa et finalement hocha la tête.

Elle posa la main sur son bras, fit tourner son fauteuil et se dirigea vers la porte.

Griffin la suivit jusqu'au Blazer. Il ne fit pas allusion à leur discussion. Mais, juste avant qu'elle grimpe sur le plateau mobile qui hissait le fauteuil dans la voiture, il attrapa sa tête, la pencha en arrière et l'embrassa sur le front.

— Tu es une gentille fille, dit-il.

Elle ne répondit pas, incapable d'articuler un mot tant sa gorge était serrée.

Star n'était pas vraiment malade, seulement fatiguée, et elle retrouva tout son allant dès que Poppy l'eut installée dans la voiture afin de l'emmener chez elle voir Victoria. Laissant les téléphones sous la surveillance d'Annie, Poppy, Star et Victoria s'installèrent sur le lit en face de la télévision.

Seule la chatte intéressait Star.

— Elle dort avec toi ? s'enquit-elle.

— Oui. Toutes les nuits. Je crois qu'elle aime la couette. Tu vois comme elle se love dedans ?

— Si ses yeux sont toujours fermés, comment tu sais qu'elle dort ?

— À sa façon de poser la tête sur ses pattes comme en ce moment. Là, je crois qu'elle fait la sieste.

— Ses oreilles bougent.

— Elle nous écoute parler.

— Chut, murmura Star en caressant très doucement la tête du chat.

Elle gloussa quand la chatte enfouit son museau dans sa main. Un peu plus tard, Victoria se leva.

— La sieste est finie, chantonna la fillette qui ouvrit de grands yeux quand la chatte disparut à sa vue.

Elle se précipita à quatre pattes sur la couette jusqu'au pied du lit et regarda.

— Elle va bien, dit Poppy. Elle veut s'approcher de la télévision.

Effectivement, Victoria s'approcha de la table, se dressa sur ses pattes arrière, puis sauta. Et rata son coup. Elle recommença une deuxième fois, mais échoua encore. Enfin, la troisième fois fut la bonne et elle réussit à sauter à côté du poste qu'elle entreprit d'explorer avec ses moustaches.

Star retourna se lover contre Poppy.

— Elle sait qu'elle est aveugle ? murmura-t-elle.

— Pas comme nous, chuchota Poppy en retour. Elle n'en a pas conscience.

— Alors elle n'est pas malheureuse ?

— Non, pourquoi veux-tu qu'elle soit malheureuse? Elle peut faire tout ce qu'elle veut.

— Elle ne peut pas voir les oiseaux.

— Mais elle peut les entendre, mieux que nous probablement. Je l'ai vue hier, à la fenêtre. Elle écoutait le vieux corbeau dehors.

— Papa aussi il écoute les corbeaux. C'est comme ça qu'il sait quand la sève va couler. Poppy, est-ce qu'elle a des yeux ? Je veux dire de vrais yeux derrière ses paupières ?

— Je crois que oui, assura Poppy qui en doutait pourtant.

Elle pensait que les paupières de Victoria avaient été cousues justement pour cacher ses orbites vides, mais elle préféra n'en rien révéler de peur d'attrister la fillette.

— Si ses paupières sont toujours fermées, alors elle est tout le temps dans le noir. Moi, j'aurais peur. Je n'aime pas l'obscurité.

Soudain, la chatte sauta sur le poste de télévision et Star poussa un petit cri aigu d'excitation.

— Regarde, elle est montée sur la télévision. Elle n'a pas peur du tout.

— Les chats sont curieux, trop curieux pour avoir peur.

La fillette reposa sa tête sur l'épaule de Poppy et la regarda.

— Maman dit que je ne dois pas avoir peur, mais je ne peux pas m'en empêcher parfois, avoua-t-elle d'une petite voix grave.

— De quoi as-tu peur ?

— Du noir.

— Quoi d'autre ?

— Que papa parte. Que Missy m'enferme dans la salle de bains et que personne ne sache que je suis là. Si j'étais un chat, je pourrais grimper sur la fenêtre et sauter dehors. Ensuite, je ferais le tour de la maison pour revenir par la porte et faire peur à Missy. J'aimerais bien être un chat.

Poppy la serra contre elle et la garda là un long moment, savourant ce moment de douceur. L'enfant était toute chaude et ne demandait rien d'autre que de rester dans ses bras. Pour l'instant, elle semblait parfaitement heureuse et cela seul comptait. Poppy avait besoin de savoir qu'elle pouvait faire de bonnes choses de temps en temps. Et puis, en s'occupant de Star, elle ne pensait plus à Griffin ou à Perry ou même à Heather et au bébé qu'elle avait abandonné. Surtout ça.

Si les choses avaient été différentes, Poppy aurait aimé avoir un bébé. Elle pouvait bien se l'avouer. Oui, cela aurait été bien, si les choses avaient été différentes.

Si les choses avaient été différentes, Poppy aurait peut-être invité Griffin à manger. Missy et Star avaient regagné leur maison pour manger le ragoût préparé par Maida pour Micah. Et Griffin qui avait travaillé toute la journée avec Micah aurait mérité une bonne douche suivie d'un bon repas.

Mais mardi soir était consacré aux copines, ce qui signifiait que Marianne, Sigrid et Cassie n'allaient pas tarder à arriver. Pour une fois, Poppy aurait presque souhaité que ce ne fût pas le cas. Elles allaient certainement parler d'Heather, rabâcher les mêmes interrogations, en inventer de nouvelles, tourner en rond. Elle en venait presque à souhaiter passer la soirée avec Griffin.

Pour se rattraper, elle l'invita à dîner le lendemain soir. Mais, le moment venu, elle regretta son impulsion. Elle s'était douchée, avait enfilé une chemise en soie, un jean noir et des bottes, avait coiffé ses cheveux et maquillé ses yeux – des tas de choses qu'une fille ne faisait normalement qu'en cas de rendez-vous galant. Mais le romantisme n'était pas à l'ordre du jour.

Il s'agissait seulement de remercier Griffin pour le coup de main qu'il donnait à Micah. De toute façon, il s'arrêtait tous les jours pour se doucher, qu'il ait ou non des nouvelles d'Heather. En outre, il avait bien le droit de voir son chat, même si elle n'avait aucune intention de le lui rendre.

Et puis, elle l'aimait bien.

Elle mit donc la table pour deux dans la cuisine avec des sets rouges et de jolis dessous de verre, cadeaux de Sigrid. Elle venait de jeter un coup d'œil dans le four où mijotait un poulet quand il sortit de la douche, encore légèrement humide et fleurant bon. Il retira de la poche de sa veste une bouteille d'un très bon vin qu'il entreprit aussitôt de déboucher.

— Nous avons quelque chose à arroser, annonça-t-il en remplissant deux verres. Aidan Greene a été retrouvé.

Poppy écarquilla les yeux. Des dizaines de questions lui venaient aux lèvres, mais elle n'osait les poser, redoutant les réponses.

— Oh, mon Dieu, se contenta-t-elle de dire.

Griffin sourit en lui tendant son verre.

— Micah affichait exactement la même expression, fit-il. Comme si retrouver Aidan Greene représentait à la fois une bonne et une terrible nouvelle.

— Aidan Greene est-il quelqu'un que nous avons envie de connaître ? demanda-t-elle prudemment.

— À mon avis, oui. Il était le meilleur ami de Rob DiCenza.

Le cœur de Poppy se serra. Dans ce cas, il prendrait certainement le parti de Rob.

— Il ne nous aidera pas.

— Il ne l'aurait pas fait au moment de l'accident, reconnut Griffin en ouvrant le four. C'est toi qui as préparé ça ?

— Non, ma mère. Je l'ai juste mis dans le four.

— Ça sent merveilleusement bon. À l'époque, Aidan avait déclaré se trouver dans les toilettes pendant les faits et n'avoir rien vu. Plus tard, quand la police l'avait interrogé sur la relation entre Rob et Lisa, il avait raconté la même chose que les autres. Mais, moins d'un an plus tard, il disparaissait dans la nature.

— Disparaissait ? Comme s'il avait quelque chose à voir avec le bébé d'Heather ?

L'enfant restait en première place dans son esprit.

— Il a quitté Sacramento. Il avait un excellent travail

à la Fondation DiCenza, mais il a a démissionné et quitté la ville sans plus donner de nouvelles à personne. Nous avons eu du mal à le retrouver. Les uns le croyaient à tel endroit, les autres ailleurs, mais en fait, personne n'en savait vraiment rien.

— Où était-il alors ?

— Minneapolis. Il travaille comme éducateur. Il a une femme et deux enfants, mène une vie paisible et tranquille qui lui permet de garder un certain anonymat. Ralph l'a repéré grâce à un de ses cousins qui l'avait croisé par hasard dans un aéroport.

Poppy but un peu de vin avant de poser la question qui lui brûlait les lèvres.

— Qu'a-t-il dit ?

— Rien. Ralph ne l'a pas encore contacté. Il a pensé que je voudrais peut-être le faire moi-même, mais je ne peux pas bouger pour l'instant, pas avant un jour ou deux, quand on aura fini d'installer les tuyaux. Donc, il l'appellera demain.

Poppy restait prudente.

— Qu'est-ce qui te fait penser qu'il va donner une autre version aujourd'hui ?

Sans répondre, Griffin ouvrit le four, enfila un gant et retira le plat.

— C'est cuit, déclara-t-il.

Ôtant le gant, il attrapa des couverts et entreprit de remplir chaque assiette avec la moitié du poulet, des petites pommes de terre grillées et des légumes.

— Nous pensons qu'il racontera une histoire différente parce que quinze ans ont passé et qu'il a complètement changé de vie. Avant, il avait un bon job, beaucoup d'amis et une ligne directe avec les DiCenza. Aujourd'hui, il n'a plus rien et il vit dans un complet anonymat. Les gens ne changent pas ainsi de vie sans une bonne raison.

— Il était peut-être fatigué de la Californie.

— Peut-être, mais peut-être aussi qu'il ne supportait plus les règles imposées par les DiCenza. Peut-être qu'il n'aimait pas qu'on lui dise de se taire.

— Dans ce cas, pourquoi n'est-il pas allé à la police ?

Il lit sûrement les journaux. Il doit savoir qu'Heather a été arrêtée.

Griffin posa une assiette sur chaque set.

— Peut-être a-t-il besoin qu'on le pousse un peu. Ralph essaiera. Si ça ne marche pas, j'irai à mon tour.

Il lui fit signe de s'asseoir.

— Désolé de me montrer aussi impatient, mais mon corps réclame son dû. Je suis littéralement affamé et nous n'attendrons pas une minute de plus. Puis-je avancer votre chaise, madame ?

Poppy ne put retenir un sourire.

Elle souriait encore plus tard dans la soirée. Le repas terminé, ils s'étaient installés sur le canapé près de la cheminée. Poppy avait quitté son fauteuil et pouvait presque s'imaginer normale de nouveau. La voix d'Harry Connick Jr les enveloppait de sa douce mélodie. Griffin, également vautré sur le canapé, se trouvait à portée de main, mais sans la toucher.

Poppy étudia son profil, qui lui semblait étrangement familier, à tel point qu'elle avait l'impression d'être ridiculement proche de lui, ridiculement heureuse.

— Je ne devrais pas me sentir aussi détendue, dit-elle. Pas avec tous ces événements.

Griffin tourna la tête pour la regarder. Ses cheveux avaient un reflet roux plus foncé et ses yeux brillaient, bleu sombre dans la lumière tamisée.

— On dirait que tu culpabilises.

— C'est le cas.

— Ce qu'Heather a fait ou non n'est pas ta faute.

— Je sais. Mais ça ne fait rien. Elle est mon amie.

Comme Griffin restait silencieux, elle tourna la tête et regarda le feu. Une seconde plus tard, il s'emparait de sa main. Il se contenta de glisser ses doigts entre les siens. Poppy ne la retira pas.

— Tu veux un bonbon ? demanda-t-il en glissant son autre main dans sa poche.

— Non, merci. Je ne peux plus rien avaler.

— Parle-moi de l'accident.

Poppy sursauta. Mais le visage de Griffin exprimait une telle douceur, une telle compréhension qu'elle eut le sentiment de pouvoir tout lui avouer sans perdre son affection.

— C'était il y a longtemps, dit-elle avec un sourire triste.

— Raconte-moi quand même.

— Que sais-tu exactement ?

Il sourit si gentiment que Poppy se sentit fondre.

— Je ne vais pas m'excuser. Je suis comme ça. Après t'avoir rencontrée, à l'automne, je voulais savoir ce qui s'était passé.

— Que sais-tu exactement ? répéta Poppy.

— Il y avait une fête, au mois de décembre, autour d'un grand feu dans une clairière sur la colline. Tout le monde s'était rendu sur place en motoneige et l'alcool circulait. Toi et Perry, vous êtes partis. La motoneige a pris un virage trop sec et heurté un rocher. Vous avez été éjectés tous les deux. Perry a été tué. Tu as survécu.

Les yeux fixés sur le feu, Poppy revivait la scène.

— Je ne voulais pas d'abord. Je ne voulais pas vivre.

— À cause de Perry ?

— Oui. Et à cause de mes jambes. Il aurait pourtant été si facile d'éviter tout ça. Un peu plus à droite ou à gauche et nous serions entiers tous les deux.

— Tu es entière.

Elle ne répondit pas.

Il attira sa main sur sa poitrine.

— Vous étiez amoureux, Perry et toi ?

— Je ne crois pas. Nous étions amants, mais ça n'aurait pas duré. Nous étions trop différents. En fait, non, reprit-elle après un instant de réflexion. Nous étions trop semblables. C'était ça le problème. Nous étions aussi sauvages l'un que l'autre, aussi rebelles. Je pense que pour une bonne relation l'un des deux doit tempérer l'autre. Il faut que les deux se complètent, le yin et le yang ou quelque chose comme ça.

— Tu penses souvent à lui ?

— J'essaie de ne pas le faire.

— Ça ne répond pas à ma question.

— Je pense beaucoup plus à lui depuis que tu es là, avoua-t-elle en le regardant.

— Pourquoi ?

— Tu le sais bien, fit-elle avec un petit sourire forcé.

— Je n'en suis pas sûr. J'aimerais croire que c'est parce que je suis le premier homme que tu laisses approcher depuis l'accident.

Elle ne réagit pas.

— Alors, Poppy, qu'en est-il ? Je suis là, mourant d'envie de t'embrasser et n'osant pas parce que j'ignore si tu vas me rendre mon baiser ou m'envoyer balader.

Elle ne l'enverrait pas balader, décida-t-elle. L'idée de lui rendre son baiser la tentait assez. Une conclusion naturelle après une si bonne soirée. La prolongation du rêve.

— Dis quelque chose, murmura-t-il.

Elle ne savait pas quoi dire.

— Comme tu l'as suggéré à Micah, reprit-il, il faut parfois prononcer les mots que l'autre ne parvient pas à exprimer. Je dirais que tu m'aimes bien, que tu m'aimes plus que tous les autres hommes que tu as connus, mais que tu estimes ne pas avoir droit à certains sentiments. Une sorte de punition en quelque sorte. À cause de Perry.

— Je suis vivante et il est mort, reconnut-elle.

— Et tu dois être punie pour ça ? Combien de temps cette punition va-t-elle durer ?

Poppy ne répondit pas.

— Je me trompe ? demanda Griffin, hésitant.

Elle attira leurs deux mains enlacées et les examina. Les doigts de Griffin, plus masculins, s'emboîtaient parfaitement entre les siens.

— Tu ne te trompes pas complètement. Il est possible que je cherche à me punir.

— C'était un accident.

— Qui aurait pu être évité. Si nous avions roulé plus lentement, si nous avions moins bu, s'il n'avait pas été si tard et si nous n'avions pas été aussi fatigués. Nous nous croyions immortels.

— Comme tous les jeunes de cet âge. Mais tu as su

reconstruire ta vie, te rendre utile. Simplement, tu refuses de dépasser un certain seuil.

— Quel seuil ?

— Le seuil du plaisir, du bonheur. Skier, faire de la motoneige, avoir un mari et des enfants.

— Ma sœur Rose estime que je ne suis pas faite pour être mère.

— Ta sœur Rose est une conne.

— Griffin, j'ai des limites. Le fait est que je ne remarcherai jamais...

— Peut-être pas comme moi.

— ... et que je ne danserai plus. Si je parvenais à oublier le sentiment de culpabilité lié à la mort de Perry et que je me lance dans une relation avec un homme, je m'en voudrais parce que je ne ferais que le freiner.

— Ce sont des bêtises, Poppy.

Griffin se leva brusquement et changea le CD. Quand il revint vers le canapé, les premières mesures de *In this life* de Collin Raye emplissaient la pièce.

Il s'inclina devant elle.

— Je veux te montrer que tu peux danser, mais tu dois me faire confiance.

Poppy lui faisait entièrement confiance, mais elle avait peur. Avant qu'elle puisse dire quoi que ce soit, il la prit dans ses bras et la souleva.

— Passe tes bras autour de mon cou, ordonna-t-il.

Puis, la tenant serrée contre lui, il commença à bouger au rythme de la musique, se déplaçant dans la pièce.

— Détends-toi, dit-il doucement.

Et Poppy se laissa aller. Elle aimait la musique, le rythme et la façon dont Griffin la tenait. Et elle adorait danser. L'accident n'avait rien changé à ce sujet et souvent elle suivait la musique avec le haut de son corps. Mais elle n'avait plus jamais dansé dans les bras d'un homme.

Au bout d'un moment, le miracle se produisit. Elle s'abandonna vraiment. Le haut de son corps se détendit et elle resserra ses bras autour du cou de Griffin, plus par envie que par besoin. Posant la joue contre son épaule, elle accompagna son mouvement. Leurs corps bougeaient en parfaite harmonie.

— Encore, réclama-t-elle quand la musique s'arrêta. Griffin s'approcha de la chaîne et elle poussa elle-même le bouton. Cette fois, elle fut sensible à la musique dès la première note. À la fin, elle releva la tête, rencontra son regard et sourit, heureuse.

Il embrassa ce sourire et lui coupa le souffle en même temps que la peur qui la paralysait. Quand il recula, la tête de Poppy tournait.

— Ne t'arrête pas, murmura-t-elle en glissant les mains dans ses cheveux.

Elle lui rendit son baiser qui se prolongea jusqu'à ce que les bras de Griffin commencent à crier grâce. Il la reposa alors sur le canapé sans cesser de l'embrasser et elle ne protesta pas quand sa bouche s'aventura dans son cou et que sa main se referma sur son sein. Le gémissement qui lui échappa n'avait rien d'une protestation.

— Tu le sens ? demanda-t-il.

— Oh oui.

— Tu aimes ?

— Beaucoup.

Pour la première fois depuis douze ans, elle se sentait vraiment vivante. Une sensation merveilleuse et si forte qu'elle en resta stupéfaite. Peut-être avait-elle oublié. Ou peut-être que sa poitrine était devenue plus sensible pour compenser l'engourdissement du bas de son corps. Encore que, pour l'instant, le bas de son corps ne lui semblait pas du tout engourdi. Ce n'était pas exactement comme dans ses souvenirs, mais elle éprouvait vraiment l'impression d'être de nouveau entière.

Elle voulait que cela dure encore et encore quand Griffin se redressa soudain, les joues rouges, le front moite, ses yeux bleus plus foncés que jamais.

Poppy se mit à rire.

— Il n'y a pas de quoi rire, protesta-t-il.

— Je suis désolée, dit-elle en caressant sa joue sur laquelle l'hématome s'effaçait lentement. Tu m'avais avertie en octobre que tes yeux devenaient bleu marine pendant le sexe. Je veux dire, ce n'est pas exactement du sexe, mais ils sont quand même bleu marine.

— Pourquoi est-ce que ce n'est pas du sexe ?

— Parce que... tu sais... (Elle fit un signe de main entre leurs deux corps...) Eh bien, ce n'est pas... tu sais... tout le truc.

Griffin inspira un grand coup.

— Ce n'est pas faute d'envie de ma part, déclara-t-il.

— Je ne peux pas le sentir, fit-elle remarquer doucement.

Il attrapa sa main et le lui aurait montré si elle ne l'avait retirée. Elle redoutait de sentir son désir disparaître.

— Alors tu vas devoir me croire sur parole, Poppy, dit-il d'une voix terriblement douce et sensuelle. Si tu ne veux pas le faire maintenant, je ne t'en voudrai pas. Je ne veux pas te forcer. C'est trop important.

Les larmes lui montèrent aux yeux.

— Ça va ? demanda-t-il.

Elle hocha la tête, incapable de parler.

— Mais évidemment, il y aura un prix à payer, ajouta-t-il avec un sourire malicieux. Je suis au courant pour les soirées du jeudi dans l'arrière-boutique de Charlie. Je veux y aller. Avec toi.

14.

Les soirées dans l'arrière-boutique de l'épicerie demeuraient une tradition bien établie remontant au temps du grand-père de Charlie. Ce jeudi-là, ils donnaient sa chance à un jeune garçon de North Woods qui jouait de la guitare acoustique. Viendrait ensuite un quatuor à cordes de quinquagénaires qui interpréterait des morceaux des Beatles.

Poppy adorait les Beatles et Griffin aussi, ce qui lui fournit une bonne excuse pour justifier sa présence à ses côtés.

— C'est un fan des Beatles, expliqua-t-elle à tous ceux qu'elle croisa en arrivant. Et il a aidé Micah toute la semaine. Alors je me suis dit qu'on lui devait bien ça.

Mais les vieilles habitudes ont la vie dure. En l'amenant avec elle chez Charlie, Poppy lui donnait en quelque sorte sa bénédiction. Il n'en restait pas moins que Griffin n'était en ville que depuis huit jours – une constatation qui la sidéra vu l'évolution de ses sentiments à son égard – et que, même s'il avait réussi l'épreuve de Little Bear, il demeurait avant tout un étranger.

Cela dit, il se comportait parfaitement. Si son naturel curieux le démangeait, il parvenait à ne pas poser de questions et restait à côté de Poppy, détendu et aimable, la laissant faire les présentations et discuter avec ses amis. Au bout d'un moment, elle le fit participer à la conversation, qui obliqua naturellement vers le sirop d'érable. En l'absence de Micah, Griffin répondait aux questions sur l'évolution de la situation, l'installation des tubulures et le nettoyage du matériel. Il mentionna que Micah aurait besoin d'aide, espérant comme Poppy que les volontaires allaient se manifester. Mais seuls quelques hochements de tête de sympathie accueillirent cette déclaration. Micah avait froissé trop de gens en ville.

Puis le jeune musicien de North Woods monta sur l'estrade et commença à jouer. Son répertoire était encore limité et en quinze minutes il avait terminé. Les conversations reprirent alors. Griffin, parfaitement à l'aise comme Poppy le constata, trouvait toujours de quoi parler avec ceux qui l'approchaient.

Poppy par contre faisait l'objet de nombreuses spéculations.

— Tu ne m'avais pas dit que tu venais avec lui, lui reprocha Cassie dans un murmure.

— Je l'ignorais. Ça s'est décidé à la dernière minute. Il aime bien les Beatles.

— Ouais, ouais, ouais, bien sûr. Mais je suis contente qu'il soit venu. Heather est dans tous les esprits et je redoutais que la conversation ne tourne uniquement autour d'elle. Je me sens dans mes petits souliers.

— Tu fais de ton mieux.

— Oui, mais ce mieux ne suffit pas. Griffin leur change les idées.

— Ce n'est pas mon petit ami.

— En tout cas, tu es très belle, ce soir, remarqua Cassie avec un sourire entendu. J'aime bien ta coiffure. Tes cheveux sont plus longs ?

— De deux jours, depuis la dernière fois que nous nous sommes croisées, rétorqua Poppy avec un regard éloquent.

Elle eut plus de mal à échapper à Annette qui approcha une chaise à côté d'elle aussitôt que Griffin commença à discuter avec Charlie.

— Il est adorable, Poppy. Charlie voulait garder ses distances, mais, tu vois, il n'y parvient pas. Il y a quelque chose chez Griffin qui lui plaît. Je suis contente qu'il soit là et il en pince pour toi.

Poppy protesta tout en sachant que ça ne servirait à rien.

— Il n'en pince pas pour moi, rectifia-t-elle néanmoins. Et même si c'était le cas, je ne suis pas intéressée.

— En tout cas, il s'accroche. Tu l'avais découragé en octobre, mais le voilà de retour, prêt au combat. Un garçon aussi beau ne doit pas manquer de filles qui tournent autour de lui.

— En effet. Et capables de le satisfaire comme je ne le pourrai jamais.

Les mots défiaient Annette d'aborder le thème de la sexualité d'une paraplégique, ce qui, pour quelqu'un d'aussi vieux jeu dans ce domaine, ne risquait pas d'arriver.

Lily, avec son caractère franc et direct, ne s'embarrassa pas de telles considérations et attaqua sans perdre de temps dès que Griffin eut le dos tourné.

— Tu as mis du mascara. Qu'est-ce que ça signifie? demanda-t-elle.

Poppy ne put s'empêcher de rire.

— Maman m'a dit la même chose quand j'ai eu seize ans, exactement les mêmes mots.

— À l'époque, tu jouais à la grande fille. À quoi joues-tu aujourd'hui?

— Eh, regarde-toi, rétorqua Poppy. Tu as également mis du mascara et du rouge à lèvres et même du blush sur les joues.

— Pas de blush, rectifia Lily bien que Poppy eût juré le contraire.

Lily avait toujours été la beauté de la famille, mais ce soir, elle resplendissait littéralement.

— Mascara et rouge à lèvres seulement. Et j'en ai mis pour plaire à John. Et toi, quelle est ton excuse?

— La survie. J'ai besoin de me stimuler. J'ai passé la semaine à m'inquiéter pour Heather. Mais si tu t'imagines que j'ai fait ça pour Griffin, laisse tomber. C'est juste un ami.

— Dommage. Je l'aime bien.

— Moi aussi. On appelle ça de l'amitié.

— Désolée que ce ne soit rien de plus. Avec un si beau

garçon, des tas d'idées indécentes devraient te traverser l'esprit.

Ce qui était le cas, bien que Poppy n'ait aucune intention de l'avouer. Elle ignorait si cette relation avait le moindre avenir ou même si elle le souhaitait vraiment. À seize ou dix-huit ans, elle avait vécu dans l'instant présent. Aujourd'hui, à trente-deux ans, comme toutes les femmes de son âge, elle avait du mal à croire que son prince charmant était arrivé. Sauf qu'elle ne ressemblait pas aux autres femmes de son âge. Elle souffrait d'un handicap majeur qui compliquait grandement la situation.

— Les amis n'ont pas d'idées indécentes, Lily, fit-elle remarquer.

— En tout cas, il serait parfait pour toi.

— Non. Il fait partie de l'Ivy League et il est riche.

— Oh, Poppy, nous aussi.

— Pas comme lui. Il vient de la ville. Il fait partie du grand monde. Tu m'imagines en train de jouer les parfaites maîtresses de maison dans notre merveilleux hôtel particulier situé dans le quartier le plus huppé de Philadelphie ?

— Griffin n'habite pas à Philadelphie.

— Le New Jersey n'est pas loin et tu comprends totalement ce que je veux dire. Le fait est que je suis parfaite pour moi. Je savais que les gens se feraient des idées si je venais avec lui. Pourquoi êtes-vous tous persuadés que j'ai besoin de quelqu'un ? Je ne me débrouille donc pas bien toute seule ?

— Si, très bien, répondit Lily qui savait ce que vivre avec un handicap pouvait signifier.

Son bégaiement avait disparu, mais il restait quand même latent. De plus, elle n'avait jamais oublié les années difficiles de sa jeunesse ni le sentiment d'insécurité qui les avait accompagnées. Pas ce soir pourtant, autant que Poppy pût en juger.

— Je l'ai observé depuis votre arrivée, reprit Lily, imperturbable. On pourrait croire qu'il est complètement absorbé par la conversation, mais en fait, ses yeux te cherchent sans arrêt comme si tu étais son... port d'attache. Il veut rester près de toi, Poppy.

— Évidemment. C'est grâce à moi qu'il est ici. Je le protège.

Lily secoua la tête, peu convaincue.

— Ce n'est pas l'impression que j'ai.

— Eh bien, c'est la mienne, répliqua Poppy qui commençait à s'énerver. Il y a une raison particulière pour que tout le monde me harcèle ce soir ?

— Je ne peux pas parler pour les autres, répondit Lily en souriant.

— Alors, parle pour toi. Raconte-moi quelque chose qui n'ait rien à voir avec Griffin.

— Je suis enceinte.

Poppy en resta coite, les yeux grands ouverts. Bizarrement, Lily l'imita comme si elle ne parvenait pas à croire ce qu'elle venait de dire.

— Ferme la bouche, s'exclama Poppy en riant et en l'attirant dans ses bras. Quelle bonne nouvelle !

— Personne n'est au courant, à part John. Cela fait à peine six semaines. En fait, je ne comptais pas t'en parler tout de suite.

— Je suis si contente pour toi.

— Vraiment ? Je n'en étais pas sûre.

— Pourquoi ? Parce que je ne peux pas avoir d'enfant moi-même ? Je pourrais, Lily. J'ai seulement décidé de ne pas en avoir.

— Bon, d'accord. Mais il m'est arrivé tant de bonnes choses au cours de ces derniers mois que parfois je me sens un peu coupable.

— Oh, Lily, tu le mérites. Tu as suffisamment souffert. C'est ton tour maintenant.

— Et toi ? Quand viendra le tien ?

— Excusez-moi.

Griffin se retourna. Il se trouvait à l'angle de l'épicerie, silencieuse en contraste avec l'arrière-boutique. Il était sorti pour téléphoner et organiser son vol. Aidan Greene refusait de parler et Griffin avait décidé de tenter sa chance.

Une femme venait de sortir de l'ombre de la rue et il lui tendit la main en souriant.

— Bonjour, je suis Griffin. Et vous, vous êtes Camille.

Camille Savidge était une belle femme d'une cinquantaine d'années avec des yeux marron foncé, la peau claire, fraîche et lisse et des cheveux gris qui auraient pu la faire paraître plus vieille s'ils n'avaient été aussi épais et brillants. Vêtue simplement d'un pantalon, d'un chemisier et d'un châle, le tout de couleurs pastel, elle dégageait une élégance naturelle par sa façon de se tenir, de parler d'une voix douce et mesurée et par sa discrétion. À la fois comptable et experte dans l'usage des ordinateurs, elle s'occupait des affaires de la moitié de la ville.

Ce soir, elle lui adressait la parole pour la première fois.

— Vous avez une minute ? s'enquit-elle.

— Bien sûr.

— C'est au sujet d'Heather. Je sais que Cassie lui consacre beaucoup de temps sans lui facturer quoi que ce soit et que vous-même agissez gratuitement, mais Micah est financièrement limité en ce moment. J'ai un peu d'argent de côté. Si vous avez besoin de quelque chose, n'hésitez pas à me le faire savoir.

Griffin ne comptait pas accepter son offre, mais en fut néanmoins touché.

— C'est très généreux de votre part, déclara-t-il.

— J'ai toujours bien aimé Heather.

— Vous faites déjà beaucoup pour Micah. Il m'a dit que vous deviez travailler chez lui ce soir.

— En effet. Nous avons fait l'inventaire et trié les factures, mais son esprit s'évade.

— Oui, je m'en suis rendu compte. Pas dans l'érablière – là, seul son travail compte. Mais quand nous faisons une pause pour déjeuner ou boire un café, il devient pensif. Il s'inquiète pour Heather.

— Et il est fatigué. Je crois qu'il ne dort pas. Heather a-t-elle une chance de s'en sortir ? demanda-t-elle après une hésitation.

— J'en saurai plus dans quelques jours. Je pars demain matin pour rencontrer quelqu'un susceptible d'avoir des informations.

Camille parut sur le point de poser une question, mais après quelques secondes elle serra les lèvres et hocha la tête.

Évidemment, son intérêt avait éveillé la curiosité de Griffin.

— Vous connaissiez la famille de Micah ? voulut-il savoir.

— Oh oui. De bien braves gens.

— Et sa première femme ?

Camille réfléchit un instant, puis haussa les épaules d'un air éloquent et éluda le sujet.

— Mais Heather est une fille bien. J'ai travaillé avec elle à son arrivée en ville et j'ai été ravie qu'elle s'installe avec Micah. Ils sont faits l'un pour l'autre.

Jusque-là, Griffin avait supposé que si Heather décidait de se confier à quelqu'un, ce serait à Micah, Poppy ou Cassie. Mais il se demanda s'il ne s'était pas trompé.

— Vous êtes proche d'Heather ?

— Nous sommes amies.

— Vous connaissez son passé.

— Elle n'en parle jamais.

— Avez-vous été surprise de la tournure des événements ?

— Beaucoup. Personne ne s'attendait à ça et surtout pas Micah. Maintenant, son impuissance le rend fou. Si je peux soulager un peu son fardeau en vous donnant un coup de main, j'en serais heureuse. Je compte sur vous.

Griffin hocha la tête.

— Merci, dit-elle avant de s'éloigner aussi silencieusement qu'elle était arrivée.

Poppy gardait un œil discret sur la porte et fut soulagée de voir revenir Griffin. Elle voulait qu'il soit là pour le groupe, qu'il écoute toutes les chansons. Elle le voulait près d'elle pendant tout le concert.

Un grand sourire aux lèvres, il se glissa à côté d'elle juste comme les musiciens finissaient de régler leurs instruments. La fête commença et le groupe enchaîna les morceaux soulevant l'enthousiasme général.

Poppy se laissa emporter par la musique et battit la

mesure sur le bras de son fauteuil. Elle échangea beaucoup de sourires avec Griffin, heureuse qu'il s'amuse autant qu'elle.

Puis le groupe fit une pause pendant laquelle des biscuits au chocolat furent distribués, tout chauds et moelleux. Comme Cassie et Mark s'éloignèrent pour discuter avec des amis, leurs deux chaises vides attirèrent soudain des tas de gens désireux de papoter un peu avec Griffin et Poppy.

La jeune femme ne fut pas surprise des premières questions, les mêmes qu'on lui posait sans arrêt au téléphone. En quelques jours, le statut d'Heather avait évolué : elle avait d'abord été considérée comme une victime injustement accusée, puis son silence inexplicable avait fini par étonner les gens qui commençaient à envisager qu'elle soit vraiment Lisa.

Est-ce qu'elle va devoir retourner en Californie ? Va-t-elle aller en prison ?

La discussion s'anima ensuite et le groupe s'étoffa. Les gens parlaient, lançaient des hypothèses, mais la conclusion restait la même : à supposer que toute cette histoire soit vraie et quoi qu'elle ait pu faire dans le passé, Heather ne représentait certainement pas un danger pour la société.

Un avis que Poppy partageait. Heather était quelqu'un de bien. Cela devait compter pour quelque chose. Elle voulait le croire. Depuis son accident, elle s'efforçait d'agir en personne responsable, espérant ainsi racheter un peu ses fautes. Elle se montrait plus généreuse, plus patiente, plus réfléchie. Mais elle ignorait s'il s'agissait d'une simple réaction ou d'un changement profond. Quoi qu'il en soit, le résultat était le même. Et pour Heather également. Mais les autorités californiennes en tiendraient-elles compte ?

Elle allait poser la question à Cassie quand la musique reprit. Plusieurs couples se mirent à danser, bientôt imités par d'autres dès les premières notes de «*Here come the sun*». L'auditoire chantait maintenant en chœur.

Poppy et Griffin ne s'en privaient pas et, quand leurs regards se croisèrent, elle sut que, comme elle, il se remémorait leur danse de la veille. À son œil pétillant, elle devina qu'il ne voyait aucun inconvénient à remettre ça.

Mais elle ne pouvait s'y résoudre. Pas ici, pas devant tout le monde. Quelques années auparavant, elle serait allée sur la piste, menant le bal et dansant avec tous ceux qui pouvaient tenir le rythme, mais plus maintenant. Elle avait changé – un fait impossible à oublier.

Et puis, il y avait autre chose. Elle souhaitait que cette danse reste privée. Cela avait été un moment sensuel et excitant qu'elle souhaitait renouveler. Oui, vraiment. Mais pas ici.

La soirée se termina sur « Let it be ». Avant la fin du morceau, la majeure partie de l'auditoire était debout et se balançait en chantant. Quand la dernière note retentit, les applaudissements éclatèrent, assourdissants.

Poppy et Griffin prirent congé et se dirigèrent vers le Blazer. Sur le chemin du retour, ils parlèrent à peine.

— Je peux entrer ? demanda Griffin devant chez elle.

Elle était terrifiée, mais n'aurait pas pu refuser même si sa vie avait été en jeu.

Il avait dû sentir son appréhension parce qu'il s'approcha d'elle pour l'aider et proposa de descendre au bord du lac avant de rentrer.

— Il va faire froid, le prévint-elle.

Mais Griffin voulait justement calmer un peu le jeu. Il avait eu très chaud dans la voiture et le chauffage n'y était pour rien.

S'approchant d'elle, il ferma le col de sa veste, puis de la sienne, et glissa son bandeau sur ses oreilles. Ils enfilèrent leurs gants et Griffin se pencha pour la prendre dans ses bras. Le trajet ne fut pas facile parce que les bottes de Griffin s'enfonçaient dans la neige jusqu'aux genoux.

Poppy n'était pas descendue au bord du lac depuis la première neige de l'hiver.

— Le reste de l'année, je peux venir seule en fauteuil. Il y a un dock et un système de rampes. Je fais rouler le fauteuil jusque dans l'eau, puis je me laisse glisser et je nage.

— Je suis certain que tu adores ça.

— C'est vrai.

— Et je parie que tu es une excellente nageuse.

— Exact.

Au bord du lac, une brise légère soufflait et la lune les éclairait à travers les nuages.

— Tu veux aller sur le lac ?

Elle hocha la tête avec vigueur, Griffin s'avança et grimpa par-dessus les rochers en bordure. De toute évidence, il avait pris le coup pendant son séjour sur Little Bear et en un rien de temps ils furent sur la glace où la marche se fit plus aisée.

— J'imagine en effet qu'en grandissant près d'un lac comme celui-là, on doit apprendre à nager très tôt.

— C'est vrai. Je me sens bien dans l'eau. Le haut de mon corps compense l'immobilité de mes jambes.

— Je suis surpris que tu ne descendes pas dans le sud, l'hiver. Comme ça, tu pourrais nager toute l'année.

— Comme les plongeons ?

— Comme les plongeons. Quand reviendront-ils ?

— En avril. À peine quelques heures après la fonte des glaces. C'est vraiment mystérieux. La couche de glace s'amincit progressivement. Puis un jour, elle se casse et disparaît. Les plongeons atterrissent à peine quelques heures plus tard.

— Comment savent-ils que le moment est venu ?

— Ils envoient des éclaireurs. Les mâles viennent d'abord, probablement lorsque leur sixième sens les avertit du changement de saison. Ils doivent remonter la côte et faire des vols de reconnaissance à l'intérieur. La première fois qu'on les entend au printemps...

Elle se languissait de ce moment-là.

— C'est tellement beau, reprit-elle. Comme ici, ce soir, ajouta-t-elle en regardant le ciel.

Il faisait froid et la lune disparaissait par intermittence derrière les nuages, mais cela n'enlevait rien au charme de la nuit. Et elle était à l'abri dans les bras de Griffin.

— Encore une semaine et la lune sera pleine, dit-elle. À cette époque de l'année, on l'appelle la lune d'érable. La lune de sucre, comme disent les autochtones. Tu sais qui furent les premiers acériculteurs ?

— Les esclaves. Micah me l'a raconté, reconnut Griffin.

— Je t'ai parlé de la fête à la tire ?

— Je ne crois pas.

— On étale le sirop d'érable chaud sur la neige où il durcit et forme des bâtons de sucre mou. On fait une fête pour ça et on mange les bâtons de tire avec des beignets ou des petits légumes selon les goûts.

Souriante, elle enfonça son nez dans le creux chaud sous son oreille.

— Froid?

Elle secoua la tête.

— Mais je ne peux pas sentir mes orteils, fit-elle remarquer en plaisantant.

— Dans ce cas, nous devons faire quelque chose à ce sujet, dit-il en faisant demi-tour.

Elle laissa son nez dans son cou qui fleurait bon le savon et une odeur un peu épicée, très masculine.

Escaladant les rochers, il remonta jusqu'à la maison. Poppy l'embrassa doucement dans le cou et elle le sentit réagir. Elle passa sa langue au même endroit et découvrit la douceur de sa peau.

Griffin grimpait maintenant les marches du perron sans se préoccuper de récupérer le fauteuil roulant resté dans la voiture. Il ouvrit la porte, la repoussa derrière lui d'un coup de pied et transporta Poppy jusqu'à sa chambre – elle était bien trop occupée à l'embrasser dans le cou pour protester. Quand il la déposa sur le lit et que leurs corps se séparèrent, ce qu'elle lut dans son regard la fascina.

Il y avait longtemps qu'elle n'avait lu un tel désir dans les yeux d'un homme. Elle n'avait d'ailleurs jamais cru le revoir un jour. Mais il était là et, si quelques craintes subsistaient au fond de son esprit, elles disparurent comme par enchantement. Griffin retira les gants de Poppy, dénoua son foulard et ouvrit sa veste, le tout sans que le désir quitte son regard. Les joues rosies, un peu essoufflé, il enleva ses propres gants, son bandeau et sa veste. Puis croisant les bras, il ôta d'un seul mouvement son pull et la chemise en dessous.

Poppy ne s'y attendait pas et sursauta. Elle ne l'avait encore jamais vu torse nu – encore moins touché – et sa main partit naturellement en exploration. Ses doigts glissèrent sur la peau douce et souple, caressant les poils roux.

Elle l'entendit respirer un grand coup et releva la tête, redoutant soudain qu'il n'ait changé d'avis et ne souhaite s'enfuir. Après tout, elle était une paraplégique et elle ignorait jusqu'où elle pourrait aller et surtout jusqu'où lui était prêt à aller.

En tout cas, il n'envisageait pas de s'arrêter là parce qu'il s'empara de sa bouche avec une faim qui égalait celle exprimée par son regard. Elle y répondit avec la même intensité, avec un désir qu'elle avait cru ne plus pouvoir ressentir. Techniquement parlant, ses organes sexuels fonctionnaient, mais le sexe n'était pas seulement physique. Un tas d'émotions s'y trouvaient mêlées, liées pour la plupart à son handicap.

Cependant tout fonctionnait merveilleusement et elle ressentit un frisson qui se répercuta jusque dans le bas de son corps, elle l'aurait juré. Une impression évidemment, mais qui lui parut bien réelle.

Le baiser de Griffin se fit intime, profond, terriblement excitant. Et, soudain, le pull de Poppy fut sur sa tête.

— Lève les bras, bébé, murmura-t-il.

Il fit glisser le pull et, dans la foulée, dégrafa son soutien-gorge.

Puis il la contempla et la caressa. Elle éprouva une sensation merveilleuse quand la bouche de Griffin se posa sur sa poitrine, réveillant la sensibilité de ses seins qui se gonflèrent sous la caresse. Son mamelon se durcit, envoyant des ondes de plaisir dans tous son corps. Griffin s'en rendit compte et releva la tête.

— Ça va ? demanda-t-il.

En guise de réponse, elle prit son visage entre ses mains et, l'approchant du sien, l'embrassa avec fougue. Elle adorait le contact de sa mâchoire sur laquelle la barbe commençait à repousser, elle adorait ses cheveux épais, son cou chaud et ses muscles qui roulaient souplement sous la peau quand elle les touchait. Lentement, elle fit glisser sa main le long de son ventre et sous la ceinture de son jean.

Puis Griffin émit un bruit étranglé et elle s'arrêta net.

— Non, dit-il d'une voix rauque.

Horrifiée, elle retira sa main.

— Ne t'arrête pas, gémit-il d'un ton suppliant, mais aux oreilles de Poppy les mots semblaient forcés.

Affolée, elle glissa ses mains sous les coussins – des tas de coussins nécessaires à une paraplégique pour se soutenir.

Griffin bascula sur le côté et l'attira vers lui pour la regarder. Il le fit gentiment, tirant en même temps les coussins derrière son dos. Sa respiration restait haletante, mais il avait retrouvé son contrôle.

— Que se passe-t-il ? demanda-t-il.

— Je ne sais pas, mentit-elle.

— Je t'ai fait mal ?

— Non.

— Mais tu t'es arrêtée.

— Parce que tu as protesté comme si j'allais trop loin.

— J'ai protesté parce que tu n'allais pas assez loin.

— Je sais, avoua-t-elle les larmes aux yeux. Mais je ne peux pas faire plus. Je suis désolée. Je ne peux pas changer ma condition.

— Ce n'est pas ce que j'ai voulu dire, s'exclama-t-il avec un grognement. Je voulais dire qu'on n'allait pas assez vite. Parce que je suis impatient, que tu es une femme et que tu m'excites terriblement.

— Je suis une paraplégique.

— Eh bien, je ne m'en serais pas douté. Il n'y avait rien d'invalide chez toi, il y a un instant. Je croyais au contraire que tu y prenais du plaisir.

— C'est vrai jusqu'à ce que tu... te rappelles ma condition.

— C'est toi qui t'es souvenue de ta condition. Pourquoi ?

Tu as émis un son étranglé comme si tu en avais assez, pensait-elle.

— Dis-moi, Poppy. Qu'est-ce que j'ai fait ? Tu ne te sentais pas bien ? Tu ne sentais... rien... du tout ?

— Si, j'ai senti quelque chose, avoua-t-elle.

Il l'embrassa à nouveau et elle sentit renaître son désir.

Mais il s'arrêta et appuya la tête sur l'oreiller sans la quitter des yeux.

— Dis-moi à quoi tu penses.

— Tu embrasses bien.

— Pas à propos de ça. J'ai envie de faire l'amour avec toi, Poppy. Veux-tu ou non ?

Elle voulait et elle ne voulait pas.

— Tu as peur ?

Elle était terrifiée, mais comment le lui dire ? Le sexe ne lui avait jamais fait peur avant. Les rebelles n'avaient certainement pas peur du sexe.

Il eut un sourire très doux.

— Je crois que oui, déclara-t-il. Tu as peur que ça ne marche pas. Tu as peur que quelque chose me choque et que je ne sois pas capable de te le cacher. Je me trompe ?

Le menton de Poppy trembla, mais elle hocha la tête.

— Je n'aurai pas de problème, dit-il d'une voix rauque. Crois-moi, je n'aurai pas de problème. Tu es si belle.

— Peut-être en haut, mais...

— Mais quoi ? Tes jambes.

Sa main descendit jusqu'à ses jambes.

— Tu ne peux pas sentir, Poppy, mais moi, si. Et c'est bon. Tes jambes sont parfaites.

Il remonta lentement sa main jusqu'à sa poitrine. La sensation fut si forte qu'elle ferma les yeux et rejeta la tête en arrière en retenant son souffle.

— Ton corps répond très bien, murmura-t-il, la bouche contre sa gorge. Alors je crois que le problème est émotionnel. Je crois que tu te sens coupable de faire ça.

Il avait encore raison, mais ses mains continuaient leur exploration et, soudain, plus rien ne comptait. Elle mourrait peut-être de culpabilité au matin, mais pour l'instant, elle ne voulait surtout pas qu'il s'arrête.

Attirant son visage, elle l'embrassa et le plaisir qu'elle y prit chassa tout autre souci. Elle se concentra sur ce qu'elle éprouvait et sur ce merveilleux sentiment d'être de nouveau une femme. Griffin finit de la déshabiller et ce fut elle alors qui se révéla impatiente, repoussant les vêtements de Griffin pour mieux le toucher.

Elle ne savait pas s'il se montrait inhabituellement doux et attentionné avec elle, mais elle aima ce qu'il lui fit. Elle se sentait de nouveau entière. Et si l'orgasme qu'elle eut fut différent de ceux qu'elle avait connus avant l'accident, il n'en fut pas moins satisfaisant. Un vrai miracle en fait.

D'ailleurs, même si elle n'avait pas eu d'orgasme, l'expérience aurait été tout aussi agréable. Le corps de Griffin trembla quand il jouit, une sensation merveilleuse, inoubliable, la plus belle chose qui lui soit arrivée depuis qu'elle se déplaçait en fauteuil roulant.

Elle le lui avoua quand le réveil sonna à cinq heures du matin.

Ce que Griffin n'apprécia pas du tout.

15.

Griffin n'apprécia ni l'heure, ni l'obscurité, ni Victoria allongée entre leurs jambes, ni d'avoir à prendre un avion qui décollait à six heures trente en direction de Minneapolis. Mais ce qui l'ennuyait par-dessus tout, c'était le mot « chose ».

— Je n'appelle pas ce que nous avons fait une « chose », fit-il remarquer.

— Comment tu appelles ça alors ?

— La meilleure expérience de ma vie, répondit Griffin.

Ils étaient allongés face à face. Poppy avait passé la majeure partie de la nuit sur le ventre, avec des coussins confortablement arrangés. « Ça détend les muscles », avait-elle expliqué avec cette habitude de lui rappeler sans cesse qu'elle était handicapée. Il se moquait de sa façon de dormir tant qu'elle dormait avec lui et, pour être franc, il trouvait son dos tout aussi excitant que le devant. Mais, pour le moment, il voyait ses seins, une vue à laquelle son corps ne pouvait que réagir. Il tendit la main puis après une hésitation la retira.

— Pas maintenant. Je dois me lever.

Pour le défier, elle posa la main sur sa poitrine. Mais il l'attrapa, l'empêchant de bouger.

— J'ai un avion à prendre.

Elle se dégagea, passa le bras autour de son cou et l'embrassa. Griffin réagit immédiatement, aussi fort que dans la soirée. Il murmura son nom dans une dernière tentative pour l'arrêter, mais elle n'en tint aucun compte et il abandonna la lutte. Elle avait envie de lui et la satisfaire comptait plus à ses yeux que tout le reste.

Sans compter qu'il y prenait un immense plaisir. Elle ne pouvait peut-être pas bouger ses jambes, mais lui le pouvait. Il en releva une qu'il passa autour de sa hanche et s'empressa de se glisser dans l'espace dégagé. Elle était si étroite qu'il faillit jouir immédiatement. Mais il se maîtrisa et la regarda. Il adorait sa façon sensuelle de bouger le haut de son corps, de trembler sous l'effet de l'excitation et de pousser de petits gémissements quand son plaisir montait. Son plaisir à lui atteignait des sommets presque insupportables, mais il parvint à se retenir jusqu'à ce qu'elle jouisse avant de s'abandonner lui-même.

Il aurait aimé rester là, allongé près d'elle, appréciant ce moment merveilleux après l'amour, mais il avait un avion à prendre. Il l'étreignit donc et l'emmena dans la douche. C'était important pour lui. « Je ne peux pas me doucher debout », avait-elle dit, un autre moyen de le refroidir. Mais il n'en avait pas tenu compte. Les barres sur les parois de la douche fournissaient l'appui idéal pour la soutenir pendant qu'il la savonnait, puis qu'elle le savonnait à son tour, le tout en s'embrassant et en faisant l'amour une nouvelle fois. Enfin, il l'enveloppa dans une serviette, l'assit sur la chaise de douche qu'il avait sortie de la cabine et la laissa le regarder pendant qu'il s'habillait en vitesse.

— Je suis terriblement en retard, commenta-t-il, mais cela en valait la peine.

Elle avait les joues roses et l'air heureux et comblé.

— Dès que je t'ai vue, j'ai su que ce serait bien entre nous – non, avant ça même, au téléphone.

— Tu parles, plaisanta-t-elle en souriant.

— Je suis sérieux. Un courant est passé entre nous dès le début. Tu es unique, Poppy.

Elle tapota l'accoudoir de la chaise.

— Je suis ça.

Il ne le niait pas. C'était un fait. Enfilant son pull, il choisit ses mots. Puis il posa une main sur chaque accoudoir et se pencha vers elle.

— Cette chaise fait partie de toi, répliqua-t-il. Cela ne me pose aucun problème et ne diminue en rien ta féminité. Tu représentes tout ce que je veux chez une femme. Je t'aime, Poppy, ajouta-t-il en l'embrassant sur le bout du nez.

Il ne lui en aurait pas voulu de se mettre à pleurer. Les larmes de joie ne le dérangeaient pas, contrairement à celles générées par le découragement ou la peine. Mais elle ne pleura pas. Son sourire disparut et ses yeux prirent une teinte triste.

Il s'arma de courage. Si elle comptait le rembarrer avec son handicap, il était prêt.

— Poppy…

Les larmes envahirent alors les yeux de Poppy, mais ce ne furent pas des larmes de joie.

— Ne dis pas ça. Ne gâche pas tout.

— Je pensais rendre la situation encore plus agréable, plaisanta-t-il. Je n'ai jamais dit ces mots à une autre femme. C'est important, non ?

Mais elle ne sourit pas.

Il se redressa et finit de s'habiller sans qu'elle prononçat un mot.

— Ne te crois pas obligée de parler, ajouta-t-il. Dire à une personne qu'on l'aime est un grand pas. Je ne voudrais pas que tu prononces ces mots tant que tu n'en es pas sûre, ce qui semble être le cas. Je voulais juste que tu connaisses la nature de mes sentiments.

Il jeta un coup d'œil à sa montre.

— J'y vais, annonça-t-il.

Griffin ne connaissait pas les chagrins d'amour. Il avait toujours été le premier à se détacher et, bien qu'il eut chaque fois pris soin de rompre en douceur, il savait qu'il avait fait du mal. Aujourd'hui, son tour était venu de souffrir.

Il avait tellement espéré l'entendre dire qu'elle l'aimait elle aussi. Son accident lui avait laissé de nombreux complexes, mais ça marchait bien entre eux. Et il voulait qu'elle l'aime.

C'était peut-être le cas d'ailleurs. Ou non.

Désireux de se protéger dans le matin froid, de redevenir le Griffin d'autrefois, avant sa rencontre avec Poppy, il prit la direction de la marina où il récupéra sa Porsche non sans un certain plaisir. Une fois sur l'autoroute, il mit le pied au plancher.

Le radar le surprit à près de cent quarante. Le policier, à peine plus âgé que lui, aurait sans doute compati à ses problèmes de cœur, mais Griffin se contenta de prendre la contravention sans broncher et reprit sagement la route à une allure plus modérée.

Poppy récupéra les filles et les ramena chez elle pour le petit déjeuner. Micah souhaitait commencer tôt et elle avait besoin de se changer les idées. Quand elle déposa les deux fillettes à l'école, elle se sentait mieux. Très bien même. Heureuse, pour tout dire.

Elle avait donné du plaisir à Griffin et cette pensée lui procurait un grand soulagement – et même un sentiment de triomphe.

Et pour ce qui était de s'occuper des filles, elle ne se débrouillait pas trop mal, pour une paraplégique.

Sur le chemin du retour, elle s'arrêta au cimetière et le raconta à Perry Walker. Qui ne fit aucun commentaire.

Micah installait les chalumeaux. Il se rappelait l'époque où les trous étaient percés à la main avec un vilebrequin. Des chalumeaux en fer étaient ensuite enfoncés au marteau dans le tronc de l'arbre et des seaux posés juste en dessous. Aujourd'hui les petits chalumeaux étaient en plastique et se prolongeaient d'un petit tuyau de soixante centimètres – que Micah avait passé plusieurs nuits à enfiler sur les chalumeaux pour avancer le travail.

Dormir ? Il n'avait pas besoin de dormir. Son lit était vide et froid et, quand il parvenait à s'assoupir, Heather revenait le hanter et son cœur saignait. Elle lui manquait tant que la tristesse menaçait de l'engloutir. Il préférait la colère, beaucoup plus facile à gérer que la peine. Heather l'avait trahi et ce fait suffisait largement à alimenter son ressentiment.

Son travail lui procurait donc un exutoire bienvenu. Les néophytes s'imaginaient qu'entailler un arbre, y enfoncer un chalumeau et récupérer le sirop représentaient des tâches mécaniques, sans intérêt.

Bien au contraire. Parce que d'abord, il fallait savoir où pratiquer l'entaille. Trop près d'un ancien trou et vous n'obtenez pas de sève. Trop droit et la pesanteur ne joue plus. Et puis il ne fallait pas traîner si on voulait avoir le temps d'entailler tous les arbres avant le début de la coulée.

Micah travaillait vite. D'un seul regard, il savait si un arbre avait besoin d'une entaille ou de deux et où il fallait les pratiquer. Armé d'une perceuse, il creusait un trou légèrement en biais, d'une certaine profondeur pour ne pas récupérer les copeaux du cœur du tronc. La sève venait du bois de surface où les copeaux étaient fins et légers.

Une fois le chalumeau inséré et relié au tuyau latéral, il passait à l'arbre suivant.

Au cours des trois dernières années, Heather avait effectué les mêmes tâches à son côté. Il entaillait puis elle fixait le chalumeau et le reliait au tuyau. Ils travaillaient bien et à une vitesse incroyable. L'enthousiasme d'Heather égalait le sien et le travail devenait un véritable plaisir.

Cette année, le plaisir avait disparu, remplacé par une anxiété grandissante. Le soleil brillait haut dans le ciel, la neige fondait et les corbeaux croassaient en chœur. Des signes qui ne trompaient pas. Il pouvait presque sentir la sève monter. Encore quelques jours et elle commencerait à couler. Il aurait parié n'importe quoi là-dessus. Et lui qui posait à peine les premiers chalumeaux.

— Eh!

La voix bourrue le surprit et il se retourna d'un bond.

Billy Farraway se tenait à quelques mètres de là, ses bottes délacées et fixées sur de grosses raquettes en bois, la veste largement ouverte. Au moins portait-il un chapeau... encore que repoussé sur l'arrière du crâne. Le vieil homme attraperait sûrement la mort un de ces jours, mais c'était un dur à cuire, héritier du gène de la longévité qui sévissait dans la famille. Et de la taille aussi. Pour un homme de cet âge, il restait étonnamment grand.

— Eh ! répéta Billy.

— Qu'est-ce que tu fais ici ? demanda gentiment Micah.

— Je jette juste un coup d'œil.

— Tu devrais être au lac.

— J'ai entendu dire que tu étais seul. Tu ne finiras jamais à temps tout seul.

Micah perça une deuxième entaille sur le côté de l'arbre, bien plus haut que la première.

— Tu ne devrais pas être ici, Billy.

— Parce que mon frère l'a interdit ? Ça fait un bail. Serait peut-être temps d'enterrer la hache de guerre.

Micah ricana.

— Je pourrais peut-être si je savais de quoi il s'agit.

— Tu ne sais pas ? Tu ne sais vraiment pas ?

Non, Micah ne savait pas. Tout comme il n'avait rien su pour Heather.

— Eh bien, je vais te raconter, dit Billy. Parce qu'il est quand même temps. Voilà. Ton père s'imaginait que je convoitais sa femme, ce qui était absolument faux. Nous étions simplement amis. Mais c'était un homme jaloux. Tu sais ce qui l'a mis en colère ? J'ai pleuré à son enterrement. Bon sang, quelqu'un devait bien le faire ! Tu étais en état de choc et Dale en colère, en colère qu'elle ait eu le toupet de le quitter. À croire qu'elle avait fait exprès d'attraper le cancer. Une fois morte, il a eu besoin de rejeter la faute sur quelqu'un et j'étais la victime toute désignée, comme si j'avais comploté pour détruire sa vie. Alors il m'a blâmé pour ça et peut-être aussi pour tous les petits rêves qu'il avait dans un coin de sa tête et qui ne se réaliseraient jamais. Il a aussi raconté que j'étais un bon à rien et qu'il n'avait pas besoin de moi et qu'il me tirerait dessus si je remettais les pieds ici. Alors j'ai cessé de venir. Ça fait combien de temps qu'il est mort maintenant ?

— Onze ans, fit Micah, sidéré par cette révélation.

Il ne connaissait pas cette histoire, son père n'ayant jamais été du genre bavard.

— Et nous continuons à lui obéir, toi et moi ? s'exclama Billy. Enfin, non, pas vraiment puisque tu m'apportes du bois, des vêtements et de la nourriture. Et tu dis que je ne peux pas t'aider ?

Micah prenait en effet soin de son vieil oncle parce qu'il l'aimait bien, mais aussi parce que les propres filles de Billy ne s'en préoccupaient guère, le considérant comme un vieux fou un peu embarrassant. Elles vivaient toutes les deux en ville et ne revenaient que très rarement. En outre, Micah lui devait beaucoup. Son oncle lui avait tout appris, tranquillement, sans hâte, dans le dos du big boss, son frère. Micah se souvenait des fous rires qu'ils avaient eus ensemble. Il n'avait jamais ri avec son père. Dale Smith avait été un homme sombre, impatient et dominateur.

Cela étant, Micah avait apprécié les silences de son père parce qu'en général, quand il ouvrait la bouche, ses paroles n'avaient rien de tendre. Il n'avait pas seulement été jaloux de Billy. Il avait également été jaloux de Micah.

Quant à sa mère, si Billy avait réussi à rendre sa vie plus agréable, alors Micah lui en savait gré.

— Je n'ai jamais dit que tu ne pouvais pas m'aider, expliqua Micah. Il le disait. En fait, il ne cessait de le répéter.

— Ouais, même sur son lit de mort à ce qu'on m'a raconté. Mais il est mort, Micah. Et ceci t'appartient. Tu te serais parfaitement débrouillé sans moi si ta femme avait été là. Mais elle n'est pas là et tu as envoyé balader tout le monde en ville en clamant que tu n'avais besoin de personne, comme Dale le faisait. Seulement tu te trompes. Tu n'auras jamais fini d'entailler à temps si on ne te donne pas un coup de main. En plus, je ne suis pas n'importe qui et au cas où tu l'aurais oublié, mon neveu, je connais le boulot.

— Pas avec les tuyaux.

— T'as qu'à me montrer. J'apprendrai et tu trouveras personne plus enthousiaste que moi en ville.

Micah reconnaissait la justesse du raisonnement, mais c'était plus fort que lui – comme si son père était encore là, comme s'il allait violer une loi sacro-sainte, souiller la mémoire du vieux.

— Bon sang, mon gars, si tu ne le fais pas pour toi, fais-le pour moi. Pendant des années, le sirop d'érable a représenté toute ma vie et chaque saison la lune d'érable me le rappelle. C'est dans le sang, comme si ça montait en même temps que la sève. Chaque année je viens, tu sais. Je jette un œil. Le vieux Dale posait quatre chalumeaux par arbre, mais tu as raison de n'en mettre que deux. Bon, si tu ne veux pas que ça se sache en ville, je n'en parlerai pas. Je ne voudrais surtout pas gâcher ta réputation de râleur. Mais laisse-moi te donner un coup de main. Il ne me reste plus beaucoup de temps à vivre. Je voudrais le faire encore une fois avant de mourir.

Cassie téléphona au bureau de Weymarr, Higgins et Hack à Chicago pour parler à Jonathan Fitzgerald, dont le nom figurait sur la lettre trouvée dans le sac d'Heather.

Une secrétaire lui passa Fitzgerald qui prit la communication d'un ton affairé.

— Allô ? Ici Jonathan Fitzgerald. Qui est à l'appareil ?

— Monsieur Fitzgerald, mon nom est Cassandra Byrnes. Je suis avocate et je vous sollicite pour le compte d'une cliente.

La voix se fit plus aimable – peut-être parce qu'elle était une consœur.

— Quel est le problème ? s'enquit-il.

— Ma cliente a eu un bébé il y a quelques années et vous vous êtes chargé des formalités d'adoption.

— Je ne m'occupe plus de ce genre de choses depuis longtemps. Mais je peux vous recommander un confrère si vous voulez.

— Non. Il ne s'agit pas de ça. En fait, ma cliente voudrait retrouver l'enfant. Accepteriez-vous de nous aider ?

— C'est une question délicate. Comme vous le savez sûrement, je ne peux fournir aucune information suite à une adoption. Les lois sont très strictes en la matière. Vous devez remplir une requête expliquant les motifs de votre demande – des raisons médicales par exemple.

— Ma cliente est accusée de meurtre. Une analyse de l'ADN de l'enfant pourrait confirmer une relation entre ma cliente et la victime, une relation niée par l'accusation. Prouver cette relation est donc déterminant pour sa défense.

Cassie ignorait la véracité de ses propos, mais cela semblait raisonnable.

— Je savais en appelant que vous ne pourriez pas me communiquer ce genre de renseignements. En fait, je voulais surtout savoir si vous aviez conservé les dossiers après si longtemps pour ne pas déposer inutilement une requête. Nous manquons cruellement de temps et chaque minute compte.

— À quand remonteraient les faits ?

— Quatorze ans et demi.

— Le nom de la cliente ?

— Heather Malone.

Un silence accueillit cette révélation.

— La même Heather Malone ? demanda finalement Jonathan Fitzgerald d'un air surpris.

Cassie poussa un soupir de soulagement. Sa surprise semblait sincère.

— La même.

— Je me suis posé la question quand j'ai lu ça dans les journaux.

— Je craignais que les DiCenza ne vous aient contacté.

— Ça m'étonnerait qu'ils connaissent mon existence.

— Alors vous devez avoir une excellente mémoire.

— Pas toujours. Dans le temps, je me suis occupé de nombreuses affaires semblables et la plupart se passaient très bien. Pour Heather, ce fut plus difficile.

— Difficile ?

— D'abandonner son enfant.

— Vous avait-elle parlé de sa vie, du père de l'enfant ?

— Non. Pourtant je lui ai posé des questions parce qu'elle semblait si malheureuse. La plupart des femmes venaient accompagnées d'un parent ou d'un ami, mais elle était toute seule.

— L'auriez-vous crue capable de meurtre ?

— Non, ni d'extorsion de fonds d'ailleurs. J'ai lu ça aussi dans les journaux, expliqua-t-il. Non, la Heather

Malone que je connais avait même du mal à accepter de l'argent. Les frais médicaux, l'hôpital, elle voulait tout payer elle-même et j'ai dû lui expliquer que cela faisait partie des termes du contrat d'adoption. Je lui ai donné de l'argent pour louer une chambre. L'enfant était né depuis une semaine quand elle m'a rapporté l'argent qu'elle n'avait pas dépensé. Pas vraiment ce que j'appellerais une femme cupide.

— Vous pourriez témoigner ?

— Bien entendu.

— Mais vous ne voulez pas m'aider à localiser l'enfant ?

— Je détiens toujours ces dossiers, madame Byrnes, et je suis très tenté de vous les transmettre. Mais je ne le peux pas. La loi me l'interdit. D'un autre côté, si vous m'apportez une preuve, n'importe quoi, démontrant leur importance dans cette affaire, j'irai moi-même trouver le juge.

Griffin se perdit en cherchant la maison d'Aidan Greene et dut s'arrêter pour demander son chemin, ce qui le retarda.

En arrivant à l'adresse indiquée, il fut donc soulagé de voir deux voitures encore garées dans l'allée de la maison en brique.

La neige était plus épaisse ici que dans le New Hampshire, l'air était beaucoup plus vif et il remonta son col.

Après avoir grimpé les trois marches du perron, il sonna à la porte qui fut ouverte par une femme proche de son âge. Le visage dénué de maquillage, les cheveux blonds, elle portait un jeune enfant calé sur sa hanche et un autre dans son ventre à en juger par le renflement sous sa chemise d'homme. D'un abord très sympathique, elle l'accueillit avec un grand sourire.

— Je voudrais parler à Aidan Greene, dit-il, souriant en retour. Mon nom est Griffin Hughes. Nous avons une amie commune.

— Vraiment ? Aidan ? cria-t-elle en tournant la tête. Vous venez de Californie ?

— Non, mais mon amie oui. Le deuxième ? demanda-t-il en indiquant son ventre.

— Troisième.

Elle regarda l'enfant sur sa hanche.

— Celle-ci est la seconde, Jessica, deux ans. Le premier vient juste de prendre le bus de ramassage scolaire. Il s'appelle Thomas et a cinq ans. Et dans mon ventre, c'est Brooke.

— Fille ou garçon ?

— Nous le saurons bientôt.

Comme son mari arrivait derrière elle, elle fit les présentations.

— Chéri, voici Griffin Hughes. Il connaît des amis à toi en Californie.

Aidan Greene était de la même taille que Griffin, bien qu'un peu plus enrobé. Sous ses cheveux blonds, coupés court, sa peau était claire et son front ridé. Après avoir jeté un regard à Griffin, son air soucieux s'accentua.

— Le bain de Jessie est prêt, dit-il à sa femme. Tu veux t'en occuper pendant que je discute avec Griffin ?

La femme les quitta après un dernier sourire à l'adresse de ce dernier et l'amabilité d'Aidan disparut avec elle.

— Qui sont ces amis communs ? demanda-t-il sans préambule.

— Lisa.

Aidan fit mine de fermer la porte.

Glissant son pied dans l'entrebâillement, Griffin parla d'un ton calme, mais rapide.

— Je vous en prie, écoutez-moi. L'amie dont je parle s'appelle en fait Heather. Elle est la meilleure amie de ma fiancée et compte de nombreux autres amis dans le New Hampshire. Elle a su se construire une vie heureuse là-bas et quelque chose ne colle pas dans cette histoire.

— C'est vous qui avez envoyé Haskins ?

— Oui.

— Je lui ai dit que je n'avais rien à raconter et je vous le répète.

Il poussa la porte, mais Griffin n'ôta pas son pied.

— C'est du harcèlement, grogna Aidan. Enlevez votre pied ou j'appelle la police.

— Si vous faites ça, je serai obligé de leur dire pourquoi je suis venu. J'aurai à le dire aux journaux et si le *Sacramento Bee* en entend parler il pourrait bien dépêcher quelques reporters pour se renseigner. Ça nous a demandé du temps pour vous localiser, Aidan. Vous avez pris beaucoup de peine pour effacer vos traces si je puis dire.

— Pourquoi êtes-vous venu ? Comment avez-vous eu mon nom ? Qu'attendez-vous de moi ?

— Heather m'a donné votre nom, ce qui explique ma présence ici. Quant à ce que j'attends de vous, je n'en sais rien. Elle n'a rien voulu dire. D'ailleurs, elle refuse carrément de parler, ce qui signifie qu'elle va être renvoyée à Sacramento et jugée pour meurtre. Vous croyez qu'elle peut espérer un procès équitable avec toute la publicité faite autour de l'affaire ?

— Ça ne me concerne pas.

— C'est pour ça que vous vous êtes installé ici, que vous avez quitté les DiCenza ? Parce que ça ne vous concernait pas ? Peut-être. Mais ça concerne beaucoup de gens dans le New Hampshire, des gens qui s'inquiètent.

Il sortit des photos de sa poche.

— Là, c'est Heather. Cette photo date de l'été dernier. À côté d'elle, c'est Micah. Ils souriaient alors comme vous pouvez le constater. Mais le sourire a disparu depuis quelque temps. Elle a peur que Micah cesse de l'aimer quand il saura la vérité et lui a peur parce qu'il ne peut pas vivre sans elle et qu'ils l'ont emmenée.

Griffin prit la deuxième photo.

— Là, c'est Heather avec les filles. Missy et Star. Missy a sept ans et Star, cinq comme Thomas. Ce ne sont pas les filles d'Heather. Leur mère biologique est morte quand Star avait deux mois. Heather est arrivée dans leur vie quelques mois plus tard et, à ce jour, elle est leur seule mère. Ce sont de gentilles gosses, des petites filles très vulnérables. Et elles s'inquiètent beaucoup parce qu'elles ne comprennent pas pourquoi Heather est en prison et se demandent si elle reviendra un jour. Ayant déjà perdu leur vraie mère, elles commencent à croire que c'est à cause d'elles que leurs mamans s'en vont. Heather est une excellente mère, Aidan.

— Je ne connais pas d'Heather, répondit-il d'un ton las.

Griffin sortit la dernière photo.

— La voilà avec ses amies. Elles se retrouvent tous les mardis soir. Poppy est ma petite amie. Elle est dans un fauteuil roulant depuis un accident de motoneige, il y a douze ans. Heather l'a beaucoup aidée pendant sa convalescence. En fait, elle a aidé des tas de gens en ville et ces quatre femmes intelligentes, brillantes et belles l'adorent. Heather a toujours le sourire. En fait, elle me fait penser à votre femme, ce qui soulève la question de votre relation avec Heather. C'est elle qui nous a donné votre nom. Qu'étiez-vous pour elle ?

— Je ne connais pas Heather.

— Lisa alors. Étiez-vous son amant ?

— Je ne sortais pas avec Lisa, répondit-il en secouant la tête.

— Mais Rob, oui et vous étiez son meilleur ami. Dites-moi quelque chose, Aidan.

Ce dernier poussa un gros soupir et parut se tasser sur lui-même.

— Que je vous dise quoi ? Qu'elle ne l'a pas fait ? Je n'ai rien vu.

— C'est ce que vous avez raconté à la police. Pourtant ensuite, vous avez quitté Sacramento et coupé tous les ponts avec les DiCenza. Je crois que vous cherchiez à oublier.

— Disons plutôt que je ne voulais pas être redevable aux DiCenza de quoi que ce soit, s'exclama Aidan. Vous connaissez cette famille ? Est-ce que vous avez une idée de l'étendue de leur pouvoir ? D'un seul coup de téléphone, Charles DiCenza peut vous donner la chance de votre vie ou vous briser. Encore aujourd'hui. Un seul coup de téléphone et vous perdez votre emploi et devenez un pestiféré même si vous n'avez rien fait.

— C'est ce qui s'est passé avec Lisa ?

— J'ignore ce qu'il a fait à Lisa.

— Saviez-vous que Rob la battait ?

Aidan ne répondit pas.

— Nous avons des médecins prêts à en témoigner, affirma Griffin. Et des gens qui diront qu'il faisait très sombre cette nuit-là, si sombre que, même s'ils avaient été sur le parking, ils n'auraient pas pu voir grand-chose. Alors s'il faisait si noir et si on n'y voyait rien, comment Lisa aurait-elle pu voir Rob ? Croyez-vous qu'elle l'ait renversé volontairement ?

— Je n'en ai aucune idée.

— Essayait-elle de lui soutirer de l'argent ?

Aidan ricana. Griffin patienta, mais Aidan garda le silence.

— Qu'est-ce que ça veut dire ? demanda finalement Griffin.

Toujours rien.

— Vous saviez qu'elle était enceinte ?

Toujours rien.

— Était-ce votre bébé ?

— Non.

— Celui de Rob alors ? Ou peut-être de Charles DiCenza ? On peut prouver la paternité. Heather l'a fait adopter. Vous l'avez aidée ?

— Je vous l'ai déjà dit. Je ne m'en suis pas mêlé. Écoutez, je dois aller travailler.

— Je sais. Je suis venu aussi tôt que j'ai pu. À ce propos, je trouve très bien ce que vous faites. Vous avez obtenu votre diplôme d'éducateur après avoir quitté la Californie ?

Aidan hocha la tête.

— Et avant, vous travailliez pour la Fondation DiCenza. Si on relie ces deux faits, on peut en conclure que vous êtes un type bien. Je suis surpris que vous ne soyez pas dévoré par la culpabilité après ce qui s'est passé entre Rob et Lisa.

L'expression sur le visage d'Aidan prouva le contraire.

— Était-elle vraiment une femme calculatrice et cupide comme ils ont cherché à le faire croire ?

Aidan détourna les yeux.

— S'agissait-il d'un meurtre au premier degré ? Avec préméditation ? Personne ne le dira. Personne ne veut parler. C'est ainsi qu'une femme qui n'a sans doute rien à se reprocher va être détruite juste parce qu'une famille influente crie vengeance. Quand tout cela cessera-t-il ? Avec son exécution ?

— Ce n'était pas prémédité, lâcha Aidan.

— Ne vous arrêtez pas, sauf s'ils vous tiennent encore aujourd'hui. C'est le cas ? Ce sont eux qui vous ont trouvé ce travail ?

— Non.

Aidan posa la main plus haut sur la porte. Soudain, ses yeux, sa voix, sa façon de se redresser montraient qu'il avait repris le dessus. Griffin avait poussé le bon bouton. Le visage d'Aidan exprimait toute sa fierté.

— Ils n'ont rien à voir avec mon travail, ma maison, ma femme ou mes enfants. Tout ce que je possède, je l'ai gagné tout seul et j'y suis parvenu malgré le souvenir de cette nuit-là. Avez-vous une idée du mal que la mémoire peut causer ? Les souvenirs ont hanté chaque minute de mon existence depuis cette nuit fatidique. Inutile de payer un psy pour deviner que je suis devenu éducateur afin d'aider les enfants en difficulté parce que je n'avais pas pu l'aider, elle. Ils lui ont fait un sale coup.

— Vous parlez au passé. Mais ce n'est pas fini. En fait, pour elle, ça ne fait que commencer. Nous avons besoin de connaître toute l'histoire, Aidan. Elle refuse de dire quoi que ce soit, probablement parce qu'elle a encore plus peur des DiCenza que vous, mais il faut que nous sachions ce qui s'est effectivement produit cette nuit-là. Votre nom est la seule information qu'elle ait accepté de nous donner. Elle n'a même pas reconnu être Lisa. Vous êtes notre seule piste. C'est peut-être l'occasion de vous racheter, Aidan. Racontez-moi.

Griffin détestait échouer. Peut-être avait-il été trop présomptueux ? En tout cas, toutes ses tentatives avaient été vaines – autant chez Aidan qu'à l'école dans la journée ou sur le parking en fin d'après-midi.

Aidan n'avait pas appelé la police, mais il avait mené

une guerre d'usure, retranché dans son silence tandis que Griffin argumentait jusqu'à épuisement.

Ils auraient pu le faire citer à comparaître pour qu'il soit interrogé sous serment à la barre des témoins, mais cela supposait un procès, ce que tout le monde cherchait à éviter.

Découragé, Griffin reprit l'avion le soir même, récupéra sa Porsche et regagna la marina où il l'échangea contre son camion avant de mettre le cap sur la maison de Poppy.

Poppy entendit d'abord le miaulement de Victoria, assise sur le lit, tournée vers la porte, puis un bruit de pas et Griffin s'assit au bord du lit.

Poppy le fixa dans le noir, incertaine. Plusieurs sujets se disputaient la première place dans sa tête. Le sexe, l'amour et Aidan.

Le visage de Griffin ne donnait aucune indication. Il se contentait de la regarder. Après une minute, il murmura :

— Ta porte n'était pas fermée.

— Elle ne l'est jamais. Quelle heure est-il ?

— Deux heures.

Elle attendit en se demandant lequel des trois sujets occupait la première place dans son esprit. Finalement, ne supportant plus ce suspense, elle capitula.

— Comment ça s'est passé ?

— Mal. Je suis épuisé alors si tu voulais du sexe, bébé, aucune chance. La journée a été longue et frustrante et je voudrais juste dormir près de toi. Je peux ?

Elle aurait bien aimé le sexe – en fait, elle n'avait pensé qu'à ça toute la journée, impatiente de vérifier si ce qu'ils avaient fait était vraiment arrivé ou si ce n'était qu'un rêve. Elle voulait l'entendre dire qu'il y avait pris beaucoup de plaisir malgré ses limitations et qu'il en voulait encore.

Mais il n'y avait pas que le sexe dans la vie et, de toute évidence, Griffin en avait gros sur le cœur. Le fait qu'il soit venu directement chez elle la touchait. Profondément. Et il n'avait pas répété les trois mots.

Bizarrement satisfaite, presque heureuse, elle manœuvra pour se pousser – une tâche pas si facile que ça quand on ne peut pas bouger ses jambes – et souleva la couette.

Griffin ne dormit pas plus de quatre heures. Trop de pensées tournaient dans sa tête, empêchant son esprit de se déconnecter. Il fallait qu'il sorte pour se changer les idées.

Abandonnant Poppy au lit, il passa dans la pièce principale où il vérifia ses courriers électroniques sur son ordinateur. Puis il entreprit une rapide recherche sur les pseudonymes de Cindy. Avec l'approche du mois de mars, de nouvelles publications sortaient.

Son cœur fit un bond quand un des noms de sa liste fit mouche. Cliquant sur le lien d'une main tremblante, il découvrit un poème qui parlait des rêves comme première étape pour vaincre les regrets. Le poème ne comptait qu'une douzaine de lignes et quelques-unes de un ou deux mots seulement, mais il en émanait une puissance étonnante. Pour Griffin, il n'y avait aucun doute. Cindy l'avait écrit.

Rapidement, il nota le titre du poème, l'auteur, le nom du magazine et la page. Il n'y avait aucune information sur le poète, mais un coup de téléphone au magazine devrait combler cette lacune. Malheureusement, c'était samedi, jour de fermeture des bureaux, et il lui faudrait patienter jusqu'au lundi.

Frustré, il arracha la page où il avait pris les notes et la fourra dans sa poche. Quand il débrancha l'ordinateur, il était encore plus énervé qu'avant. Il lui fallait un exutoire.

En arrivant chez Micah, il croisa la voiture de Camille qui emmenait les filles pour la journée.

Billy Farraway était déjà là, assis sur la remorque du pick-up de Micah, sa casquette perchée sur le haut de son crâne et les jambes pendantes, comme s'il était prêt à travailler. Griffin allait poser la question quand un camion tourna dans le chemin. Pete Duffy en sortit au moment où Micah fermait la porte de la maison.

Les deux hommes se regardèrent.

— Je croyais t'avoir dit de ne pas remettre les pieds ici, attaqua Micah.

— C'était le week-end dernier, répliqua Pete. Aujourd'hui est un autre jour et le temps presse. À mon avis, la sève commencera à couler lundi ou mardi.

— Mardi. Elle coulera mardi.

— Mardi, répéta Billy.

— J'ai trois jours de vacances. Je veux t'aider, renchérit Pete.

— Les fédéraux savent que tu es là ?

— Non, répondit Pete d'un ton sec. Et ça, c'est mon affaire. Je ne travaille pas pour eux. La seule raison pour laquelle je les ai accompagnés, ce matin-là, c'est parce que Willie Jake me l'a ordonné et que je travaille pour lui.

— Il sait que tu es là ?

— Oui et ça ne le dérange pas. Le seul qui a un problème, c'est toi. Alors tu peux rester planté là à me traiter de traître ou tu peux accepter mon aide. Avec Billy et Griffin, on sera quatre, soit deux équipes et donc deux fois plus de travail abattu.

— Comment puis-je être sûr que tu ne vas pas tout saboter ?

En colère, Pete détourna les yeux et serra les dents. Puis il reporta son regard sur Micah.

— Je t'ai toujours bien aimé, Micah, parce que tu savais ce que tu voulais. Tu as su apprendre ce qu'il fallait pour monter cette opération – et tu peux répéter que c'est Heather qui a tout fait, mais ce n'est pas elle qui allait à l'école à Vermont pour apprendre les dernières méthodes sur la fabrication du sirop d'érable. Tu l'as fait, Micah. Elle t'a aidé, mais c'est toi qui l'as fait parce que tu aimes cet endroit et que tu en es fier. Alors, pourquoi te montres-tu aussi stupide aujourd'hui ? Sers-toi de moi, mon vieux. Profites-en.

— Il a raison, Micah, fit remarquer Billy.

Micah lui jeta un coup d'œil mauvais avant de prêter attention à Griffin.

— Tu veux mettre ton grain de sel, toi aussi ? demanda-t-il cavalièrement.

Griffin réfléchit un instant, puis secoua la tête.

— J'ai juste envie de travailler.

Et il ne fut pas déçu. Ils travaillèrent douze heures par jour, samedi et dimanche, jusque tard dans la nuit, éclairés par des torches accrochées à la remorque du pick-up. Griffin n'avait jamais été plus fatigué de sa vie, mais il éprouvait quand même une certaine satisfaction. Lundi à midi, tout le versant sud était prêt et relié au tuyau principal. Compte tenu du fait que cela représentait les deux tiers de l'érablière – et que la sève coulait d'abord à l'adret –, cela constituait un bel exploit.

Dans un autre monde, Griffin aurait probablement pris un jour de congé, mais Micah commandait ici, ou plus exactement Dame Nature, et elle n'attendait pas. Il avait pourtant besoin de deux heures et il promit à Micah de revenir.

En conduisant, il écouta ses messages – Prentiss Hayden, son éditeur, son frère Alex et deux ou trois amis. Il y en avait également un du magazine qui avait édité le poème de Cindy. Freinant brusquement, Griffin se gara et rappela le rédacteur du magazine, qui se montra très aimable. Malheureusement, la seule adresse de l'auteur qu'il connaissait était une boîte postale et il refusait absolument de communiquer son numéro de téléphone. Mais Griffin savait être persuasif quand il le voulait ; dans les vingt minutes, il avait obtenu le numéro de téléphone.

Après avoir raccroché, il tenta de joindre le bureau d'Aidan Greene et laissa un message sur son répondeur. Dame Nature n'était pas la seule à être pressée. Le procureur général de Californie aussi.

— Aidan, c'est Griffin Hughes. J'espère que vous avez réfléchi à notre conversation. Le temps presse et, si vous voulez nous aider, c'est maintenant ou jamais. Vous avez mon numéro. Rappelez-moi.

Il coupa la communication en se garant devant chez Poppy.

Poppy rêvassait, assise devant son standard. Dans une

heure, elle irait chercher les filles à l'école. Depuis samedi, elles dormaient chez elle en attendant que Micah ait terminé l'installation de l'érablière. Elles regagneraient leur maison quand la sève se mettrait à couler.

Mais elles manqueraient à Poppy qui aimait leur présence et toutes les petites tâches imposées par la présence de deux enfants. Et elle s'en était très bien sortie.

Rose aurait été contente. Étonnée même.

Le bruit d'un véhicule la tira de sa rêverie. Une minute plus tard, la porte s'ouvrait et Griffin entrait, les joues rouges et les yeux pétillants.

— Nous avons presque fini, annonça-t-il. Encore un jour et c'est bon.

— C'est bien, fit-elle en souriant.

— Quoi de neuf ici ?

— Pas grand-chose.

— Quand dois-tu aller chercher les filles ?

— Dans une heure.

Il leva les deux sourcils.

— Quoi ? demanda-t-elle.

Ses yeux se tournèrent en direction de la chambre.

— Je me disais que peut-être...

— Peut-être quoi ?

Elle ne lui facilitait pas la tâche, elle le savait, mais trop de choses l'inquiétaient encore pour jouer à ce jeu.

Il poussa un soupir.

— Je pensais que tu me laisserais peut-être te tenir dans mes bras.

— Je l'ai fait pendant la nuit de vendredi à samedi et je ne t'ai plus revu depuis. Ça en dit long sur ce qui s'est passé entre nous.

— Qu'est-ce qui s'est passé entre nous ?

— Une aventure sexuelle.

— Une aventure sexuelle ? C'était bien plus que ça. Nous avons fait l'amour comme tu ne l'as jamais fait avec un autre gars. Pas comme ça en tout cas. J'ai déclaré que je t'aimais et tu as refusé d'écouter. Explique-moi pourquoi.

— Je ne suis pas prête. C'est trop tôt. Tu me connais à peine. Comment sais-tu que tu m'aimes ?

— Je ne suis plus un enfant.

— Tu sais ce que je veux dire.

— Non, honnêtement, je ne sais pas. Je viens d'avoir trente et un ans et j'ai mis du temps à trouver la femme de ma vie. Je crois savoir ce que je veux et je pense que toi aussi, seulement tu as peur.

— Peur de quoi ? demanda-t-elle, incapable d'exprimer ses angoisses et curieuse de savoir s'il saurait formuler les mots justes.

— Peur à cause de ton handicap. Tu as peur que je me lasse de toi et que je te quitte.

— Comme tout le monde. Pas toi ?

— Oh non, nous ne parlons pas de moi. Nous parlons de toi. Tu as peur que je me fatigue d'être avec une personne incapable de faire tout ce que j'ai envie de faire. Alors, voyons ça en détail. Nous avons dansé, n'est-ce pas ?

— Oui.

— Nous avons pris notre douche ensemble ?

— Oui.

— Et un de ces jours, je t'emmènerai sur une motoneige.

Le suivre n'était pas sa plus grande inquiétude.

— Il y a encore beaucoup de choses que tu ignores, dit-elle.

— Dans ce cas, ça ne peut concerner que ton accident.

Posant sa veste sur le dossier du canapé, il tira une chaise et s'assit.

— Raconte-moi.

— Je l'ai déjà fait.

Il ne cilla pas.

— Raconte-moi, répéta-t-il patiemment.

Elle ne voulait pas. Elle pensait à ce qu'elle avait confié à Micah. Certaines choses restaient trop douloureuses pour en parler. Mais Griffin n'abandonnerait pas, alors elle choisit la voie facile.

— Je suis demeurée à l'hôpital pendant huit semaines dont une dans le coma. Un vrai cauchemar pour mes parents. Puis je me suis réveillée et, quand j'ai appris, j'ai traversé une période très difficile.

Il fronça les sourcils et elle devina sa question. *Que tu ne remarcherais jamais ?*

— Que Perry était mort, rectifia-t-elle. L'enterrement avait déjà eu lieu et tout le monde tentait de me remonter le moral en me disant que j'avais eu beaucoup de chance. Mais ça m'a pris du temps pour l'admettre. À la fin des huit semaines, je me suis retrouvée en centre de rééducation. Je suis vraiment chanceuse. L'argent n'a jamais été un problème. Mes parents ont fait construire cette maison pour moi, sur un bout de leur terrain.

— Parle-moi de l'accident.

— Je croyais l'avoir déjà fait.

— Que te rappelles-tu ? demanda-t-il comme s'il n'avait rien entendu.

— Pas grand-chose.

— Parce que tu ne veux pas te souvenir ?

— C'est si étonnant que ça ? répliqua-t-elle sur la défensive.

— Vous aviez fait la fête. Tout le monde avait beaucoup bu.

Son ton l'enjoignait de poursuivre.

— Il y a eu un accident.

Il attendit, mais elle garda le silence. Elle refusait d'y penser et encore moins d'en parler. Elle payerait le prix de son irresponsabilité en passant le reste de sa vie dans un fauteuil roulant et elle ne comptait pas en rajouter. La punition lui paraissait suffisante.

— Je sais que tu as confiance en moi jusqu'à un certain point. Mais je me rends compte aujourd'hui que ce point est bien moins élevé que je ne pensais.

Il se leva et prit sa veste.

— Vous vous ressemblez beaucoup, Heather et toi. Aussi convaincues l'une que l'autre que les personnes qui vous aiment vous tourneront le dos si elles apprennent la vérité à votre sujet.

— Accorder une telle confiance n'est pas à la portée de tout le monde.

— Je ne parle pas de tout le monde, Poppy. Je parle de toi.

— Que veux-tu que je te dise ? cria-t-elle.

Il haussa les épaules et mit son bandeau.

— Micah m'attend.

16.

Si Micah avait parié sur le mardi, il aurait gagné le gros lot. Dès les premières lueurs du jour, le soleil monta haut dans le ciel et en quelques heures la température grimpa bien au-dessus de zéro. La neige fondait et sous les arbres des morceaux de terre nue apparaissaient, dégageant une bonne odeur de renaissance.

Et la sève commença à couler.

Micah aurait presque pu dire le moment où le liquide était apparu. Une goutte d'abord, puis plusieurs et enfin suffisamment pour remplir les tuyaux jusqu'à la cabane à sucre. Pourtant il avait passé toute la matinée à poser les tubulures sur les arbres de la face nord où la sève ne ferait pas son apparition avant une bonne semaine. Mais il l'avait sentie monter de l'autre côté. Le printemps pointait le nez et la première récolte de l'année célébrait son arrivée.

Heather adorait ce moment. Les filles aussi, mais elles viendraient plus tard, après l'école, et lui donneraient un coup de main. Dans le temps, l'école passait après le sirop d'érable. La première fois qu'il avait vraiment participé à une récolte, il était plus jeune que Star. Le sirop d'érable était une affaire de famille.

Du moins, à l'époque. Et aujourd'hui ? Billy faisait partie de la famille, mais pas Griffin ni Pete qui avait su se racheter. Dieu sait qu'il n'avait pas économisé sa peine et qu'il avait encaissé sans broncher les réflexions de Micah.

Plus tard, Micah le remercierait. Plus tard seulement, quand son ressentiment s'effacerait.

Il estimait avoir encore quatre à cinq heures devant lui pour raccorder. Dans ce laps de temps, la sève se serait suffisamment accumulée dans le conduit principal jusqu'à la cabane à sucre pour mettre l'évaporateur en route. Pete ayant repris le travail aujourd'hui, restaient Billy qui travaillait en équipe avec Griffin et lui.

Il aurait aimé avoir un fils pour continuer la tradition. Il l'avait dit à Heather. Une des filles épouserait peut-être un garçon intéressé par ce travail, mais ce ne serait pas pareil.

Il n'avait pas de fils, mais il avait ses arbres qu'il avait plantés, taillés, soignés et qui lui resteraient quoi qu'il arrive.

Ils faisaient partie de sa famille et leurs exploits le remplissaient de fierté.

Poppy apprit la nouvelle peu après midi et entreprit aussitôt de la transmettre. Inutile de se présenter ou de mâcher ses mots. Il suffisait de dire « la sève coule » pour que tout le monde comprenne.

Les gens raccrochaient alors, terminaient ce qu'ils avaient en cours et se précipitaient à la cabane à sucre avec de la nourriture et des boissons pour nourrir l'acériculteur, sa famille et tous les visiteurs.

En théorie du moins, parce que ce jour-là, l'accueil manquait de chaleur.

— Oh, se contenta de dire quelqu'un. Je suppose que c'est le moment.

— Micah est prêt ? s'enquit un autre. On raconte qu'il n'a pas fini de brancher.

— J'espère qu'il fera une bonne récolte. L'année a été dure pour lui.

En fait, seule la mère de Poppy réagit avec l'excitation coutumière. Mais Maida était productrice de cidre et connaissait bien cet instant magique : le début de la récolte. Et puis, elle adorait cuisiner.

— Je suis déjà dans la cuisine, annonça-t-elle. Encore

quelques petites choses à préparer et je serai chez Micah dans l'après-midi.

— Je pourrais passer te chercher, proposa Poppy.

Maida parut surprise – à juste titre d'ailleurs. Poppy ne prenait pas souvent l'initiative dans leur relation. À sa décharge, il fallait reconnaître qu'elle n'en avait guère l'opportunité. Maida la devançait toujours, la maternant à outrance, et, en réaction, Poppy avait plutôt tendance à fuir dans la direction opposée pour éviter d'être couvée.

Elle ignorait ce qui l'avait poussée à proposer ça aujourd'hui. Peut-être le retour de vacances prématuré de sa mère ou le fait de la savoir seule dans sa grande maison. En tout cas, elle éprouva une étrange satisfaction en constatant le plaisir de Maida.

— Oh, Poppy, quelle gentille attention. Mais tu ne devais pas t'occuper des filles ?

— Je te prendrai en passant. À trois heures, ça ira ?

— Bien sûr.

Effectivement, Poppy avait à peine arrêté la voiture devant le perron de la maison de sa mère que celle-ci sortait d'un pas alerte pour déposer un panier en osier dans le coffre avant de repartir en courant chez elle d'où elle ressortit avec un deuxième panier, puis un troisième. Finalement, à bout de souffle, elle se glissa sur le siège passager et gratifia sa fille d'un sourire satisfait.

— Là, dit-elle. Voilà qui devrait caler un peu les affamés.

— Tu as dû vider ton congélateur, fit remarquer Poppy en démarrant.

— Pas tout à fait, mais je n'ai pas arrêté depuis ton coup de téléphone. J'ai l'habitude de cuisiner pour de nombreuses personnes.

— Tu veux dire, nous ?

— Avant vous. Avant Lake Henry même. Quand j'habitais dans le Maine. Ma mère travaillait et il y avait tous mes oncles à nourrir.

— Tes trois oncles.

Lily lui avait montré une photo qu'elle avait trouvée dans les affaires de leur grand-mère après sa mort. Jusque-là, elles ignoraient avoir de la famille dans le Maine – un sujet que Maida n'abordait jamais.

— Quatre oncles, rectifia brusquement cette dernière. Maman avait quatre frères qu'elle avait élevés seule, tous plus jeunes qu'elle, le plus jeune, Philip, de vingt ans. En fait, il était plus proche de mon âge que du sien et c'était mon meilleur ami.

Poppy ressentit soudain une étrange impression. Non seulement sa mère ne parlait jamais de son enfance, mais quand elle le faisait elle employait rarement ce ton désinvolte. Pourtant, Poppy ne percevait aucune légèreté derrière les propos de Maida.

— Nous étions inséparables, reprit cette dernière. Nous discutions pendant des heures. C'était le genre de relations que tu entretenais avec Perry ?

— Non, contesta Poppy, méfiante.

Elle ne comprenait pas où sa mère voulait en venir.

— Et avec Griffin ?

— C'est encore trop tôt pour le dire.

— En tout cas, Philip faisait partie de ma famille et figure en bonne place dans mes premiers souvenirs. Mon père était un homme dur et nous n'avions pas beaucoup d'argent. Alors nous nous réconfortions mutuellement, Philip et moi. Nous avons grandi ensemble, puis nous sommes devenus amants.

Les mains de Poppy sursautèrent sur le volant. Elle jeta un coup d'œil à sa mère avant de reporter très vite son regard sur la route.

— Amants ? répéta-t-elle.

— Oui. Quand les autres s'en sont aperçus, ils ont envoyé Philip au loin. Il s'est retrouvé seul, perdu, sans personne vers qui se tourner et finalement, désespéré, il s'est suicidé.

— Mon Dieu, quelle horreur ! s'exclama Poppy. Je suis désolée.

— Désolée que nous ayons été amants ?

— Désolée qu'il soit mort.

— Et le fait que nous ayons été amants ?

Poppy jeta un nouveau coup d'œil en direction de sa

mère qui attendait son verdict, l'air effrayé. Pour dire la vérité, Poppy était plus choquée par les révélations inopinées de sa mère que par leur contenu. Elle n'avait jamais rencontré ses oncles, mais elle était quand même intriguée. La Maida qu'elle connaissait n'aurait jamais parlé de ses relations sexuelles avec son mari, alors avec son oncle...

Le centre-ville brillait sous l'éclat du soleil qui se reflétait dans les milliers de gouttelettes de neige fondue tombant des toits et des arbres. Poppy salua distraitement un des fils de Charlie qui balayait la neige devant la porte de l'épicerie.

— Je crois que... Eh bien, c'est inattendu. Immoral peut-être, mais humain. Et ça s'est passé il y a très longtemps. Je ne crois pas que l'on puisse qualifier la vie que tu as menée depuis de débauchée.

— Ton père n'a jamais su. Mais j'ai vécu avec cette culpabilité ancrée au fond de moi. Sans parler de la peur.

— Peur qu'il ne l'apprenne ?

— Oui. Ce n'est pas une façon de vivre très amusante. J'ai travaillé deux fois plus pour que tout soit deux fois mieux dans notre vie.

— Je crois que tu as réussi.

— Pas une façon de vivre très amusante, répéta Maida, pensive, avant de tourner la tête vers la fenêtre, mettant ainsi fin à la conversation.

Mais Poppy ne voulait pas en rester là. Elle devinait un message pour elle derrière cet aveu.

— Pourquoi m'as-tu raconté ça ? demanda-t-elle.

— J'ai vu quelqu'un en Floride.

— Un homme ?

Ce fut la première idée qui vint à l'esprit de Poppy. George Blake était mort depuis trois ans. L'arrivée d'un nouvel homme pourrait sans doute expliquer l'étrange comportement de Maida.

— Un psychothérapeute.

— Vraiment ?

Poppy éprouva un nouveau choc.

— Oui. Je commençais à me sentir vieille. Et puis,

quand je suis descendue en janvier, je me suis rendu compte que j'étais plus jeune que la plupart des gens autour de moi. J'ai seulement cinquante-sept ans après tout, ce qui de nos jours n'est pas tellement vieux. Alors je me suis demandé pourquoi je me sentais si vieille. Comme je ne trouvais pas de réponses je me suis procuré une adresse.

— Celle d'un psychothérapeute ?

— Oui. Une femme. Elle m'a aidée à découvrir ce que je cherchais.

— Qui est ?

— Le bonheur, le plaisir. Lily attend un enfant, tu le sais.

Poppy hocha la tête.

— Eh bien, je veux profiter de ce bébé. Je veux faire pour lui ce que je n'ai pas fait pour Lily. Je n'ai pas été une bonne mère.

— Tu étais une bonne mère, corrigea Poppy. Simplement, tu n'étais pas toujours très... compréhensive.

— C'est gentil de ta part, Poppy, mais la vérité est que j'étais obsédée par les événements de ma jeunesse, par la culpabilité qui me rongeait et mon premier enfant, Lily, a payé le prix de tout ce que je gardais enfoui au fond de moi. Tenter de dissimuler une telle chose est impossible. Tu crois avoir bien caché le linge sale, mais finalement, un jour ou l'autre, l'odeur s'en échappe.

— Quelle horrible comparaison !

— Mais vraie.

— Pourquoi me racontes-tu tout ça ? insista Poppy.

— Je voulais que tu le saches, c'est tout, répondit Maida au bout d'un long moment de réflexion.

Si elles n'étaient pas arrivées devant l'école, Poppy aurait sûrement poursuivi. Mais les deux fillettes attendaient déjà et se précipitèrent, pressées de rentrer chez elles.

La vapeur s'échappait du dôme au-dessus de la cabane à sucre et s'envolait par-dessus les arbres pour se perdre dans le ciel. Et cette vapeur à elle seule aurait dû agir comme un véritable cri de ralliement. Les voitures auraient dû envahir l'allée devant chez Micah déversant leurs passagers impatients de goûter au premier sirop de la saison.

Mais l'allée était déserte et la voiture de Poppy fut la seule à se garer à côté du camion de Griffin. Les filles bondirent hors de la voiture.

— Où sont-ils tous ? murmura Maida, sidérée.

Mais ce n'était qu'une question de pure forme et, sans attendre de réponse, elle sortit à son tour et se dirigea vers le coffre.

Poppy aurait aimé suivre les fillettes jusqu'à la cabane à sucre. Elle adorait l'odeur sucrée qui se dégageait quand la sève bouillait. Mais elle espérait que Maida reviendrait sur leur conversation pour formuler une question, une observation ou même une accusation. Et elle voulait être là pour ça.

Maida avait bien une accusation à lancer, mais pas contre Poppy.

— Ce n'est pas juste, marmonna-t-elle. Ils savent que Micah traverse des moments difficiles. D'accord, il s'est un peu énervé.

— Plus d'une fois.

— Mais ils savent bien qu'il n'est pas méchant. Ils devraient être là.

Poppy attrapa un des paniers, le mit sur ses genoux et se dirigea vers la rampe d'accès à la porte. Le chemin était difficile car des morceaux de neige durcie bloquaient ses roues. Encore quelques semaines et ce ne serait plus que de la boue. Micah installerait alors de longues planches en bois, pas tant pour Poppy que pour Heather et les filles. La fonte des neiges n'avait rien d'une partie de plaisir.

Après avoir déposé son chargement, Poppy repartit vers la voiture mais sa mère l'envoya promener.

— Va à la cabane, Poppy, dit-elle d'un ton sans appel. Ils ont besoin de spectateurs. Je prépare tout et je vous rejoins.

Poppy ne s'éloigna pas tout de suite. Sa mère semblait plus calme et détendue maintenant.

— Ce que tu m'as dit dans la voiture… Les autres sont au courant ?

— Tes sœurs ? Lily, oui. Je lui en ai parlé à l'automne quand elle avait tous ces problèmes. Elle ne comprenait pas pourquoi je redoutais tant la presse. J'ai dû lui expliquer. Cela nous a aidées toutes les deux, je crois. Je n'en ai pas parlé à Rose. Je devrais.

Elle soupira.

— Cela demandera beaucoup plus de courage, mais j'y travaille.

Griffin avait la responsabilité de veiller au feu sous l'évaporateur. Il l'entretenait en ajoutant du bois et en réapprovisionnant la pile de bûches près de la porte à partir du tas dehors. Missy et Star l'aidaient, transportant une bûche à la fois. Elles couraient avec plaisir, pleines d'énergie et tout excitées d'être à la maison et de participer. Elles n'avaient pas tardé à abandonner leurs vestes à cause de la chaleur et de l'humidité qui régnaient dans la cabane et les cheveux de Missy frisaient de plus en plus.

Griffin la taquina gentiment comme il le faisait avec ses nièces qui avaient le même problème.

— On dirait que tu as de plus en plus de cheveux, Missy. Tu as mangé quelque chose de spécial au petit déjeuner ?

Missy secoua la tête et effectua une petite danse autour de la pièce. Star, plus calme, restait près de Griffin. De temps en temps, elle glissait la main dans sa poche pour prendre des bonbons au chocolat qu'il avait pensé à choisir avec des noisettes.

Le numéro de téléphone de Cindy se trouvait toujours dans la poche arrière de son jean, mais il n'avait pas encore appelé. À son idée, tant que Ralph continuait à enquêter dans une autre direction, Cindy ne bougerait pas – à supposer évidemment que ce fût bien elle, ce qu'il tenait absolument à croire. Mais, au fond de son cœur, il redoutait une nouvelle impasse et ne cherchait qu'à gagner un peu de temps.

Dieu merci, il avait de quoi s'occuper l'esprit. Quand il n'ajoutait pas du bois, il surveillait les filles, dont Micah ne pouvait se charger. En sa qualité de chef d'orchestre, de maestro du sirop d'érable, il gérait toute l'activité, assez compliquée au demeurant. Il prit quand même le temps d'expliquer les différentes étapes à Griffin sans quitter des yeux ses équipements.

— La sève s'écoule des arbres et descend jusqu'à la cuve dehors grâce au réseau de tubulures qui serpente entre les érables. Je laisse la sève dehors dans la cuve aussi longtemps que possible parce que le froid diminue les risques de bactéries. Puis, grâce à cette valve, je fais couler la sève à l'intérieur où elle atterrit d'abord dans l'osmoseur qui va réduire sa teneur en eau par une méthode de concentration, appelée osmose inverse. De là, ce tuyau la conduit jusqu'à l'évaporateur où elle va bouillir. En chemin, la vapeur dégagée par l'évaporateur a commencé à la réchauffer à travers le tuyau. Elle va passer par trois récipients successifs. Le deuxième est plus petit parce que la sève a déjà commencé à se condenser.

— Est-ce que la sève qui coule de l'arbre est sucrée ? se renseigna Griffin.

— À la coulée de l'arbre, elle contient deux pour cent de sucre. Après une demi-heure dans l'évaporateur, elle se transforme en sirop avec soixante-sept pour cent de sucre.

Il remua la sève dans le récipient.

— Avant on brûlait au moins un récipient à chaque saison, ce qui fait que non seulement on devait jeter la fournée de sève, mais aussi le récipient. Aujourd'hui, cette jauge me permet de vérifier le niveau de sève dans chaque récipient. Quand le niveau baisse, je le sais aussitôt et je peux réagir en conséquence.

— Je peux goûter ? demanda Missy.

— Pas encore. Bientôt.

Micah fit passer la sève dans le troisième récipient.

— Ici, les choses se compliquent, reprit-il. C'est la dernière étape, l'endroit où la sève se transforme en sirop.

— Comment savez-vous quand c'est fini ?

— On l'entend, glissa Billy.

— Un léger changement intervient dans le bouillonnement et, si on ne l'entend pas, on peut le voir grâce à ce thermomètre. À sept degrés au-dessus de la température d'ébullition, la sève passe à l'état de sirop. C'est un hydromètre à sucre.

— Quelque chose sent drôlement bon, lança une voix à la porte.

Lily Kipling apparut, suivie de son mari et de Charlie Owens. Comme ils ôtaient leurs manteaux, Griffin leur confia les filles et partit en direction de la maison.

Micah aimait parler de son travail, qu'il maîtrisait et adorait. Mais l'arrivée des visiteurs avait détourné son attention. La tradition à Lake Henry voulait que les amis et les voisins viennent à la première coulée. Cette année, pourtant, il se serait bien passé de leur visite. Billy et Griffin, en le déchargeant des petites tâches, lui rendaient un fier service. Maida également qui avait apporté à manger. Quant à Poppy, elle faisait pratiquement partie de la famille et les filles l'adoraient. Il ne savait d'ailleurs pas comment il aurait pu s'en sortir sans elle ces derniers jours.

Mais Lily, John et Charlie lui rappelaient la foule qui se précipitait chez lui d'habitude et combien les choses étaient différentes cette année. Pis encore, Charlie, qui s'en rendait compte, tentait de faire preuve de sollicitude.

— Qu'est-ce que je peux faire ? demanda-t-il.

— C'est bon, répondit Micah les yeux sur la jauge.

— Tu as fini de placer les chalumeaux ?

— Non. Je le ferai le matin. De toute façon, je ne peux pas commencer à bouillir avant l'après-midi.

Tous ceux qui connaissaient quelque chose à la fabrication du sirop d'érable savaient que la sève ne coulait qu'au plus chaud de la journée et s'arrêtait avec le coucher du soleil, quand la température baissait. Micah faisait alors bouillir la sève jusque tard dans la nuit pour transformer la récolte du jour parce que la sève fraîche signifiait un meilleur sirop.

— Si tu as besoin d'aide, un de mes garçons peut mettre la main à la pâte, offrit Charlie.

— Non, ça ira, répliqua Micah, les mâchoires serrées.

La vérité, c'est qu'il se sentait humilié de ne pas

connaître le passé d'Heather et n'osait plus regarder les gens en face. Pis encore que si elle l'avait cocufié.

— Eh, dit Billy en lui donnant un coup de coude.

Reportant son attention sur la sève, Micah discerna un bouillonnement différent. L'excitation monta en lui. Il introduisit doucement sa pelle en métal dans le récipient et souleva. Le sirop coula doucement.

Tournant une valve, il vida le récipient dans la cuve finale. Puis il fit passer la sève du deuxième récipient dans le troisième, celle du premier dans le deuxième et ouvrit la valve pour remplir l'osmoseur avec la sève brute stockée à l'extérieur. Le processus recommençait.

Il retourna ensuite vers la cuve finale équipée de filtres.

Il se rappela brusquement le coup de coude de Billy. Sans lui, le sirop aurait brûlé, une erreur impardonnable pour un acériculteur de son niveau. Alors, qui devait-il blâmer ? Lily, John et Charlie pour le distraire ? Heather pour le hanter ?

Finalement, il admit que la faute lui revenait entièrement et s'admonesta en silence. Au lieu de ruminer, il ferait mieux de se concentrer s'il ne voulait pas en plus foutre sa saison en l'air.

Poppy était installée sur le canapé de Micah quand Griffin entra. Elle ne lisait pas, ne regardait pas la télévision, n'écoutait pas de musique. En fait, elle ne faisait rien du tout et pourtant elle avait l'impression que cela lui pompait toute son énergie.

Elle lui sourit, mais resta silencieuse.

— Ta mère s'active comme une abeille, dit-il. Je croyais te trouver avec elle. Tu vas bien ?

En fait, elle n'en savait rien. Elle se sentait... cafardeuse – un état plutôt rare chez elle.

Mais elle hocha la tête et fit signe à Griffin d'approcher. Quand il se pencha vers elle, elle mit son nez dans sa chemise.

— Mmmm, le sirop d'érable. Quelle bonne odeur. Comment ça se passe là-bas ?

— Ta sœur vient d'arriver.

Lily, la future mère.

— Elle est enceinte, annonça-t-elle à Griffin. Mais personne n'est au courant, alors ne le répète pas.

— Promis. Merci de me l'avoir confié. L'arrivée d'un nouveau bébé est toujours excitante.

Poppy acquiesça d'un signe de tête et croisa les mains sur ses genoux.

— Quelque chose ne va pas, dit-il, accroupi devant elle.

Elle haussa les épaules, mais il avait raison.

— J'ai l'impression d'être... comme un spectateur. Assise là à regarder les choses survenir.

— Comme Lily qui va avoir un bébé ? Ou Heather enfermée dans une prison ? Nous faisons tout ce que nous pouvons. Je harcèle Aidan, Cassie harcèle les avocats, mais d'une certaine façon, nous sommes tous des spectateurs.

— Mais tu te changes les idées avec d'autres choses.

— Tu veux nous accompagner à la cabane à sucre ? proposa-t-il.

— Pour regarder ? demanda-t-elle de mauvaise humeur.

Elle savait qu'elle se comportait comme une enfant capricieuse, mais c'était plus fort qu'elle.

— Non, merci.

— Tu m'aideras à entretenir le feu.

Elle secoua la tête, frustrée.

— Tu m'en veux toujours pour ce que j'ai dit ?

— Je devrais. Pour ça et pour le reste.

— Quel reste ?

— Venir ici. Me faire prendre conscience de mes limites. Avant j'avais l'impression de pouvoir faire tout ce que je voulais.

— Et tu ne peux pas ?

— À la maison, j'observe Victoria. Elle tente des choses. Rien ne l'effraie.

— C'est un chat et les chats n'agissent pas comme nous. Ils n'analysent pas la situation. Ils n'éprouvent aucun regret ou remords. Ou peur.

— Moi si. Beaucoup de choses me terrifient.

— Comme quoi par exemple ?

— Toi, avoua-t-elle brusquement puis, gênée, elle s'empressa de changer de sujet. Ma mère voit une psychothérapeute. Je devrais peut-être en faire autant.

— Tu n'en as pas besoin. Un bon ami peut remplir cet office. Ce n'est pas comme si tu avais des angoisses profondes. Parfois, il suffit juste d'exprimer à haute voix ce qui nous tracasse. Une oreille amicale se prête bien à cet exercice.

— Un psy aussi.

— Un ami est moins cher. Et tu n'as pas besoin d'un psy. Tu m'as moi.

Elle l'attrapa par le col de sa veste.

— C'est toi le problème, gémit-elle.

— Parce que je t'aime ? C'est ridicule, Poppy.

— Voilà pourquoi j'ai besoin d'un psy.

— Un psy s'installera en face de toi et attendra jusqu'à ce que tu ne puisses plus supporter le silence et extériorises toutes tes angoisses. Je pourrais te montrer, mais je n'ai pas beaucoup de temps. Je dois retourner aider Micah. Alors, parlons sérieusement. Je suis au courant pour l'accident, Poppy. Je sais tout. *Tout*. Et je ne te hais pas. Rien de ce que tu pourras déclarer ne me découragera.

Poppy pouvait à peine respirer. Elle ne dit rien – elle en était incapable.

— S'il s'agit d'une question de pardon, continua Griffin d'une voix douce, je te le donne. Mais ce n'est pas nécessaire. Des choses terribles arrivent tous les jours. Tu veux en connaître une. Quand ton frère aîné procure de la drogue à ta petite sœur et que tout le monde détourne le regard.

— Cindy ? s'exclama Poppy.

Il hocha la tête d'un air triste.

— Nous l'avons appris quelques années plus tard, mais seulement à voix basse et après que le mal a été fait. James vit avec sa femme et ses trois enfants à Green Bay dans le Wisconsin et Cindy s'est enfuie depuis longtemps. Il a dit qu'elle l'avait supplié. Je reconnais que c'était une adolescente rebelle et qu'elle avait fumé de la marijuana avant ça, mais les drogues dures, c'est lui qui les lui a fournies.

— C'était un dealer ?

— Non, mais il avait des relations. Quand elle lui en a demandé, il s'en est procuré. Et la situation a empiré jusqu'à ce qu'elle soit complètement accro. Alors, le scandale a éclaté et elle n'a pas pu le supporter. Elle s'est enfuie. Qui est responsable ? Mon père, si sévère et rigide qu'aucun de nous n'osait l'approcher ? Moi et les autres pour n'avoir rien fait ? James pour lui avoir donné la drogue juste pour emmerder le vieux ? Il a agi par méchanceté et par calcul, ajouta-t-il avec un soupir las. Pas toi, Poppy.

Non, pas de calcul, seulement de l'irresponsabilité qui avait causé la mort d'une personne.

— Ce qui nous amène au cœur du problème, reprit Griffin, le psy. Un problème qui ne vient pas de moi. Tu n'as pas besoin de mon pardon pour ce qui s'est passé cette nuit-là, Poppy. Mais il faut que tu acceptes de te pardonner toi-même.

Elle le regarda et découvrit dans son regard une surprenante vulnérabilité.

— Parle-moi encore de Cindy.

Il secoua la tête et pointa un doigt vers elle. Puis il attendit jusqu'à ce qu'elle ne puisse plus supporter le silence.

— Que veux-tu que je te dise ? demanda-t-elle à voix basse.

Mais il ne pouvait lui donner les réponses dont elle avait besoin, elle le savait.

— Je voudrais coucher chez toi, cette nuit. Je vais travailler tard avec Micah et je ne veux pas rentrer à Little Bear où personne ne m'attend. Je veux rester avec toi.

Elle posa un doigt sur sa bouche. C'était vraiment un homme remarquable, qui l'aimait apparemment, mais qu'elle ne méritait pas.

Cependant, elle ne tenait pas à le rejeter. Elle était peut-être coupable d'un tas de choses, mais pas stupide.

Griffin ne quitta pas la cabane à sucre avant minuit. Idem le mercredi et encore le jeudi. Pendant toutes ces années où il avait négligemment noyé ses pancakes de sirop d'érable, jamais il n'aurait imaginé que sa préparation demandait autant de travail. Micah se montrait à juste titre méticuleux. Une fois la sève transformée en sirop, il filtrait ce dernier pour en retirer jusqu'aux moindres impuretés. Puis il le mettait immédiatement en bouteilles pendant qu'il était encore assez chaud, à la fois pour être stérilisé et créer un petit vide dans la bouteille en refroidissant. Et comme si ça ne suffisait pas pour le travail du jour, il fallait encore nettoyer tout le matériel utilisé pendant la journée.

Griffin rentrait alors chez Poppy, exténué. Jeudi, en plus de la fatigue, il grelottait. Il avait plu toute la journée, une petite pluie fine qui n'avait pas gêné la coulée de sève parce que la température était restée douce, mais qui avait infiltré leurs vêtements. À la tombée de la nuit, toute cette humidité accumulée les avait glacés jusqu'aux os. Une douche chaude s'imposait donc et Griffin apprécia l'hospitalité de Poppy.

D'ailleurs, même un fusil pointé sur sa tempe n'aurait pu le décider à retourner sur Little Bear tant il était épuisé. Ce qui signifiait également qu'il ne valait pas grand-chose au lit, d'autant qu'il devait se lever aux premières lueurs du jour pour repartir aider Micah à poser les derniers chalumeaux.

Mais, dans les bras de Poppy, des choses agréables se passaient. Jamais il ne s'était senti aussi physiquement compatible avec une femme. Il ne parla plus de l'accident. Il appartenait maintenant à Poppy de régler la question. Griffin, pour sa part, préférait utiliser leur temps ensemble de façon plus agréable.

Vendredi, la bruine persista, rendant la neige plus lourde sous leurs bottes et imprégnant leurs vêtements. Mais comme la veille, la température demeura clémente.

Samedi matin, Griffin aurait donné cher pour rester au lit près de Poppy, d'autant que le temps n'avait pas changé. Mais le sirop d'érable se moquait des week-ends ou de la pluie. Quand la sève coulait, il fallait agir. Et Griffin se sentait trop concerné maintenant pour baisser les bras. En plus, ils devaient normalement finir l'entaillage ce matin, ce qui justifiait grandement l'effort.

Ce jour-là pourtant, un événement le récompensa d'être sorti du lit. À la fin de la matinée, alors qu'ils regagnaient la maison pour déjeuner, une voiture s'engagea dans le chemin. Micah tourna la tête et jura entre ses dents, persuadé qu'il s'agissait des fédéraux. Mais Griffin reconnut aussitôt l'homme derrière le volant. Aidan Greene.

17.

Finalement, à choisir, Micah aurait préféré les fédéraux. Au moins, eux, ils pouvaient les critiquer, les accuser de tous ses malheurs, leur reprocher leur indifférence. Aidan Greene par contre représentait la vraie vie d'Heather, son passé, et bien que le cerveau de Micah ait accepté le fait qu'elle soit Lisa, son cœur résistait, espérant un miracle qui expliquerait son silence.

Le cœur battant, il regarda Aidan approcher et le trouva très différent de ce qu'il s'était imaginé. Micah s'était attendu à une personne arrogante et sûre d'elle, exsudant le pouvoir. Au contraire, si l'homme portait des vêtements de bonne coupe, rien chez lui ne suggérait la richesse. Il paraissait fatigué, abattu. Et plein d'appréhension.

Griffin s'avança à sa rencontre et tendit la main.

— Si vous aviez appelé, je serais allé vous chercher à l'aéroport, déclara-t-il.

— J'ignorais que j'allais venir. Que j'irais jusqu'au bout. Un gars à l'épicerie du village m'a assuré que je vous trouverais ici.

Il jeta un coup d'œil en direction de Micah.

Ce dernier ne parvenait pas à bouger. Il sentait que, s'il s'avisait de reconnaître l'existence d'Aidan, il allait le détester pour n'avoir pas défendu Heather.

— Ce type renfrogné c'est Micah, dit Griffin. Il a quelques problèmes à digérer tous ces événements, alors il faut lui pardonner son manque d'amabilité. On peut aller à l'intérieur ? demanda-t-il à Micah.

Qui hocha la tête.

Ils entrèrent par la porte de derrière que Micah estimait suffisante pour Aidan Greene. Autant qu'il découvre tout de suite comment ils vivaient. Cette maison n'avait rien à voir avec un hôtel particulier de Sacramento. Il n'y avait ni majordome, ni bonne, ni cuisinière.

Poppy se trouvait dans la cuisine avec les filles. Posée sur la table, une assiette de sandwichs attendait les hommes.

Mais Micah aurait été incapable d'avaler quoi que ce soit. Il traversa donc la cuisine, suivi des deux hommes, et entendit Poppy leur proposer les sandwichs. Ils refusèrent, mais acceptèrent du café. Poppy dit quelque chose à propos des filles, mais à ce moment-là, Micah s'était déjà déconnecté. Des tas de choses tournaient dans sa tête. Tout ce qui l'avait hanté depuis l'arrestation d'Heather – les hypothèses, les suppositions, les questions. Et il n'était pas certain de vouloir connaître les réponses.

Il n'invita personne à s'asseoir – il ne s'agissait pas d'une réunion amicale. Il contempla un instant sa terre par la fenêtre, y puisant la force qui lui manquait. Mais il respirait mal et son cœur battait la chamade.

Finalement, il se retourna, s'appuya au mur, croisa les bras et attendit.

Aidan avait ôté sa veste et la posait sur le dossier d'une chaise. Il leva la tête quand Poppy entra avec le café.

— Migraine, expliqua-t-il en s'emparant de sa tasse et en buvant quelques gorgées.

Poppy gara son fauteuil près du canapé, bien décidée à rester. Micah estima qu'elle en avait le droit. Après les filles et lui, elle était celle qui souffrait le plus du passé secret d'Heather.

Alors qu'il se demandait comment engager la conversation, Griffin prit la parole.

— Quand je suis venu vous voir à Minneapolis, vous ne vouliez pas parler. Pourquoi avoir changé d'avis ?

— À cause de votre remarque sur les raisons qui

m'avaient poussé à choisir le métier d'éducateur. Je suis un pilier de bonnes œuvres. Je l'ai toujours été, même enfant. C'est pour ça que Rob aimait m'avoir avec lui. Je lui donnais bonne conscience. J'améliorais son image.

— Pourquoi ? Il en avait besoin ? C'était un DiCenza et sa famille était connue pour ses œuvres de charité.

Aidan secoua la tête.

— Quand vous avez autant d'argent que les DiCenza, vous devez agir si vous ne voulez pas que l'oncle Sam récupère tout. Et Charles DiCenza préférerait mourir plutôt que de faire cadeau de son argent au fisc. La Fondation DiCenza fut d'abord créée pour bénéficier des déductions fiscales. L'image charitable venait en plus, un bonus en quelque sorte.

— Vous le saviez à l'époque ?

— Oui. Tout le monde le savait. Mais quand on est jeune, on est plein d'ambition et une entité aussi puissante semblait le tremplin idéal pour se lancer dans la vie. Seulement, une fois qu'on a mis le doigt dans l'engrenage, il est impossible de s'en dégager.

— Pourtant vous en êtes sorti ?

— Pas tout de suite. J'avais un diplôme de droit. Rob était mon ami et son père jouissait d'un pouvoir certain. Je pensais vraiment qu'il serait élu vice-président et que, dans ce cas, je pourrais peut-être obtenir un bon poste, soit à la Maison Blanche, soit comme conseiller juridique au Congrès. J'aurais eu alors les moyens de faire de bonnes choses.

Il eut un petit ricanement de dérision.

— Quelle naïveté !

— Pourquoi ?

— Parce que, pour conserver tout ça, je n'ai rien dit pour Rob et Lisa, je n'ai pas raconté la vérité aux policiers. Je me suis trahi moi-même en quelque sorte. Oh, ce n'était pas officiel, mais ça restait dans ma tête. Et je continuais à m'occuper des petits problèmes légaux de la Fondation. Tout ça pour quoi ? Un jour, je n'ai plus pu le supporter et j'ai démissionné. J'ai refait surface comme éducateur. Mon diplôme me servait enfin à quelque chose d'utile. Je travaille avec des gamins qui ont des problèmes avec la justice. Je construis leur défense, puis je cède la place à leurs avocats, qui les représentent devant le juge et reprennent mes arguments comme si l'idée venait d'eux.

— D'accord, vous êtes devenu un citoyen modèle, railla Micah qui commençait à s'impatienter. Le vilain garçon s'est racheté une conduite.

— J'essaie, rétorqua Aidan en le regardant.

— Maintenant, pourquoi ne pas faire quelque chose pour Heather ? Comme raconter la vérité, par exemple.

— C'était une fille bien.

— Elle l'est toujours. Dites-nous quelque chose que nous ignorons.

— Elle aimait Rob DiCenza.

Micah encaissa le coup. Il savait que Aidan l'avait fait exprès et cela le calma.

— Et Rob ? Il l'aimait ? demanda Griffin.

Aidan poussa un soupir.

— Rob était incapable d'aimer. Il avait grandi dans une famille où l'amour était une affaire de troc – tu fais ça pour moi et je fais ça pour toi. Tout avait une finalité politique. L'amour de Lisa était pur.

— C'est elle qui lui a couru après comme les journaux l'ont prétendu ?

— Non. Elle en aurait été incapable. Elle était bien trop timide et réservée. C'est lui qui l'a draguée. Lisa travaillait pour le traiteur de la famille DiCenza qui organisait sans cesse des réceptions. Lisa passait donc beaucoup de temps chez eux. Sa réserve et le fait qu'elle soit issue d'un milieu modeste ne pouvaient manquer d'attirer Rob. Pour lui, elle représentait une nouvelle expérience, un challenge, d'autant plus irrésistible que cela contrariait son père. Charlie se prétend un homme du peuple, mais en fait, c'est un ambitieux qui n'a de cesse de grimper toujours plus haut dans l'échelle sociale. Il se sert de son enfance pauvre à des fins politiques, mais il ne tient certainement pas à voir ses enfants s'acoquiner dans ce milieu-là.

— Vous saviez que Rob la battait ?

— Il disait qu'elle la ramenait trop et qu'une bonne raclée, de temps en temps, lui remettait les idées en place.

— Encore et encore ?

Aidan haussa les épaules, reconnaissant implicitement le fait.

— Et vous n'avez rien fait ? intervint Micah.

— Je lui ai souvent dit d'arrêter de frapper ses amies. Je lui ai fait remarquer qu'un jour l'une d'elles irait à la police et que, si une parlait, les autres suivraient et qu'il risquait de se retrouver en prison. Mais il a ri. Je crois qu'il était fou.

— Et pour la grossesse ? renchérit Micah.

— Quand elle l'a mis au courant, il a prétendu qu'elle essayait de le piéger et que le bébé n'était pas de lui, mais qu'il proposait de payer l'avortement si ça pouvait lui rendre service. Mais seulement parce qu'il l'aimait bien.

— C'était le sien ? demanda Micah.

— Comment voulez-vous que je le sache ?

— À votre avis ? insista Griffin.

— Oui, c'était le sien. Elle ne voyait personne d'autre. Comme je l'ai dit, elle l'aimait.

— Elle a accepté l'avortement ?

— Non. C'était là le problème.

— Vous voulez dire la source de désaccord ?

— Oui.

— Cherchait-elle à lui extorquer de l'argent comme la famille l'a affirmé ?

— Non. Je doute même que l'idée lui soit venue à l'esprit. Elle était bien trop gentille, trop naïve. D'ailleurs, elle ne voulait rien faire qui le mettrait en colère. Elle redoutait ses coups. Elle espérait qu'il changerait d'avis et accepterait le bébé.

— Comment savez-vous ce qu'elle espérait ? demanda Micah.

— Parce qu'elle me l'a dit, affirma Aidan en soutenant son regard.

— Elle vous a téléphoné et elle vous l'a dit ?

— Elle n'avait pas besoin de me téléphoner. J'étais toujours dans les parages. Je les conduisais.

— Vous étiez le chauffeur de Rob ?

— Plutôt son meilleur ami. Elle croyait que je pourrais le convaincre d'accepter l'enfant.

— Vous avez essayé ?

— Inutile. Je le connaissais trop bien. Rob était incapable d'amour. Alors j'ai conseillé à Lisa de quitter la ville, d'avoir son bébé et de se trouver un homme bien.

— Et d'une certaine façon, c'est ce qu'elle a fait, estima Poppy.

— Sauf qu'il s'est passé quelque chose avant son départ, dit Griffin. Vous avez raté un chapitre. Étiez-vous là cette nuit-là ?

— Oui.

— Vous avez assisté aux événements ?

— Il faisait sombre.

— C'est pour nous apprendre ça que vous êtes venu ? explosa Micah. Qu'il faisait sombre ? J'ai du travail, mon vieux. Je suis debout depuis l'aube et jusque tard dans la nuit. Je n'ai pas de temps à perdre. Si vous avez des choses à raconter, allez-y. Sinon, sortez de ma maison.

En cinq minutes, tout fut dit et Micah sortit avec deux problèmes à résoudre. D'abord, il ne croirait Aidan que si Heather confirmait ses dires. Et comme elle refusait de parler... Ensuite, Aidan venait de finir son histoire quand Micah capta un mouvement de la nappe sur la table. Il crut d'abord s'être trompé, mais quand la nappe bougea de nouveau, il la souleva. Dessous, il découvrit Star.

— Tu n'étais pas supposée être là, gronda-t-il, mais sans véritable colère.

Star était son bébé, sa responsabilité et elle avait déjà vécu suffisamment de pertes dans sa courte vie.

— Maman conduit bien, affirma la petite fille. Elle roule pas vite.

— Je sais, mon bébé. Nous parlions d'une autre ville, il y a longtemps.

— Mais de maman ?

— D'une dame prénommée Lisa.

— Je veux maman.

Il la prit dans ses bras et appuya sa tête contre son épaule.

— Elle va bientôt revenir. Appelle Cassie, dit-il à Griffin avant de sortir et de retourner à la cuisine où Billy mangeait un sandwich.

Quelques minutes plus tard, Poppy le rejoignait.

— Micah, annonça-t-elle, Cassie veut que nous l'accompagnions.

— Je ne peux pas venir. Je dois m'occuper de la sève.

— Aidan vient avec nous, précisa Griffin.

— Parfait.

— Tu dois y aller, Micah, insista Poppy. C'est important.

Il ne demandait qu'à la croire, mais il avait déjà été là-bas et Heather avait refusé de lui parler. Alors, qu'est-ce qu'il irait y faire ?

— J'ai du travail, Poppy. Je ne peux pas partir comme ça. Le soleil brille, la sève coule. Si je ne m'en occupe pas, qui s'en chargera ?

— Moi, assura Billy. Je peux commencer. Le temps de donner deux ou trois coups de téléphone et j'aurai bientôt toute l'aide nécessaire. J'ai encore pas mal d'amis en ville.

— Comment peux-tu être encore en colère après ce qu'a raconté Aidan ? le pria Poppy.

Micah ne répondit pas, mais il ne pouvait nier que la colère grondait en lui.

— Nous sommes si près, bon sang, pressa Poppy. Cassie veut qu'Heather confirme les déclarations d'Aidan. Pas toi ?

Si. En fait, il n'attendait que ça. Depuis des jours.

— Elle parlera peut-être en voyant Aidan, insista Poppy. Cassie compte là-dessus. Mais si tu ne viens pas, cela n'aura plus d'importance pour Heather. Elle t'aime, Micah. Elle a vraiment besoin de toi. Elle croit déjà t'avoir perdu parce que tu ne vas plus la voir. Ne peux-tu donc pas lui pardonner ?

Star lui évita de répondre. Elle prit le visage de son père entre ses mains pour lui chuchoter :

— J'ai aidé Poppy à préparer les sandwichs et il y a du thon dedans. Heather aime bien le thon. Tu pourrais lui en apporter un. Comme ça, elle pensera à moi.

La pièce était petite pour cinq personnes, mais Cassie affirma au gardien que leur présence à tous était nécessaire et tout le monde fut autorisé à rester. Micah se colla contre le mur en retrait, se répétant qu'il n'était venu que pour faire plaisir à Star, jusqu'à ce que la porte s'ouvre et livre le passage à Heather. Quand son regard se posa sur lui, il sut qu'il se mentait à lui-même. Son cœur souffrait autant aujourd'hui qu'au premier jour de ce cauchemar.

Puis elle aperçut Aidan et toute couleur disparut de son visage. Elle jeta un regard affolé à Cassie qui s'approcha d'elle, lui prit les mains et parla doucement.

Cassie était déterminée à gagner. Mark estimait à juste titre qu'elle s'investissait trop dans son travail aux dépens de ceux qu'elle aimait, mais Heather faisait partie de ces derniers et son engagement se justifiait donc plus que jamais.

— J'ai enfin matière à discussion, annonça-t-elle à Heather. Aidan témoignera du fait que Rob te battait, nous pourrons ainsi plaider la légitime défense.

Heather lança un regard sceptique en direction d'Aidan avant de se retourner vers Cassie.

— Et les autres charges ? chuchota-t-elle.

— Le délit de fuite ? Ça ne devrait pas poser trop de problèmes. J'ai travaillé là-dessus. Les DiCenza s'enorgueillissent de leur image. Ils n'ont cessé de clamer haut et fort que tu étais une personne détestable et, comme tu n'étais pas là pour les contredire, les gens les ont crus. Mais si tu te décides à parler, la situation sera différente. Ce que tu as à raconter risque de ne pas leur plaire et ils ne tiendront sûrement pas à ce que les journaux reprennent tes propos. Ils vont donc demander au procureur général de conclure un arrangement. Une fois qu'ils connaîtront ta version, ils tiendront à étouffer l'affaire le plus rapidement possible et sans vague.

— Ils sont puissants. Ils peuvent facilement faire condamner une innocente.

— Pas cette fois. Pas avec les rapports médicaux. Sans parler de l'adoption et d'Aidan.

Heather le regarda à nouveau.

— Pourquoi maintenant ? murmura-t-elle à Cassie.

La pièce était petite et Aidan l'entendit.

— Parce qu'ils dépassent la mesure, répondit-il. Ils profitent de leur pouvoir et ce n'est pas juste. Rob est mort et tu t'es refait une vie. Je ne vois pas pourquoi ils s'en prennent de nouveau à toi aujourd'hui. Tu as souffert, je le sais. C'est moi qui t'ai conduite à l'hôpital. Deux fois. Et je l'ai dit au père. Il m'a répondu qu'il allait oublier ce que je venais de dire et il m'a conseillé d'en faire autant.

— Et vous l'avez fait ! s'exclama Micah. Vous avez gardé le silence alors qu'ils l'accusaient de meurtre !

— Elle était partie, protesta Aidan. Il n'y a pas eu de procès. Elle s'est enfuie, a refait sa vie. Mon crime n'est pas d'avoir gardé le silence alors, mais de ne pas avoir parlé plus tôt aujourd'hui. Je vais devoir vivre avec ça, mais il n'est peut-être pas trop tard pour rectifier la donne.

Heather semblait retenir son souffle.

— La mère de Rob représente notre atout, reprit Cassie. Rob était son bébé, elle ne va pas accepter que son nom soit traîné dans la boue. Et il y a l'enfant.

Comme Heather tournait brusquement la tête vers Micah, Cassie lui pressa la main pour requérir son attention.

— La mère de Rob est très dévote. Elle ne supportera pas d'apprendre que son fils voulait faire avorter Lisa.

— Il affirmait que ce n'était pas le sien, dit Heather.

— Les tests peuvent prouver le contraire.

— Pas sans le bébé et j'ignore ce qu'elle est devenue.

— Nous la trouverons, Heather. Fais-moi confiance.

— Elle va me haïr pour ce que j'ai fait.

— Personne ne te hait pour ce qui s'est passé alors. Mais nous t'en voulons aujourd'hui parce que tu refuses de te défendre.

Cassie sourit pour atténuer la dureté de ses paroles.

— La Heather que nous connaissons et que nous aimons est forte, volontaire et dévouée.

— Mais…

— Aucun de nous n'est parfait et ton silence est inexcusable. Nous pouvons te pardonner tout le reste, mais pas ça.

De nouveau, Heather regarda Micah et, cette fois, ne détourna pas la tête.

Poppy ne perdait pas un mot de la conversation, envoyant des prières à Heather pour qu'elle se décide à parler. Elle fit face à Griffin qui l'observait.

Tu sais vraiment ? interrogea-t-elle des yeux.

Il hocha légèrement la tête.

Et tu pardonnes ?

Même hochement de tête, puis il haussa les sourcils. *Et toi ? Tu te pardonnes ?*

Malheureusement, si Poppy pouvait pardonner à Heather son silence, à Micah sa colère ou à Griffin son rôle dans tout ce mélodrame, elle ne parvenait toujours pas à se pardonner ses propres erreurs.

Micah n'entendit pas grand-chose de ce que raconta Cassie par la suite, trop occupé à se remémorer les bons moments passés avec Heather et tout ce qu'il voulait encore partager avec elle. Oui, il voulait toujours d'elle surtout quand elle le regardait comme en ce moment, comme s'il était le centre du monde, comme si seul comptait ce qu'il pensait, comme si son amour représentait la seule chose importante à ses yeux.

Et sa colère ? La colère n'était après tout qu'une émotion passagère, une incompréhension, un manque de communication. Elle n'avait pas sa place dans une vie longue et bien remplie auprès de la personne qu'on aimait.

— La parole d'Aidan ne suffira pas. Tu étais seule dans la voiture ce soir-là. Tu dois nous raconter ce qui s'est produit.

Heather ne quittait pas Micah des yeux, l'air si effrayé

que ce dernier sentit son cœur se serrer. Soudain le mur auquel il s'appuyait lui parut froid et dur. Il s'avança alors et, posant ses mains autour du cou d'Heather, il lui releva la tête.

— Raconte-moi, dit-il. Avec tes mots.

Elle hésita un instant, scrutant son visage où elle lut un amour inconditionnel. Alors, fermant les yeux, elle saisit les mains sur ses poignets et s'y accrocha, puisant sa force.

— Je ne voulais pas sortir avec lui, commença-t-elle brusquement. Je veux dire, je l'ai fait parce que, pour une fille comme moi, être remarquée par un homme comme lui semblait un rêve, mais je savais que ça ne marcherait pas. Nous étions trop différents. Quand je le lui disais, il répétait qu'il m'aimait, que nous devions garder notre relation secrète jusqu'au bon moment et qu'alors il le crierait au monde entier. « Au monde entier », c'étaient les mots qu'il employait comme s'il était vraiment fier de nous.

— Mais il te battait, interrompit Micah en passant le doigt sur la cicatrice au coin de sa bouche.

— Quand il avait bu. Il s'excusait toujours après et je l'aimais ou plutôt j'aimais le rêve. Puis je suis tombée enceinte et tout a changé. Il était furieux. Il affirmait que le bébé n'était pas de lui, qu'il avait toujours utilisé un préservatif.

— C'était vrai ?

— Quand il était sobre. Mais le bébé était de lui. Je ne voyais pas d'autre homme. Et je ne lui demandais pas de m'épouser. Je voulais juste qu'il m'aide à garder l'enfant.

Sa voix se fit murmure et ses yeux exprimèrent sa peine.

— Je voulais ce bébé, je le voulais tellement.

— Cette nuit-là, vous vous disputiez au sujet de l'enfant ?

— Je travaillais, mais il me suivait partout sans cesser de boire. Il s'est mis à me traiter de tous les noms en criant, alors finalement, je l'ai entraîné dehors pour essayer de le calmer. Il voulait savoir si l'avortement avait eu lieu et quand j'ai répondu non il a dit qu'il allait s'en charger lui-même.

— S'en charger lui-même ? répéta Micah.

— Il voulait me battre. Me donner des coups dans le ventre pour que je perde le bébé. Il a commencé à me pousser pour qu'on s'éloigne des gens. Alors j'ai pris peur et je me suis mise à courir. Mais il s'est élancé derrière moi.

Micah lisait la douleur dans ses yeux et aurait aimé effacer cette souffrance. Pourtant il fallait qu'elle continue. Jusque-là, sa version était la même que celle d'Aidan, mais l'histoire d'Aidan s'arrêtait là.

— Que s'est-il passé ensuite ?

— Je l'ai cru. J'ai cru qu'il me battrait pour tuer le bébé. Je savais qu'il en était capable et je ne pouvais pas le laisser faire, expliqua-t-elle les yeux pleins de larmes. Alors je me suis précipitée vers ma voiture pour m'enfuir. Les voitures étaient garées sur un parking de fortune, dans un champ, derrière la maison. Il y en avait dans tous les sens et il faisait très sombre. J'ai démarré et commencé à rouler. Rob avait disparu et j'ai cru qu'il avait abandonné. Finalement je suis arrivée dans un espace plus dégagé et je me suis dit que j'y étais presque. J'ai accéléré. Pas un instant je n'ai imaginé qu'il bondirait brusquement devant le capot. Je l'ai heurté. J'ignorais qu'il était mort. Je me suis dit qu'il devait être protégé comme tous les ivrognes et parce qu'il était un DiCenza. Les DiCenza ne meurent pas. Ils sont indestructibles.

— Mais tu t'es enfuie.

— C'était un DiCenza ! Même s'il n'avait qu'un bleu, je savais qu'ils me poursuivraient en justice, qu'ils m'enverraient en prison et prendraient mon bébé. Alors oui, je me suis enfuie. Plus tard, j'ai appris qu'il était mort, mais je ne pouvais plus rien faire. J'ai donc continué. Quand j'ai dû abandonner mon bébé, j'ai cru mourir. Mais je voulais qu'il soit en sécurité. Puis je suis arrivée à Lake Henry et je t'ai trouvé, toi et les filles, et j'ai juste... juste essayé d'oublier tous ces malheurs. Quand tu fais ça, quand tu rejettes les mauvais souvenirs au fond de ta mémoire, tu peux prétendre qu'ils n'ont jamais existé. Quatre-vingt-dix pour cent du temps, j'y parvenais.

— Et les derniers dix pour cent ? demanda Micah.

— Tout revenait en mémoire quand tu parlais de mariage et d'enfant. Alors de nouveau, je l'entendais.

— Tu l'entendais ?

— Le choc contre la voiture. Je n'oublierai jamais ce bruit. Un bruit terrible, Micah. Et quand tu réalises qu'il représente la fin d'une vie... S'il n'y avait pas eu le bébé, je crois que je me serais suicidée. L'idée d'avoir tué quelqu'un est insupportable.

— C'est sur ce point que nous devons jouer, intervint Cassie.

— Ils ne me croiront jamais, dit Heather à Micah.

Ce dernier se tourna vers Aidan.

— Sa version correspond au souvenir que vous avez des événements ? demanda-t-il.

Aidan hocha la tête.

— Il avait bu et il l'a menacée.

— Et vous êtes prêt à en témoigner ? interrogea Cassie.

— Oui.

— Je ne veux pas retourner là-bas. Tu n'as aucune idée de leur pouvoir, s'exclama Heather en s'agrippant aux mains de Micah.

Non, Micah n'en avait aucune idée. Il avait eu la chance de passer sa vie auprès de gens décents, des gens qui n'hésiteraient pas à soutenir Heather, une fois qu'ils connaîtraient la vérité, ce qui ne signifiait pas que ce serait facile. Son nom allait faire la une des journaux et elle allait retourner en Californie et Dieu seul savait ce qui l'attendait.

Il était certain d'une chose. Elle ne serait pas seule.

Poppy voulait célébrer ça. Elle savait que Cassie avait encore beaucoup de travail si elle voulait obtenir les meilleures conditions pour le transfert d'Heather en Californie. Sans parler de l'enfant à retrouver pour un éventuel test d'ADN. Mais ils avaient tellement progressé cet après-midi qu'elle se sentait étourdie et pleine d'optimisme. Et de courage.

Elle avait expliqué ça à Victoria en rentrant. Elle avait ensuite répondu à quelques appels et en avait passé elle-même quelques-uns des plus exubérants. Mais cela ne suffit pas à brûler toute son énergie. Finalement elle se dirigea vers la salle d'exercice.

— Je me sens vraiment pleine de courage, annonça-t-elle à la chatte lovée sur ses genoux avant de la déposer par terre.

Ensuite, elle s'approcha du mur et attrapa ses appareils orthopédiques. Elle les examina et alla même jusqu'à se baisser pour en placer un contre sa jambe.

Puis elle distingua le bruit d'une motoneige sur le lac et avança son fauteuil jusqu'à la fenêtre. Un phare trouait la lumière déclinante de cette fin de journée. Elle observa le conducteur et le reconnut sans peine malgré son casque. Abandonnant la prothèse, elle retourna dans le salon et ouvrit la porte juste comme il garait la machine. Elle se poussa pour lui permettre d'entrer.

— Salut, dit-il tout sourire.

Elle lui rendit son sourire. Il était si beau avec ses cheveux tout ébouriffés et ses joues rouges.

— Nous avons fait du bon travail aujourd'hui, déclara-t-il.

Elle hocha la tête.

— Alors je suis venu te chercher pour une petite balade.

— Micah t'a donné ta soirée ?

Son sourire s'agrandit.

— Un des potes de Billy – Amos – lui prête main-forte. Un vieux bonhomme de Cotter Cove qui a grandi dans une érablière. Ils se passent très bien de nous. Micah traîne près d'eux et surveille le feu avec les filles. Ma présence était superflue.

— Superflue ?

— Ce qui n'aurait pu me faire plus plaisir. Allez, viens. On va se promener.

— Il va faire nuit, dit-elle.

— Si tu savais la visibilité qu'on a sur ces engins, quand le faisceau du phare se reflète dans la neige !

Elle savait. En fait, elle connaissait ces « engins » par cœur.

— Peut-être une autre fois.

— Je veux t'emmener à Little Bear.

— Il pleut.

— Pas en ce moment. Il bruine à peine. Billy m'a prêté sa motoneige, alors j'ai pensé qu'on pourrait dîner là-bas. J'ai pris du chili chez Charlie. Tu adores le chili de Charlie.

— Je ne peux pas monter sur cette machine.

— C'est une question de confiance ?

— Non. De mauvais souvenirs.

— Peut-être le moment est-il venu d'en fabriquer de nouveaux.

Elle pouvait l'admettre, mais elle ne se sentait pas prête.

— Voyons, Poppy, insista Griffin. Il y avait une tempête cette nuit-là. Ce qui est arrivé n'a rien à voir avec l'alcool. Cela aurait pu arriver à n'importe qui.

— Comment as-tu su ça ? demanda-t-elle, son sourire brusquement disparu. Avec qui as-tu parlé ?

— Si je te le dis, tu viendras ?

— Oui.

— J'ai lu le rapport de police. C'est du domaine public.

— Avec qui en as-tu discuté ?

— Toi. Seulement toi.

— Je ne parle pas de l'accident.

— C'est vrai. J'ai donné ma version de l'histoire et tu l'as confirmée.

Rectification. Elle ne l'avait pas niée. Pas exactement la même chose. Sentant le piège se refermer sur elle, elle fit tourner son fauteuil et reprit le chemin de la salle de gym. Dans son dos, les bottes de Griffin tombèrent sur le sol avant qu'il lui emboîte le pas en chaussettes.

— Je n'ai pas plus le droit de faire de la motoneige que de marcher, me marier ou avoir des enfants, dit-elle sans le regarder.

— Alors tu vas encore fauter.

Avant qu'elle ait compris, il lui avait enfilé sa parka et

l'avait prise dans ses bras. Il laissa tomber son bonnet sur ses genoux.

— Enfile-le, lui recommanda-t-il en se dirigeant vers la porte.

— Je ne veux pas, Griffin, répéta-t-elle, affolée.

Mais Griffin glissait déjà les pieds dans ses bottes.

— Il va faire nuit, j'ai peur des motoneiges et je veux rester dans mon fauteuil.

Le froid lui frappa le visage quand il ouvrit la porte. Enjambant le siège, Griffin la déposa devant lui, lui passa son casque et enfila le sien. Puis il souleva les deux visières.

— Dis-moi que tu ne veux pas, déclara-t-il gentiment. Si tu le souhaites vraiment, je te ramène à l'intérieur.

S'il ne lui avait pas offert ce choix, elle lui en aurait voulu. Elle était adulte et ne voyait pas pourquoi elle aurait dû accepter qu'on lui impose quoi que ce soit. Mais ses émotions étaient partagées. Se retrouver sur une motoneige pour la première fois depuis l'accident lui rappelait des tas de souvenirs, mais bizarrement les mauvais restaient discrets. Par contre, les bons – l'excitation, le plaisir, la liberté – lui revenaient en mémoire, plus intenses que jamais.

Elle ne voulait pas rentrer. Il fallait terminer cette journée en beauté.

Et la soirée fut à la hauteur de ses attentes. La balade sur le lac lui procura une joie depuis longtemps oubliée et le dîner devant le feu se révéla aussi divin que l'amour qu'ils firent à la lueur des dernières braises. Seules les toilettes laissaient à désirer, mais Griffin avait tout prévu et tout se passa bien. Dehors l'air restait doux et humide et ils s'attardèrent un moment sous le porche, emmitouflés dans des couvertures. Aucune étoile ne brillait dans le ciel et la lune, discrète, jouait à cache-cache avec les nuages. Puis l'humidité se transforma en crachin bientôt remplacé par de gros flocons de neige.

Assise sous le porche, enveloppée par le calme ouaté qui accompagnait toujours les chutes de neige, Poppy méditait et se demandait quand Griffin repartirait pour

Princeton. Parce qu'il repartirait, elle le savait. Il finirait pas se lasser de tout ça.

Elle ne pouvait pas aller à Princeton. En fait, si, elle pouvait, mais elle ne le voulait pas. Elle adorait Lake Henry, la vie qu'elle s'était construite, les gens, le fait de sentir qu'elle contrôlait les choses. Ici, sur l'île, elle dépendait totalement de Griffin et pourtant elle s'en moquait. Jamais elle ne ressentirait une telle sécurité dans une grande ville.

Finalement, elle renonça à lui poser la question parce qu'elle redoutait trop la réponse.

Au matin, elle entendit des petits bruits sur le toit.

— Les écureuils, expliqua Griffin à moitié ensommeillé en l'attirant contre lui, une position qu'elle trouvait très naturelle, très confortable et pour tout dire particulièrement agréable.

— La grêle, rectifia-t-elle.

Elle ne s'assoupit pas tout de suite, étonnée d'éprouver toujours autant de culpabilité dans les bras de Griffin. Sur le toit, le staccato des gouttes de neige glacée s'intensifia peu à peu. Et comme écouter tomber la pluie était aussi efficace que compter les moutons, elle finit par sombrer dans le sommeil.

La neige qui recouvrait les fenêtres empêchait le jour de pénétrer dans la cabane et il leur fallut un moment pour réaliser qu'ils avaient dormi tard.

Soudain, Griffin bondit et regarda sa montre.

— Oh, mon Dieu ! Il est dix heures et demie ! s'exclama-t-il.

— C'est dimanche et il fait froid, murmura Poppy. J'ai besoin de toi contre moi pour me réchauffer.

— Je devais aider Micah, dit-il.

— Ça m'étonnerait que tu y arrives. Regarde dehors.

Jurant entre ses dents parce que le feu s'était éteint, il courut tout nu jusqu'à la porte qu'il entrouvrit.

— Tout est gelé, annonça-t-il d'un air étonné. Heureusement que nous avons fini de placer les chalumeaux hier. Il aurait fallu casser la glace pour le faire aujourd'hui.

Il referma la porte et regagna le lit.

Poppy sentit le froid quand il se glissa sous les couvertures et le frictionna pour le réchauffer.

— Tu ne vas pas là-bas aujourd'hui, déclara-t-elle.

— Je ne crois pas que je pourrais passer de toute façon.

Poppy sourit et remonta les couvertures sur eux.

À midi, il neigeait toujours, une neige gelée comme de la grêle, et l'idée de grimper sur la motoneige fut promptement repoussée. Ils mangèrent donc de la soupe et du beurre de cacahouète puis se recouchèrent. Quand ils se réveillèrent à nouveau et ouvrirent la porte, la neige continuait de tomber et recouvrait tout dehors. Ils refermèrent la porte et se recouchèrent.

— Quel est ton premier souvenir ? demanda Poppy.

— Le tout premier ? Ça fait un bail.

Il réfléchit une minute.

— Randy partant à l'école. Je devais avoir trois ans et je n'ai pas aimé le voir partir parce que je n'avais plus de compagnon de jeux. Et toi ?

— Mon père qui me tenait dans ses bras et me racontait une histoire. J'aurais aimé que tu le connaisses. C'était un homme bon. Quel est ton meilleur souvenir ?

— Meilleur ? Sans hésitation, Thanksgiving et jusqu'à mon départ à l'université. Il y avait toujours plus de trente personnes à la maison et j'adorais ça. Quand je suis revenu de l'université, Cindy avait disparu et rien n'a plus jamais été pareil. Et toi ?

— C'est un souvenir très récent. Maida serrant Lily dans ses bras à la mairie, en octobre. Tout un symbole.

Peu de temps après, elle avait vu Griffin pour la première fois, transformant l'événement en un super souvenir et un nouveau commencement en même temps. Puis elle se morigéna de se montrer aussi sentimentale.

— Ton pire souvenir ?

— La nuit où ma mère est morte. Toi ?

— L'accident.

— Un vœu, dit-il. Si tu avais la possibilité de faire un seul vœu, quel serait-il ?

— Toi d'abord.

— Cinq enfants, trois chiens et un chat. Le chat pour surveiller les autres. À ton tour.

— Deux enfants me suffiraient, répliqua-t-elle avant de pouvoir se retenir.

Elle le regarda, surprise.

Il ne fit aucun commentaire, ne se moqua pas d'elle, ne lui fit pas remarquer comment le subconscient pouvait réagir parfois – et elle ne l'en aima que plus pour ça.

S'il n'avait tenu qu'à elle, elle serait restée à la cabane pendant une semaine. Mais le destin en avait décidé autrement.

Il y eut un gros craquement, un bruit sec et fort, le bruit d'une grosse branche de sapin qui cassait et s'écrasait sur le sol. Poppy comprit tout de suite, mais Griffin, en bon citadin, fut un peu plus long. Mais quand il comprit, il bondit sur ses pieds.

— Une tempête pareille pourrait causer une catastrophe à l'érablière. Que se passerait-il alors ?

Comme Poppy refusait de répondre, il commença à rassembler leurs affaires.

Le chemin du retour fut lent et, tandis qu'ils traversaient le lac gelé, les dégâts occasionnés par la tempête se matérialisaient devant leurs yeux horrifiés. Des arbres brisés, des pylônes arrachés. Parvenus chez Poppy, ils découvrirent un arbre tombé en travers du ponton.

Quelques secondes plus tard, la porte s'ouvrait sur Maida, Lily et Rose. Maida glissa sur la glace, mais Rose la rattrapa. Toutes les trois s'arrêtèrent et fixèrent Poppy et Griffin sans un mot.

18.

Le visage de Maida exprimait une telle panique que Poppy imagina aussitôt le pire.

Griffin se gara, coupa le moteur et prit Poppy dans ses bras. La couche de neige qui recouvrait le sol la veille s'était transformée en glace et il glissa deux fois avant de parvenir jusqu'à la porte.

— Merci, mon Dieu ! s'écria Maida qui suivit Griffin jusqu'à la salle de gym. Merci, mon Dieu. Est-ce que vous avez une idée du souci que je me suis fait ? s'exclama-t-elle une main sur la poitrine.

— À mon sujet ? demanda Poppy.

— Évidemment, à ton sujet. Je suis venue ce matin de bonne heure pour être sûre que tout allait bien et personne. Ton fauteuil était là – ton fauteuil et ta voiture – mais pas toi. Si tu savais tout ce qui m'est passé par l'esprit !

— Elle a cru que tu avais été enlevée, renchérit Rose.

Griffin déposa Poppy dans son fauteuil.

— Kidnappée, violée et tuée. Il ne t'a pas traversé l'esprit de téléphoner pour dire où tu étais ?

Pas un instant. Pleine de remords, Poppy caressa Victoria qui avait retrouvé sa place sur ses genoux et jeta un regard désarmé à Griffin.

— Il n'y a pas de téléphone sur l'île, expliqua-t-il. Nous devions revenir ce matin, mais j'ai eu peur que ce ne soit trop glissant. Désolé, c'est ma faute.

Il s'était adressé à Maida, mais Rose répondit.

— Poppy aurait dû savoir que nous allions nous inquiéter. On ne disparaît pas ainsi sans un mot. Tu n'as jamais fait une chose pareille. Et sans ton fauteuil en plus.

— Rose, intervint Lily. Elle est de retour. Tout est bien qui finit bien.

— C'est une égoïste, s'entêta Rose. Le fauteuil gisait là, vide. Que croyait-elle que nous penserions ?

— Je ne pouvais pas deviner que vous alliez venir, protesta Poppy.

— Avec une tempête pareille ?

Comme pour lui donner raison, un craquement sinistre se fit entendre dehors.

— Voilà la raison de notre inquiétude, conclut-elle d'un air satisfait. Avec un temps pareil, tout peut arriver. Maman vérifie toujours que tout le monde va bien. Tu l'as fait vieillir de dix ans.

— Je vais bien, murmura Maida.

— Tu étais complètement paniquée. Tu n'es plus aussi jeune qu'avant.

— Et je ne suis pas non plus aussi vieille que tu voudrais le faire croire, Rose. Je vais *bien*.

Mais Rose s'était déjà retournée vers Poppy.

— Passe encore quand tu étais plus jeune et qu'il fallait toujours que tu n'en fasses qu'à ta tête. Tu te moquais bien que papa et maman s'inquiètent. Eh bien, je suis maman moi aussi et je sais ce que c'est d'avoir un enfant irresponsable. Seulement, tu n'es plus une enfant. Je croyais que l'accident t'avait mis un peu de plomb dans la cervelle.

— Apparemment non. La vie passe et rien ne change. Je suis adulte et toujours aussi irresponsable. Tu es maman et toujours aussi mesquine.

— Poppy, supplia Maida.

— Elle a raison sur un point. Je n'ai pas l'habitude de disparaître ainsi et sans mon fauteuil. Je ne l'ai pas fait depuis douze ans, mais je l'ai fait hier parce que j'en avais envie, suffisamment pour oublier...

Elle lutta pour prononcer les mots.

— ... pour oublier que je n'avais pas le droit de le faire. J'ai vécu ainsi pendant douze ans pendant que Rose prenait du bon temps à l'université, épousait Art et mettait au monde trois enfants merveilleux. Et c'était bien parce qu'elle méritait tout ça et pas moi.

— Poppy..., commença Lily en s'approchant.

— Je ne le méritais pas, continua Poppy les yeux fixés sur Maida. Je ne le méritais pas parce c'est moi qui conduisais ce soir-là. Griffin l'a deviné et toi aussi probablement.

— C'est toi qui conduisais ? s'exclama Rose, les yeux écarquillés.

Poppy ne quittait pas sa mère des yeux. Cela faisait douze ans qu'elle voulait le dire pour voir sa réaction. Quand Griffin lui avait demandé son rêve à la cabane, elle avait failli répondre qu'elle voulait que sa mère l'aime – quoi qu'elle ait pu faire. Maintenant, elle attendait le verdict.

— Nous avions ri et bu et, quand l'heure est venue de partir, Perry était incapable de conduire. Je n'étais pas soûle, mais j'allais trop vite et j'ai perdu le contrôle. Nous avons tous les deux été éjectés. Je suis retombée sur le sol et je me retrouve dans un fauteuil. Perry a heurté un arbre et il est dans une tombe.

— Est-ce que la police est au courant ? demanda Rose, l'air horrifié.

— Rose, gronda Lily en posant une main rassurante sur l'épaule de sa sœur.

Poppy regarda Rose.

— Je ne l'ai jamais dit. Mais tu peux si tu veux.

— Je n'ai pas dit ça... Je... Je ne voulais pas...

— Elle ne dira rien, coupa Maida. Ça ne servirait à rien.

— Maida a raison, intervint Griffin, debout derrière Poppy. Quelle loi a-t-elle violée ? Elle conduisait trop vite ? Peut-être, mais cela ne peut plus être prouvé. Homicide involontaire ? Peut-être aussi. Alors que suggères-tu comme punition, Rose ?

— Je n'ai pas dit...

— La mettre en prison ? renchérit Griffin.

Poppy devinait sa colère et ne l'aimait que plus pour ça.

— La prison à vie dans un fauteuil ? Ah, pas de chance, c'est déjà fait. Condamnation à la culpabilité éternelle ? À l'autoflagellation ? Le fouet en public ?

— Ce n'est pas moi la méchante, protesta Rose.

— Et moi ? Poppy regardait sa mère.

Le visage de Maida exprimait sa souffrance, mais pas de surprise. Puis la tristesse prit le dessus et finalement, incroyablement, elle sourit.

— Non, Poppy, tu n'es pas pire qu'aucune d'entre nous.

Les larmes montèrent aux yeux de Poppy.

Mais un craquement sinistre mit brusquement fin à la discussion. Un arbre tomba dehors dans un grand fracas et le sol trembla à tel point que Victoria quitta d'un bond les genoux de Poppy pour aller se réfugier dans un endroit plus sûr. Puis les lumières s'éteignirent, les laissant dans la demi-pénombre de la fin de journée.

— Oh, mon Dieu ! s'exclama Maida.

— Tu as des lampes ? demanda Lily à Poppy.

— Dans la cuisine.

— Je dois rentrer, annonça Rose. Art est avec les filles, mais si d'autres lignes électriques sont coupées, il va devoir partir.

Le téléphone sonna. La ligne personnelle de Poppy.

— Allô ?

— C'est Micah. Griffin est avec toi ?

— Oui. Que se passe-t-il ?

— C'est la panique. Plus de lumière, les arbres arrachés, le réseau de tubulures cassé. J'ai besoin d'aide.

L'électricité, le téléphone, plus rien ne marchait. Et pour couronner le tout, son fils Ethan souffrait d'une angine.

Cassie pestait. Assise à son bureau, son fils endormi dans les bras, elle prenait des notes à la lumière d'une lampe à huile, essayant d'organiser ses idées. Elle envisageait de téléphoner aujourd'hui même, un dimanche, plutôt que d'attendre jusqu'au lendemain. En fait, elle aurait bien appelé la veille au soir si Mark ne lui avait fait honte. Ou plutôt ne l'avait tentée avec un dîner aux chandelles comme elle les aimait, préparés par ses propres soins après avoir couché les enfants.

Mais aujourd'hui, jour du Seigneur qui, elle l'espérait, lui pardonnerait cet écart, elle ne pouvait plus reculer. Le temps passait vite et l'ordonnance de la cour retenant Heather dans le New Hampshire expirait dans douze jours. Son premier appel serait donc pour Jonathan Fitzgerald. Trouver l'enfant se révélait un impératif après l'histoire racontée par Heather. La famille DiCenza soutenait qu'elle n'avait jamais été enceinte de Rob. Prouver le contraire creuserait un sacré trou dans leur défense.

Elle attendit la fin d'après-midi, heure de Chicago, pour composer le numéro.

Une femme décrocha à la première sonnerie, non sans une certaine inquiétude dans la voix.

— Allô ?

— Jonathan Fitzgerald, s'il vous plaît.

La femme poussa un petit soupir.

— Qui est à l'appareil? s'enquit-elle d'une voix plus calme.

— Cassie Byrnes, une consœur. J'appelle du New Hampshire. Nous travaillons ensemble sur une affaire.

C'était un peu exagéré, mais pas très grave.

— Je suis désolée d'appeler ainsi un dimanche, mais...

— Il est à l'hôpital. Il a eu une crise cardiaque vendredi. Je croyais que c'était le médecin. Nous ignorons s'il va s'en sortir.

Pendant quelques secondes, Cassie fut incapable de parler, digérant la nouvelle. Elle avait préparé son argumentation, envisagé plusieurs scénarios, mais jamais elle n'avait anticipé un tel coup du sort.

— Oh, mon Dieu! finit-elle par articuler. Je suis désolée.

— Il est en soins intensifs. Nous demandons aux gens de ne pas aller à l'hôpital parce que les visites sont interdites, à l'exception de la famille bien sûr.

— Je comprends, bien entendu.

Cassie réfléchissait maintenant à toute allure.

— Le plus important est qu'il récupère.

— Les prochains jours seront déterminants.

Vous ne croyez pas si bien dire, pensa Cassie.

— Et ensuite, il aura besoin de temps pour se remettre complètement et je ne veux certainement pas le déranger. Savez-vous si un de ses associés a repris ses dossiers ?

— Vous savez que la société a été dissoute ?

— Non, répondit Cassie, le cœur serré.

— Ils ne sont plus que deux, les autres sont partis il y a quelques mois. Ce qui a été une source de stress pour lui. Vous pouvez contacter son associé, si vous voulez. Il est jeune, mais bon.

Cassie nota le nom et le téléphone de l'avocat, remercia la femme, souhaita un prompt rétablissement à son mari et raccrocha pour composer aussitôt le numéro de l'associé. Alex Fireman ne fut pas particulièrement heureux d'être dérangé un dimanche.

Cassie lui expliqua les raisons de l'urgence.

— Jonathan avait proposé d'intervenir en notre faveur, dit-elle.

— Je suis déjà submergé avec tous ses dossiers. Si vous rappelez mardi ou mercredi, je vous communiquerai le nom de quelqu'un qui pourra vous aider.

— Vous conservez les dossiers sur place, je crois.

— Pas moi. Jonathan. Et je ne veux pas fouiller dans ses archives tant qu'il ne m'en a pas donné l'autorisation. Je ne suis avec lui que depuis deux ans.

— Cette affaire lui tenait à cœur.

— Je ne peux pas le déranger en ce moment. Désolé.

Une minute plus tard, Cassie raccrochait, déprimée. Son appel suivant aurait dû être pour l'assistant du procureur général en charge de l'affaire à Sacramento. Mais compte tenu des circonstances elle décida de boycotter l'intermédiaire pour s'adresser directement à Dieu.

Une des amies de Cassie travaillait pour le procureur de l'État de Washington, un bon ami du procureur général de Californie, et était donc au courant de quelques petites choses à son sujet. Entre autres potins, Cassie apprit que le procureur de Californie avait été adopté, enfant, et qu'à sa majorité, il avait fait des recherches pour retrouver ses parents biologiques au motif qu'un homme devait connaître ses racines. La nouvelle rasséréna Cassie qui espéra que, compte tenu de son passé, l'homme manifesterait un peu d'indulgence envers Heather.

Mais son interlocuteur s'avéra un homme rigide et respectueux des lois.

— Je ne vois pas très bien ce que vous attendez de moi, madame Byrnes, répliqua-t-il quand elle eut fini d'expliquer la situation. Êtes-vous en train d'admettre qu'Heather Malone est Lisa Matlock ?

— Il m'est impossible de le faire tant que je n'ai pas retrouvé l'enfant.

— Alors trouvez-le.

— Plus facile à dire qu'à faire étant donné la situation que je viens de vous exposer.

— Certaines choses sont admissibles, madame Byrnes. M'appeler chez moi n'en fait pas partie. Avez-vous parlé de ça avec M. Grinelle ?

Bud Grinelle était l'assistant du procureur général et officiellement en charge de l'affaire.

— M. Grinelle s'est montré très aimable, dit-elle. Il m'a écoutée et promis de me rappeler. Vous et moi savons qu'il ne fait rien sans votre accord. Cette affaire est trop sensible pour qu'il en soit autrement et vous êtes trop bon procureur pour ne pas l'exiger. Je n'ai rien dit à propos de l'enfant. Vous étiez au courant ?

— Cela avait été mentionné dans le temps, mais la famille a nié.

— Les tests peuvent prouver la paternité. Je voudrais que l'existence de cet enfant soit prise en considération.

— Trouvez l'enfant et il n'y aura pas de problème.

— Elle existe – c'est une fille. Nous savons où et quand elle est née. Malheureusement l'avocat qui s'est chargé de l'adoption est hors-jeu pour l'instant. La retrouver prendra plus de temps que prévu.

— Ça n'a pas d'importance.

— Pas du point de vue de ma cliente. Mes ressources

sont limitées. Les vôtres un peu moins. Et je pense également à l'enfant. Il faut la retrouver rapidement et discrètement. Elle a maintenant quatorze ans, un âge vulnérable. Je ne supporterais pas que la presse la découvre avant moi. Vous disposez des moyens nécessaires pour la découvrir avant qu'il ne lui soit fait du mal.

Elle avait tout dévoilé et, si sa propre expérience d'enfant adopté devait le pousser à manifester un peu de sympathie pour cette fillette, le moment était venu.

Mais la personnalité dogmatique et froide de l'homme n'avait que faire de la sympathie.

— Vous ne semblez pas comprendre, madame Byrnes, dit-il. Nous n'avons pas besoin de l'enfant. *Vous*, si. Notre dossier est solide.

— Que faites-vous de la justice ? Ne voulez-vous donc pas savoir ce qui s'est réellement passé ce soir-là entre Rob et Lisa ?

— Nous le savons déjà au travers d'une douzaine de témoignages, tous confirmant la théorie selon laquelle une femme cupide et calculatrice a écrasé un homme de la meilleure société. Notre dossier est sans faille. Vous en découvrirez les arguments dans le mandat. À ce sujet, nous sommes un peu en avance et vous pouvez compter dessus avant la fin de la semaine.

Cette nouvelle affola Cassie.

— J'espérais que nous pourrions en discuter avant.

— Nous le ferons quand Lisa sera revenue en Californie et, dans tous les cas, c'est avec M. Grinelle que vous en discuterez.

— Je le ferai, répondit Cassie. Je suis désolée de vous avoir dérangé. Bonne soirée.

Elle raccrocha et posa le téléphone. Que faire maintenant ? Une seule chance lui restait. Elle appela Griffin.

Griffin n'eut le message que tard dans la nuit, quand il rentra avec Micah après avoir fait le tour de l'érablière en tracteur pour évaluer l'étendue des dégâts.

Micah, qui savait où regarder, repérait vite les dommages. De retour à la maison, il entreprit de dresser une liste du matériel nécessaire aux réparations. Les plus urgentes concernaient la partie basse du réseau de tubulures – près de la cabane à sucre – qui avait été endommagée par la chute d'un arbre. La situation proche de la maison faciliterait les travaux, mais demandait aussi une intervention rapide pour ne pas perdre de sève.

Pendant que Micah récapitulait ses besoins, Griffin attrapa son téléphone et prit connaissance de ses messages. Poppy lui annonçait l'arrivée d'une aide bienvenue qui se présenterait chez Micah dans la matinée, et ajoutait quelques réflexions amusantes qui lui arrachèrent un sourire. Sourire qu'il perdit tout aussi vite en écoutant le message de Cassie. Quelques minutes plus tard, il en laissait un à Ralph.

— La situation devient difficile en ce qui concerne le bébé de Lisa Matlock, commença-t-il en croisant le regard de Micah, qui avait dressé la tête au son de sa voix. L'avocat qui devait nous aider vient d'être hospitalisé en soins intensifs et le procureur général de Californie serait ravi que nous ne retrouvions pas la gamine. De plus, nous avons moins de temps que prévu. Le mandat du gouverneur sera envoyé d'ici à la fin de la semaine. Fais ce que tu peux. Merci.

Quand il coupa la communication, Micah repoussa sa chaise et se leva, l'air complètement épuisé. Rien n'était plus frustrant que de savoir ce dont ils avaient besoin et de ne pouvoir mettre la main dessus.

— Tu penses que ton homme peut la retrouver? demanda Micah.

— Oui, mais peut-être pas à temps pour empêcher Heather de retourner en Californie.

— Micah?

Camille se tenait sur le pas de la porte. Après avoir surveillé les filles toute la journée, elle s'était finalement assoupie sur le canapé.

— Star vient de se réveiller. Tu veux que je la prenne?

— Non, j'y vais. Merci, dit-il en passant près d'elle.

Quand il eut disparu, Camille se tourna vers Griffin,

l'air bien réveillée malgré l'heure tardive. Apparemment, elle avait entendu le message de Griffin.

— Heather restera ici si vous trouvez l'enfant ?

La fatigue s'abattit soudain sur Griffin qui passa une main lasse dans ses cheveux.

— Je l'ignore, Camille. L'enfant prouverait que Rob a menti et qui plus est au sujet de son propre enfant. La famille ne tiendra sûrement pas à ce que ça se sache. À mon avis, Heather devra retourner en Californie d'une façon ou d'une autre, mais si nous trouvons l'enfant, sa peine sera moins lourde.

Camille réfléchit un moment, tête baissée, sourcils froncés. Puis elle s'approcha de la table, prit le crayon de Micah et écrivit quelque chose sur une feuille du bloc qu'elle arracha et tendit à Griffin.

— C'est le nom de l'enfant que vous cherchez.

Griffin lut le papier, puis releva la tête et regarda Camille. Et soudain, tout lui parut clair. Sa tranquille inquiétude, son rôle de grand-mère remplaçante, l'offre d'argent.

— Qui êtes-vous pour Heather ?

Elle sourit.

— Pas sa mère, cela aurait été trop facile. Si j'avais été sa mère, je ne l'aurais jamais abandonnée. Je suis sa tante. Sa mère était ma sœur.

— Était ?

— Elle est morte, il y a quelques années. Une personne bien tourmentée.

— À cause du père d'Heather ?

— Non. Il n'était qu'un autre de ses multiples problèmes, comme la drogue.

— Pourquoi était-elle si tourmentée ?

— Je n'en sais rien, je ne l'ai jamais su. Voulez-vous un peu de thé ? J'en prendrais bien une tasse moi-même.

Sans attendre sa réponse, elle s'approcha de la cuisinière et mit la bouilloire à chauffer.

— Vous étiez plus jeune ou plus âgée qu'elle ?

— Plus âgée. De quatre ans. Nous ne sommes pas nées en Amérique.

Griffin le savait pour Lisa. Maintenant il comprenait pourquoi Camille parlait si bien, si prudemment, comme si elle ne supportait pas l'idée de commettre un impair verbal.

— Nous sommes nées en Europe de l'Est, dans une petite ville qui n'existe plus autant que je sache, expliqua-t-elle. À la mort de nos parents, nous sommes venues ici avec l'espoir d'une vie meilleure. Je voulais m'installer dans une petite ville comme celle que nous avions quittée. Stacia – abréviation d'Anastasia, un prénom présomptueux qui lui allait bien – recherchait au contraire l'excitation et une vie brillante.

— Hollywood ?

Camille hocha la tête.

— Elle ne possédait aucun don d'actrice, mais je ne pouvais pas le lui dire évidemment. C'était son rêve. Jusqu'à ce qu'elle rencontre Harlan Matlock, une autre âme torturée.

La bouilloire siffla et elle sortit deux sachets de thé.

— Ils sont partis vers le nord, à Sacramento, et s'y sont installés, du moins autant que ma sœur puisse s'installer quelque part. Elle était enceinte, mais cela n'a rien changé. Elle demeurait toujours aussi agitée. Il fallait qu'elle bouge. Quand Lisa eut cinq ans, elle disparut. Elle laissa un mot exposant que, puisque Lisa allait à l'école, les maîtresses veilleraient sur elle et s'occuperaient mieux d'elle qu'elle ne le ferait jamais.

Camille versa l'eau chaude dans les tasses.

— Ce fut le cas ? demanda Griffin.

— On dirait en tout cas. Lisa a toujours été une bonne élève. Quelqu'un a donc dû l'inspirer et ce n'était certainement pas Harlan. D'ailleurs, elle était intelligente, mais cela ne transparaît pas toujours dans les résultats scolaires.

— Quand êtes-vous entrée en scène ?

— Citron ? Lait ?

— Nature, merci.

Elle posa une tasse devant lui.

— Trop tard malheureusement, répondit-elle finalement. Ma sœur a cessé de m'appeler quelque part entre Hollywood et Sacramento. J'ai continué à écrire en espérant que quelqu'un ferait suivre mes lettres, mais elles me revenaient toujours avec la mention « inconnue à l'adresse indiquée ». De temps en temps, j'appelais les renseignements téléphoniques pour tenter d'obtenir un numéro de téléphone et, quand j'y parvenais, j'appelais. Harlan décrochait et prétendait que Stacia était sortie. Il me donnait quelques informations sur ce qu'elle devenait et sur le bébé. Puis il me recommandait de ne pas rappeler ni écrire ni venir les voir. Il ajoutait que Stacia ne voulait pas. Ce qui était probablement vrai, ajouta-t-elle tristement.

— Pourquoi ?

Camille but une gorgée de thé avant de répondre d'une voix lasse.

— Quand nous sommes arrivées dans ce pays, nous avions la tête farcie de grands rêves, les siens bien plus ambitieux que les miens, ce qui signifie qu'elle avait plus à perdre. Je me suis installée à Lake Henry que j'adore, j'ai décroché un travail et me suis fait des amis. Ma vie n'a rien de glorieux et je n'ai certainement pas trouvé la fortune dont Stacia et moi rêvions, mais je suis heureuse. Stacia ne l'a jamais été. Sa vie ne fut qu'une suite de désillusions et l'idée que j'en sois témoin lui était insupportable.

— Pourquoi n'êtes-vous pas partie à sa recherche ?

— Je viens de vous répondre, non ?

En effet, indirectement. Consterné, il réalisa alors qu'il avait exprimé sa frustration personnelle vis-à-vis de sa propre sœur.

— La vérité, c'est que j'avais peur d'elle, reprit Camille. Elle a toujours eu un caractère si instable. Je me disais qu'elle savait où j'étais et que, si elle voulait me voir, il lui suffisait d'appeler. Je ne voulais pas m'imposer. Et puis, elle est morte. Je ne l'ai appris que bien plus tard quand j'ai réussi à obtenir un nouveau numéro de téléphone. Lisa avait alors huit ans. Harlan m'a dit qu'elle allait bien. Mais je ne le croyais pas. Je voulais en juger par moi-même. Alors j'ai pris l'avion et je suis allée l'attendre à la sortie de l'école. Comme dans les films, ajouta-t-elle avec un petit gloussement. Je comptais demander à une des maîtresses de me la montrer, mais ce ne fut pas nécessaire. Je l'ai tout de suite reconnue. Elle était le sosie de sa mère. Et elle m'a reconnue aussi. Elle avait vu des photos, mais ce fut plus comme un lien mystique.

Elle sourit et hocha les épaules, un peu gênée.

— Du moins, j'ai toujours voulu le croire parce que j'en avais besoin. En fait, elle ne m'a probablement remarquée que parce que je la fixais.

— Vous avez parlé ?

— Un petit moment. Je lui ai expliqué qui j'étais et je lui ai parlé de sa mère, de ce que nous faisions quand nous étions enfants. Je lui ai donné les photos que j'avais apportées ainsi que mon adresse et mon numéro de téléphone en lui disant de ne pas hésiter à m'appeler si elle le souhaitait et que je serais toujours là pour elle si elle avait un jour besoin d'aide – pour n'importe quoi.

— Vous a-t-elle appelée ?

— Seulement après l'accident.

— C'est vous qui lui avez fourni le nom de l'avocat à Chicago ?

— Non. Elle l'a trouvé toute seule. C'était une jeune femme pleine de ressources – il le fallait bien, après l'enfance qu'elle avait eue. Elle m'a expliqué toutes les dispositions prises pour l'adoption et j'ai donc su où était né l'enfant. Nous avions envisagé que Lisa vienne s'installer à Lake Henry, mais j'ignorais si elle y pensait sérieusement jusqu'à ce qu'elle arrive. Elle a débarqué un jour, sans prévenir, et a obtenu un travail chez Charlie qui l'a hébergée. Et nos vies ont suivi leurs cours. Nous savions toutes les deux que ça valait mieux ainsi.

— Vous vous rencontriez en secret ?

— Jamais comme tante et nièce. À ce moment-là, elle était devenue Heather. Je lui parlais comme je l'aurais fait avec n'importe quelle jeune femme nouvellement installée en ville. Nous sommes devenues amies et nous nous rendions visite comme des amies. Je lui ai appris à se servir d'un ordinateur et sa présence me réconforte. Je crois qu'elle ressent la même chose. Mais nos relations ont évolué normalement comme celles de deux amies. Personne ne s'est jamais douté de rien en ville.

— Pas même Micah ?

— Non. Pas même Micah. S'il doit l'apprendre, ce sera par elle.

Griffin montra le papier qu'elle lui avait donné.

— Comment avez-vous obtenu ce nom ? demanda-t-il.

— Cette enfant est ma petite-nièce. J'étais à l'hôpital le jour où la famille adoptive est venue la chercher. Si vous vous trouvez au bon endroit au bon moment, vous apprenez bien des choses. C'est ce qui s'est passé. J'ai interprété ça comme une volonté divine de garder un œil sur l'enfant.

— Ce que vous avez fait ?

— Discrètement, oui. La mère adoptive était originaire de Chicago, d'où l'avocat. Elle souffrait d'une maladie qui l'empêchait d'avoir un enfant. D'ailleurs elle est morte quand la fillette a eu huit ans – le même âge que Lisa à la mort de sa mère. Étrange, non ?

— Oui. Qu'est-il arrivé ensuite ?

— Que des bonnes choses. Il n'y a jamais eu d'autres enfants dans la famille évidemment et le père ne s'est jamais remarié. Mais il a réussi en affaires et ils habitent en Floride dans une résidence luxueuse. Il adore son enfant et il passe beaucoup de temps avec elle. Elle a quatorze ans aujourd'hui. Presque une jeune fille.

— Comment va-t-elle réagir vis-à-vis d'Heather ?

— Je n'en sais rien.

— Va-t-elle accepter de coopérer ?

— Je n'en sais rien. Je ne lui ai jamais parlé.

Griffin agita le papier.

— Heather la connaît.

— Non, répondit Camille après avoir respiré un grand coup. J'ai parfois été tentée de le lui révéler, mais j'ai pensé que mettre un nom sur le visage de cette enfant lui rendrait la situation encore plus difficile. En général, elle ne pense pas au bébé, ni à ce qui s'est produit cette nuit-là à Sacramento. C'est trop douloureux. Plus facile de repousser tout ça dans un coin de sa tête. Mais il y a l'anniversaire de la naissance de l'enfant. Ce jour-là, elle devient mélancolique. Elle ne dit jamais pourquoi, mais je sais. Alors, elle vient me voir pour passer un moment en famille.

Poppy dormait quand il rentra. Il se déshabilla, grimpa dans le lit et l'attira contre lui.

Elle murmura un « bonsoir » endormi. Il ignorait si elle était suffisamment réveillée pour entendre ce qu'il avait à lui raconter, mais il le fit quand même.

19.

Depuis que Griffin lui avait parlé de l'enfant, Poppy voulait aller en Floride. Elle avait passé la nuit, les yeux grands ouverts, à y réfléchir. Elle aurait été bien en peine d'expliquer pourquoi, mais c'était plus fort qu'elle. Et pourtant, depuis l'accident, les voyages ne figuraient pas en tête de ses priorités. D'ailleurs, elle n'avait pas remis les pieds dans un avion depuis douze ans. Mais, au fond de son cœur, elle savait qu'en l'absence d'Heather c'était à elle de parler à sa fille.

Cassie, qu'ils appelèrent aux premières lueurs du jour pour la mettre au courant, ne parut pas convaincue de l'utilité du voyage. Une de ses amis travaillait dans un cabinet juridique de Miami et accepterait certainement de rencontrer la famille pour lui expliquer la situation. Parce que, après tout, de quoi avaient-ils besoin ? Un peu de salive ? Une mèche de cheveux ? Rien de bien compliqué à obtenir.

Mais Poppy ne pensait pas à l'aspect physique. Elle s'inquiétait de l'impact émotionnel sur une adolescente de quatorze ans qui allait brusquement découvrir l'identité de sa mère biologique – une expérience déjà difficile dans des circonstances normales. Mais quand en plus la mère se trouvait en prison, soupçonnée du meurtre du père de l'enfant, la situation devenait particulièrement délicate.

S'il n'y avait pas eu la tempête, Griffin aurait lui-même pris l'avion pour Miami. Après avoir protégé l'identité de Camille en mettant la découverte de l'enfant au crédit de Ralph, il s'estimait en droit de poursuivre l'investigation. De plus, il était d'un contact facile et suffisamment détaché de l'histoire pour être considéré comme un messager crédible.

Mais le travail ne pouvait attendre. Il avait promis son aide à Micah et tiendrait sa promesse. Il fallait ramasser les branches qui jonchaient le sol de tous les côtés et réparer les tuyaux sérieusement malmenés par les intempéries. Et tout ça, le plus rapidement possible. La perte d'une journée de sève ne ruinerait pas la saison, mais plusieurs si.

N'ayant donc pas d'autre choix que de laisser à Cassie le soin de régler la question floridienne, Griffin rejoignit Micah lundi matin, Poppy derrière lui dans le Blazer. Les routes avaient été sablées, mais sous les graviers la glace persistait. Le fauteuil de Poppy était d'ailleurs parti en vrille le long de la rampe devant la maison. La coupure d'électricité avait désactivé le système de chauffage et la glace avait repris possession des lieux. Quand le fauteuil s'était finalement arrêté un peu plus loin sur le chemin, Poppy avait attrapé un fou rire, mais Griffin avait vécu quelques secondes angoissantes en se reprochant de ne pas avoir anticipé le problème.

Le jour se levait à peine, mais le temps s'annonçait magnifique malgré le froid sec. Sur les bas-côtés de la route, le paysage figé dans la glace brillait de mille feux sous la lumière des phares. Un monde cristallin, immobile, où gisaient quelques arbres déracinés, couchés comme des géants morts. De la fumée s'échappait de toutes les cheminées des maisons. Le feu de bois et les lampes à huile restaient les seules sources de chaleur et de lumière dans la région toujours dépourvue d'électricité. Personne dans les allées, pelle à la main. Occasionnellement, un habitant armé d'un pic considérait avec étonnement ce monde de glace qui l'entourait.

Cette fois, Griffin et Poppy ne furent pas les seuls à se garer devant chez Micah. Pete Duffy les avait devancés et fut bientôt rejoint par Charlie Owens et deux de ses garçons, John Kipling et son cousin Buck, Art Winslow et trois hommes costaux, le mari de Leila Higgins et une demi-douzaine d'hommes de la zone. Tous dûment munis de tronçonneuses, crampons et Thermos de café.

Griffin se réjouit de leur présence et remarqua le regard humble de Micah chaque fois qu'une nouvelle voiture s'engageait dans le chemin. Un esprit de communauté régnait là, toute rancune momentanément oubliée devant la gravité des événements qui prenait le pas sur tout le reste.

Micah ne dit pas grand-chose et les autres non plus. Il était trop tôt et le travail attendait. Ils formèrent des équipes de quatre, chacune munie d'une carte délimitant son secteur, et s'élancèrent à l'assaut de la colline.

Le dernier des hommes avait disparu quand les femmes arrivèrent à leur tour, les bras chargés. La cuisine ne tarda pas à bourdonner de conversations, ce que Poppy trouvait aussi apaisant que le lac par une chaude nuit d'été. Les lampes à huile et le feu dans la cheminée contribuaient à créer une ambiance amicale et chaleureuse à laquelle même Star et Missy semblaient sensibles. Elles passaient au milieu des femmes, s'appuyant contre une jambe ou s'asseyant sur des genoux accueillants, écoutant les conversations.

Quand les hommes revinrent à midi, des piles de sandwichs les attendaient, ainsi que des bols de soupe bien chaude. Tout en mangeant, ils se rassemblèrent et chaque groupe fit à Micah un compte rendu des dommages et des réparations effectuées. L'équipe de Micah avait fini de déblayer les débris qui obstruaient la conduite principale, ce qui permettrait de réparer les tuyaux avant la fin de la journée. Mais à côté de ça, il y avait encore suffisamment de dégâts pour les occuper à temps plein pendant deux bonnes journées.

Cassie resta une grande partie de l'après-midi dans sa voiture, son portable branché sur la batterie, faisant des allers et retours entre l'assistant du procureur général à Sacramento et son amie à Miami. Sans grand succès dans les deux cas.

Bud Grinelle trouvait absurde de parler d'une enfant engendrée par Rob DiCenza tant qu'Heather Malone refusait d'admettre sa véritable identité – ce à quoi Cassie s'opposait tant que la fille de Lisa n'avait pas donné son accord pour le test d'ADN.

Et, sur ce dernier point, son amie de Miami se montrait pessimiste. Or, sachant que les DiCenza s'opposeraient à ce qu'on récupère un échantillon du sang sur les vêtements de Rob, Cassie avait espéré pouvoir accélérer les choses avec la coopération de la Floride.

— Norman Anderson risque de poser problème, expliqua Cassie à ceux qui s'étaient attardés chez Micah. Un des avocats du cabinet de mon amie a eu affaire à lui dans un dossier. Norman est un homme bien qui a gagné beaucoup d'argent en tant que président-directeur général d'un groupe bancaire du sud des États-Unis. Il mène une vie tranquille, sans ostentation. Un homme réservé qui ne jette pas l'argent par les fenêtres et tient par-dessus tout au respect de sa vie privée. Il adore sa fille. Apparemment, ils ont toujours été très proches, mais plus encore depuis la mort de sa femme qu'il a acceptée de façon très décente et réservée. Il ne voudra absolument pas entendre parler de la publicité attachée à une telle affaire.

— Moi non plus, appuya Micah. Mais je n'ai pas eu le choix. Et lui non plus, si on va au tribunal.

— Le problème, c'est qu'il possède les moyens de nous couper la route. Si nous ne parvenons pas à le convaincre de nous aider, il peut facilement obtenir une injonction de la cour pour que le secret soit gardé jusqu'à ce que ses avocats puissent présenter une requête visant à protéger les droits de son enfant.

— Personne ne cherche à violer ses droits.

— Son but serait de ralentir suffisamment les choses pour nous obliger soit à abandonner soit à plaider coupable. Ainsi, tout serait terminé sans que sa fille soit impliquée. Une tactique comme une autre.

— Combien de temps ça peut durer ?

— Des mois.

— Mais s'il décide de nous aider, intervint Griffin, ne

pouvons-nous pas faire en sorte que le nom de sa fille reste confidentiel ?

Cassie hocha la tête.

— C'est sous cet angle que nous devons jouer. Mon amie doit le rencontrer demain. Elle va lui garantir toute la confidentialité nécessaire sur cette affaire, mais également lui parler d'Heather. Elle pense que, s'il connaît mieux les termes du dossier, il décidera peut-être de prendre notre parti.

Poppy avait du mal à imaginer un groupe de personnes qui ne connaissaient pas Heather, assises autour d'une table pour discuter d'une chose qui la touchait si intimement.

— Quelle chance avons-nous ? demanda-t-elle à Cassie.

— Cinquante pour cent peut-être.

— Et si tu y allais ? Est-ce que ce serait mieux ?

— Je l'ai proposé et mon amie en a parlé à son associé, mais il estime que trop d'avocats risquent de bloquer Anderson. Il dit qu'il vaut mieux que je reste ici près du téléphone.

— Et moi ? proposa Poppy dont l'estomac se contracta à peine les mots prononcés. Je ne suis pas avocate. Simplement une personne ordinaire. Je pourrais représenter Heather.

Maida s'agita dans le fond.

— Poppy, tu ne peux pas te déplacer si facilement que ça.

— Pourquoi pas ? Rien ne m'empêche d'y aller pour défendre notre cause.

Cassie sourit malicieusement.

— Ça ne gênerait pas en tout cas. Tu n'as rien de menaçant.

— Je suscite la compassion.

— Je n'ai pas dit ça.

— Mais c'est vrai, insista Poppy. Je n'ai jamais tiré avantage de mon handicap auparavant, mais dans ce cas ça en vaut la peine. Si je vais jusqu'en Floride dans mon fauteuil, cela pourra peut-être le faire réfléchir, vraiment réfléchir, et considérer Heather comme un être humain et non plus comme un simple fait divers.

Griffin posa une main sur son épaule.

— Attends quelques jours. Une fois les travaux terminés, je t'accompagnerai.

— Nous n'avons pas le temps d'attendre.

— Alors, je viens avec toi, déclara Maida. Je connais les routes de Floride.

Mais Poppy secoua la tête, très sûre d'elle maintenant. Avant l'accident, elle voyageait souvent et sans y réfléchir. Mais depuis qu'elle se trouvait dans un fauteuil roulant, elle ne comptait que quelques échappées à Boston, Cape Cod et même une fois, en Pennsylvanie, mais toujours en voiture et jamais seule. Dans ces conditions, son fauteuil ne soulevait aucun problème, d'autant qu'il y avait toujours quelqu'un pour l'aider. Maintenant, penser simplement à toutes les difficultés qui l'attendaient la faisait frissonner d'angoisse. Pourtant, pas question de renoncer.

— Je dois le faire, dit-elle d'une voix calme, les yeux fixés sur sa mère.

Griffin ne prononça pas un mot. Quant à Maida... Elle considéra sa fille un moment, puis elle s'avança et finalement fit ce dont Poppy rêvait depuis longtemps. Elle la prit dans ses bras.

Griffin la conduisit jusqu'à Manchester, tôt le mardi matin, pour attraper le vol de Miami. Sur la route, des vagues de panique submergeaient Poppy pendant lesquelles elle faillit plusieurs fois le supplier de l'accompagner. Mais elle parvint à garder son calme. Elle devait le faire seule.

— Tu crois que Norman Anderson se laissera attendrir ? demanda-t-elle.

— Espérons-le. Je suis heureux que tu y ailles, ajouta-t-il en lui prenant la main. Si quelqu'un peut réussir à le convaincre, c'est bien toi.

Il était parfait et elle l'aimait. Elle pouvait bien l'admettre, même si quelques doutes subsistaient encore dans son esprit. Pas sur ses propres sentiments, mais sur les siens. Elle redoutait toujours qu'il ne finisse par se lasser d'elle et de son handicap.

Une fois à l'aéroport, Griffin l'installa dans son fauteuil, attrapa son sac et la poussa jusqu'au comptoir d'enregistrement. Là, il se pencha vers elle et posa les deux mains sur les accoudoirs du fauteuil.

— Tu as de l'argent ?

— Oui.

— Ta carte de crédit ? Des photos d'identité ? Ton téléphone ?

— Oui.

— Des sous-vêtements de rechange ? Tes médicaments ?

— Oui, mais seulement parce que tu m'y as obligée. Je reviens ce soir.

— Juste au cas où.

— Je reviens ce soir, répéta-t-elle. Au plus tard, par le vol de vingt-trois heures cinquante-quatre. Je peux très bien prendre un taxi jusqu'à Lake Henry.

— Non, déclara-t-il d'un ton sans réplique.

Puis il sourit et, après s'être redressé, la regarda.

— Fais-moi plaisir. Si tu as le moindre problème pour entrer ou sortir de l'avion ou de l'aéroport, demande de l'aide. Je suis fier de toi, mais tu n'as pas besoin de jouer les héros pour autant. Pas trop inquiète ?

— Si, mais j'agis, Griffin. Pour une fois, je ne me contente pas de regarder.

Elle savait qu'il comprenait. Elle le lisait dans ses yeux.

— S'il te plaît, pars maintenant. Je dois faire la queue et Micah t'attend.

— Je peux rester avec toi dans la queue.

— Non. Tu n'as pas le temps. Tout va bien, Griffin.

Il l'embrassa.

— Je le sais, ma puce. C'est bien le problème. J'ai peur que tu ne réalises que tu te débrouilles très bien toute seule et que tu ne m'oublies.

Souriant, il fit glisser le sac de son épaule et le posa sur ses genoux. Puis il marcha à reculons un moment, lui adressa un dernier signe de la main avant de faire demi-tour et de s'éloigner. Poppy le suivit des yeux jusqu'à ce qu'il ait franchi les portes de l'aéroport.

Ses craintes se révélèrent infondées. Elle ne déclencha pas une cacophonie d'alarmes en passant sous le portique de sécurité, pas plus qu'elle ne fut obligée de se soulever dans son fauteuil afin de permettre à l'agent de vérifier qu'elle ne dissimulait aucune arme sur son siège. Plus de douze ans s'étaient écoulés depuis son dernier voyage. À l'époque, on devait descendre sur le tarmac pour accéder à la passerelle d'embarquement. Aujourd'hui, les passagers embarquaient directement dans l'avion par un sas d'accès, ce qui facilitait grandement les choses pour un fauteuil roulant. Poppy s'installa sans problème à la place qui lui avait été attribuée et laissa à l'hôtesse le soin de plier son fauteuil et de le ranger à l'avant de l'appareil même si elle n'appréciait pas trop d'être séparée de lui. Ce fauteuil représentait son autonomie. Sans lui, elle était immobilisée et elle frissonna en se demandant ce qui arriverait en cas d'urgence, si les passagers devaient évacuer l'avion.

Mais tout se passa bien et le vol se déroula sans incident. Comme elle avait pris le soin de ne pas trop boire avant le départ et de faire un tour aux toilettes, elle n'eut pas besoin d'y aller pendant le trajet. Une fois qu'elle fut à sa place, sa ceinture de sécurité fermée, elle devint une passagère comme les autres. Se sentit comme les autres. Un homme d'affaires qui embarqua à la dernière minute vint se glisser sur le siège près d'elle et flirta avec elle pendant tout le vol jusqu'à Pittsburgh. Quand ils atterrirent, elle était si fatiguée de l'entendre raconter sa vie que, lorsque l'hôtesse s'approcha avec son fauteuil, elle en éprouva une satisfaction perverse.

Mais elle n'eut pas l'occasion de regarder le visage de l'homme parce que l'hôtesse lui expliqua qu'ils avaient pris du retard et qu'il allait falloir se dépêcher pour attraper la correspondance.

De sorte que Poppy fut rapidement débarquée et entraînée dans les couloirs pour rejoindre l'autre avion où elle embarqua quelques minutes avant le départ sans avoir eu le temps d'aller aux toilettes. Redoutant que cela ne devienne un sérieux problème avant l'atterrissage à Miami, elle exposa la situation à une des hôtesses et un des stewards vint l'aider à entrer et sortir des minuscules toilettes. Gênée, Poppy rejoignit ensuite sa place, abandonna son fauteuil et pendant la demi-heure suivante imagina que tout le monde autour d'elle avait assisté au show.

Puis elle se morigéna. Il y avait sur cette terre des problèmes bien plus importants à affronter et elle n'avait pas le droit de réagir ainsi. Alors, quelque part dans le ciel, entre la Virginie et la Floride, elle décida que la gêne et la honte étaient des sentiments superflus, une perte de temps.

Quand l'avion atterrit à Miami, Susan McDermott, l'amie de Cassie, l'attendait. Dès que Poppy pénétra dans le terminal, elle s'approcha avec un sourire. Puis après l'avoir prévenue que le rendez-vous avait été avancé d'une heure, elle l'entraîna vers la sortie. Bientôt elles quittaient l'aéroport.

Si Poppy apprécia le changement de climat – la chaleur et les palmiers avaient agréablement remplacé la neige et le froid – elle se félicita surtout d'être arrivée jusque-là toute seule. Un petit exploit personnel qui lui procura une énorme satisfaction.

Une satisfaction qui subsista jusqu'à ce qu'elles parviennent à destination, pour être alors remplacée par une inquiétude sourde. Une fois dans les bureaux du cabinet juridique, Susan la conduisit jusqu'à une salle de conférences au fond du couloir.

Norman Anderson avait à peu près l'âge de Maida et ressemblait tout à fait à la description qu'on lui en avait faite : un homme simple et sans prétentions. La vulnérabilité qu'elle lut dans son regard l'étonna. Mais sa surprise fut encore plus grande quand elle découvrit la personne qui l'accompagnait.

Micah s'efforçait de ne pas penser à ce qui se passait en Floride. Douze hommes avaient débarqué de nouveau ce matin et investi différentes parties du domaine. La conduite principale réparée, la sève coulait maintenant sans problème jusqu'à la cabane. À l'heure du déjeuner, tous les tuyaux avait été déblayés et consolidés et Micah se sentait un peu plus optimiste. Dans l'après-midi, tandis que Griffin et les hommes repartaient à l'assaut de la colline, il resta à la cabane pour préparer le sirop.

Après avoir allumé le feu, il fit couler la sève dans l'osmoseur, puis dans l'évaporateur et continua le processus jusqu'à l'étape finale. Comme la première tournée atteignait presque l'état de sirop, un problème apparut – un autre coup du sort. Le filtre marchait à l'électricité et cette dernière n'avait toujours pas été rétablie. Jusque-là Micah ne s'en était pas inquiété parce qu'il disposait d'un générateur. Or voilà que celui-ci refusait de démarrer.

Poppy resta bouche bée devant la fille d'Heather. Inutile de faire les présentations. Althéa Anderson était le portrait craché de sa mère. Les mêmes cheveux sombres et épais, le même visage en forme de cœur, les mêmes sourcils droits et fins. Seule la couleur des yeux différait.

Sidérée, Poppy ne pouvait quitter l'adolescente des yeux. Adolescente ? Théa avait quatorze ans, mais en paraissait dix-huit. Harmonieusement développée, vêtue d'une mini-jupe et d'un pull tout simple, elle dégageait une impression de féminité et de raffinement. Difficile de la considérer comme une adolescente. Plutôt comme une jeune fille.

Reprenant ses esprits, Poppy considéra les autres personnes qui l'entouraient – huit en tout. Susan énuméra rapidement les noms de chacun que Poppy salua d'un signe de tête jusqu'à Théa. Là ses yeux ne purent s'en détacher.

— Je suis désolée, dit-elle finalement, mais vous ressemblez tellement à votre mère. Vous êtes magnifique.

— Merci, murmura Théa avec un petit sourire timide.

Pendant que Susan résumait la stratégie préparée par Cassie pour la défense d'Heather, Poppy tentait de se mettre à la place de Théa. Les liens biologiques entre une mère et sa fille étaient extrêmement forts. Si Poppy avait été adoptée, elle aurait aimé connaître sa mère naturelle – pas nécessairement vivre avec elle ou l'aimer, mais la connaître.

Les avocats discutaient ferme sur les différents points de droit. Poppy écoutait, mais ses yeux revenaient sans cesse sur Théa et le regard de cette dernière croisait le sien chaque fois. Les propos des avocats ne semblaient pas l'intéresser autant que Poppy l'aurait cru. Par contre, Poppy aurait parié que l'adolescente mourait d'envie d'en apprendre plus sur sa mère.

Son père gardait une certaine réserve, confiant à ses avocats le soin de répondre aux requêtes de Susan. En fait, tout se déroulait exactement comme Cassie l'avait prédit. Les avocats d'Anderson invoquaient la publicité qui éclabousserait la famille, les détails sordides qui ne manqueraient pas d'être évoqués et le caractère tragique de ce drame. Ils se refusaient à toute précipitation, rechignant à impliquer une enfant comme Théa dans cette histoire.

Impliquer une enfant comme Théa. Poppy ne pouvait laisser passer ça sans réagir.

— À ce propos, je suis étonnée de sa présence, déclara-t-elle.

Norman Anderson répondit d'un ton patient, mais ferme.

— Ma fille a beaucoup de caractère. Elle a suivi toute l'affaire depuis le début et a souhaité assister à ce rendez-vous.

— Connaissait-elle ses parents biologiques ?

— Elle savait qu'elle avait été adoptée. Mais j'ignorais qu'elle connaissait l'identité de sa mère.

En interceptant le regard coupable que Théa jeta en direction de son père, Poppy décida de ne pas insister. Elle découvrirait plus tard comment Théa avait appris l'identité de sa mère. Mais le fait qu'elle ne semble pas du tout traumatisée par les événements la rassura.

— Heather possède elle aussi beaucoup de caractère, expliqua Poppy à la jeune fille. Elle refusait de révéler qu'elle avait une enfant pour ne pas vous impliquer. Et elle ignorait votre nom – que nous avons appris par une tierce personne – parce qu'elle estimait n'avoir aucun droit sur vous. Mais elle savait que vos parents adoptifs vous aimaient, ce qui la réconfortait. Elle a débarqué un jour à

Lake Henry sans le moindre vestige de son passé à l'exception d'un sac à dos. Il contenait une lettre du cabinet d'avocats qui s'était chargé de l'adoption et ceci.

Elle tira de son sac le petit bracelet d'identité de l'hôpital et le posa sur la table.

— Je ne crois pas que ceci soit approprié, intervint un des avocats de Anderson.

Mais Théa avait déjà tendu le bras et saisi le bracelet.

Bien joué ! Poppy félicita mentalement Théa.

L'avocat avait bien entendu compris que le bracelet risquait de créer un lien personnel entre la jeune fille et sa mère biologique – ce qui était d'ailleurs le but de la manœuvre.

Théa l'étudia pendant un moment que l'avocat mit à profit pour répéter son argument principal.

— Le problème, c'est le temps. Soyons honnêtes. Nous comprenons tous qu'Althéa puisse être impliquée à un certain point, mais nous voulons que toutes les précautions aient alors été prises pour la protéger.

Susan McDermott insista encore une fois sur l'urgence et une joute oratoire s'ensuivit entre les juristes. Quand il devint évident qu'aucun des protagonistes ne céderait, Susan proposa une pause.

Frustrée, Poppy se dirigea vers les toilettes au fond du couloir. Elle sortait d'un des box et s'avançait vers le lavabo quand Théa se glissa dans la pièce, refermant la porte derrière elle.

— Est-ce qu'elle est belle ? demanda-t-elle, les yeux brillant de curiosité.

— Oui, répondit Poppy. Attends.

Elle lava et essuya ses mains, puis tira des photos de son sac.

— J'ai vu les photos dans les journaux, mais celles-ci sont différentes. Elle a l'air heureux dessus.

— Sa vie était heureuse. C'est une femme formidable, Théa. Belle à l'intérieur comme à l'extérieur et qui ne fera jamais rien qui puisse te blesser. Pour information, elle ignore que je suis ici.

— Pourquoi êtes-vous venue ?

— Elle est ma meilleure amie. Après l'accident qui m'a mise dans ce fauteuil, j'ai traversé des moments très difficiles et, sans elle, j'aurais peut-être essayé d'en finir.

— Quelle sorte d'accident ?

— En motoneige.

— Elle était là quand ça s'est produit.

— Elle est arrivée sur les lieux quelques minutes plus tard.

— Vous avez dit qu'elle ne connaissait pas mon nom. Elle ne veut pas le connaître ?

— Elle le voudrait, mais elle sait que ce ne serait pas raisonnable. T'abandonner lui a fait trop de mal. Si elle apprenait ton nom, elle aurait envie d'en savoir plus sur toi, peut-être même de te rencontrer et de mieux te connaître. Mais tu as ta propre vie et elle ne veut pas interférer avec ça.

— Est-ce qu'elle sait que ma mère est morte ?

— Non.

— J'ai piqué les papiers de l'adoption dans son tiroir juste après son décès, avoua-t-elle soudain avec un petit air malicieux qui la rajeunit et la fit brusquement paraître son âge. Seulement pour les avoir. Je n'ai rien dit à mon père pour ne pas le peiner, mais je savais qu'il suivait l'affaire et je voulais qu'il sache que moi aussi. Alors je lui ai tout révélé la semaine dernière.

— Dans quelle classe es-tu ?

— Neuvième. Je vais dans une école privée.

— Je parie que tu es une bonne élève.

Théa haussa les épaules.

— Et elle ? Heather ? Qu'est-ce qu'elle fait ?

— Elle cuisine. Elle est très douée de ses mains. Elle tricote, elle coud. Elle décore la maison.

— Ma mère est morte du cancer. Est-ce qu'Heather est en bonne santé ? demanda-t-elle soudain, l'air grave.

— Oui. Un rhume de temps en temps, c'est tout.

— Moi aussi. C'est incroyable. Mon père ne s'enrhume jamais, lui.

— Il me paraît être un bon père.

— Oui. Il est bien. Il m'a autorisée à venir aujourd'hui. C'est pour ça qu'il a avancé l'heure du rendez-vous. Pour que je puisse y assister pendant l'heure du déjeuner. Peu de parents feraient ça. À la télé, ils ont parlé de la tempête qui a sévi dans votre ville. C'est incroyable.

— Oui, nous traversons un dur moment. Cette tempête de glace risque de ruiner la saison du sucre.

— La saison du sucre ?

— La sève de l'érable, le sirop d'érable.

— C'est son travail ? s'enquit-elle en montrant Micah sur la photo.

— Celui d'Heather aussi. Elle est sa muse.

Théa s'appuya au lavabo.

— Parlez-moi de ses journées. Je veux tout savoir.

À cet instant, Susan ouvrit la porte et les interrompit.

— On s'inquiète un peu par ici, chuchota-t-elle.

Poppy aurait pu discuter longtemps avec Théa. Mais l'adolescente n'avait que quatorze ans et cette réunion avait pour but de la protéger du passé. Si Poppy estimait pour sa part qu'elle ne semblait pas avoir besoin de protection, elle ne tenait pas pour autant à créer de tension entre Théa et son père.

— Très bien. Je ferais mieux de retourner là-bas, dit-elle en poussant sur ses roues.

Théa avait gardé les photos. Elle les glissa dans le petit sac en cuir qui pendait sur sa hanche, passa une main dans ses cheveux, puis ressortit. Son père l'attendait dans le couloir, l'air inquiet.

— Tout va bien, ma fille ? demanda-t-il gentiment.

Elle hocha la tête et s'approcha de lui.

— Et toi ?

— C'est bizarre d'entendre parler d'elle, c'est très différent de tout ce qu'on peut lire dans le journal, remarqua-t-il avec un petit sourire triste.

— Ça t'embête ?

Elle devinait ses craintes. Il devait se sentir menacé. Elle avait suffisamment discuté sur le net de l'adoption pour le comprendre. Mais jamais elle ne pourrait lui faire du mal.

— Dans ce cas, je ne poserai plus de questions, déclara-t-elle. Je t'aime, tu es mon papa.

— Je sais, ma chérie. Je sais.

— Mais c'est assez excitant, tu ne trouves pas? Comme de retrouver un parent disparu depuis longtemps. Et pour toi aussi, parce que tu es mon père et que, d'une certaine façon, elle est également liée à toi.

Norman conservait un air inquiet, hésitant.

— Je ne crois pas qu'elle l'ait tué, dit Théa.

— Mais il est mort et je suis désolé que tu aies à penser à ça.

— Ça fait longtemps. Pour moi, il n'a jamais existé.

— Quand même, insista Norman. J'aurais préféré apprendre que tes parents naturels avaient mené une vie heureuse.

— C'est parce que tu es quelqu'un de bon et que tu m'aimes. Personne ne pourrait avoir un meilleur père que toi.

Il passa un bras autour de ses épaules et la serra un instant contre lui. Puis indiquant d'un signe de tête la salle de conférences, il l'entraîna.

20.

Tandis que Susan appelait Cassie pour lui annoncer la bonne nouvelle, Poppy quittait le cabinet juridique avec les Anderson.

— Vous voulez visiter notre maison ? avait demandé Théa à la fin de la réunion.

Poppy n'avait pu refuser. Théa n'avait pas posé la question par politesse. L'enthousiasme qu'elle manifestait était communicatif et Poppy désirait maintenant en voir le plus possible pour répondre à toutes les questions d'Heather.

Norman Anderson disposait d'un chauffeur, mais sa voiture restait discrète. Poppy et Théa prirent place à l'arrière et le fauteuil de Poppy fut plié et glissé dans le coffre. La voiture venait de se mettre en route quand Norman se tourna vers sa fille.

— Tu étais censée retourner à l'école, fit-il remarquer.

— Pour une révision de français. Mais j'en sais assez pour le contrôle. Je n'ai vraiment pas besoin de réviser et j'appellerai Tiffany si j'ai un problème. Elle est plus forte que moi.

Norman lui jeta un regard sceptique avant de s'adresser à Poppy.

— Ce dernier point est sujet à caution, mais comment voulez-vous discuter alors qu'elle n'a que de bonnes notes ?

Sur le chemin de la maison, Théa montra à Poppy tous ses endroits préférés, la noyant sous une foule de détails.

Quand la voiture s'engagea dans le lotissement où vivaient les Anderson, Poppy avait déjà abandonné l'idée de prendre le vol de seize heures vingt et celui de dix-huit heures trente ne lui laissait qu'une marge de manœuvre très limitée.

— Je dois téléphoner à mon ami, annonça-t-elle en plongeant la main dans son sac à la recherche de son téléphone.

— Comment s'appelle-t-il ?

— Griffin. Griffin Hughes.

Norman jeta un coup d'œil en arrière.

— Griffin Hughes ? De la famille de Piper ?

— Son fils. Vous connaissez Piper ?

— Nos chemins se sont croisés, répondit-il d'une voix qui suggérait un souvenir positif. J'ignorais que son fils vivait à Lake Henry.

— En fait, Griffin vit dans le New Jersey, mais il donne un coup de main à Micah en l'absence d'Heather. La tempête de glace a tout dévasté sur le domaine et il y a fort à faire pour déblayer. Une fois que toutes les branches mortes auront été ramassées, ils pourront réparer les tuyaux qui permettent à la sève de descendre jusqu'à la cabane à sucre.

Le téléphone sonnait et Griffin décrocha.

— Allô ?

Poppy sourit et baissa la voix par discrétion.

— Bonjour. Tu sais ?

— Oui. Félicitations, ma chérie. Tu t'es bien débrouillée.

— Je n'y suis pour rien. Micah est content ?

— Tu parles. Cassie tente de négocier un acquittement en ce moment même et il n'ose y croire. Il est dans la cabane à sucre.

— L'électricité est revenue ?

— Toujours pas et son générateur est en panne. Il doit filtrer tout le sirop à la main. À mon avis, il va finir par s'écrouler de fatigue, mais au moins la sève n'est pas perdue. Tu es à l'aéroport ?

Théa lui toucha le bras et lui montra la maison devant laquelle ils se garaient.

— Non. Je prendrai le vol suivant. Les Anderson me font visiter. On vient de se garer devant chez eux.

— Tu prendras celui de six heures trente ?

— Oui. Tu es sûr de vouloir venir me chercher ? Tu t'es levé tôt.

— Toi aussi. Pas trop fatiguée ?

— Un peu.

— Tout s'est bien passé ?

— Parfaitement. Je dois y aller, Griffin. Je te rappellerai sur le chemin de l'aéroport.

— D'accord. Je t'aime.

Elle hésita un instant avant de répondre.

— Moi aussi.

Avant qu'il ait eu le temps de dire quoi que ce soit, elle raccrocha.

Quelques instants plus tard, Poppy avait récupéré son fauteuil et faisait le tour de la maison, sous la direction de Théa. Une fois la visite terminée, elles s'installèrent sur la terrasse à côté de la piscine.

Poppy aurait apprécié un moment de silence pour jouir de la chaleur et des parfums, mais elle tenait à connaître les plats favoris de Théa, ses sports préférés et tout ce qui pourrait intéresser Heather. Théa, pour sa part, voulait tout savoir sur Lake Henry. La bonne leur apporta de la limonade. Norman allait et venait.

Quand le moment arriva pour Poppy de prendre congé, Théa ne voulut pas en entendre parler.

— Nous devons emmener Poppy dîner au club, supplia-t-elle. C'est si agréable.

— Et ton examen ? demanda son père d'un air sévère.

— Je vais aller réviser dans ma chambre un moment avant de partir. Vous pouvez rester, Poppy, n'est-ce pas ? Je vous ai entendu dire à Griffin que vous arriveriez tard. Pourquoi ne pas rentrer tranquillement demain matin ? Nous avons une belle chambre d'amis et notre agence de voyages peut modifier votre réservation. Je dois être à l'école à huit heures de toute façon. Nous vous déposerons à l'aéroport sur le chemin.

— Ça va te faire lever très tôt, prévient Norman.

Théa lui jeta un regard consterné.

— Ça m'est égal. Je ne veux pas laisser Poppy aller à l'aéroport toute seule. Vous voulez bien rester ?

Sans électricité ni téléphone, Cassie ne pouvait rien faire. Elle décida donc de se rendre à Center Sayfield, une ville voisine moins touchée par les intempéries, et de squatter provisoirement le bureau d'une amie.

De là, elle appela le procureur général de Californie. Il lui fallut près d'une heure pour parvenir à le joindre, qu'elle mit à profit pour peaufiner son dossier.

— De nouveaux développements sont apparus, annonça-t-elle d'emblée. Je sais que vous préféreriez que je passe par Bud Grinelle, mais comme de toute façon il ne fera rien sans vous demander votre avis, je me suis dit qu'on gagnerait du temps en évitant les intermédiaires. Je vous ai donc envoyé un paquet par Fédéral Express que vous recevrez demain matin. Il contient différents documents qui accréditent notre position.

— Qui est ? s'enquit poliment le magistrat.

Cassie aurait donné n'importe quoi pour éviter de montrer toutes ses cartes, mais la négociation d'un accord entre les parties l'obligeait à prouver la force de ses allégations – une manœuvre non sans risque. Si la négociation échouait et s'ils allaient devant le juge, l'accusation connaîtrait à l'avance tous les arguments de la défense et se tiendrait prête à les contrer. Il n'y avait malheureusement rien à faire. Son dossier était solide. Restait à en convaincre le procureur.

— Nous avons retrouvé l'enfant, dit-elle. Et nous avons l'accord du père pour procéder à des tests d'ADN. Heather subira également ces tests, ce qui nous permettra de prouver qu'elle est bien la mère. Par ailleurs, nous allons déposer une requête pour obtenir les vêtements que Rob DiCenza portait ce soir-là et prélever un peu de son sang. Je sais qu'ils sont entre les mains de la police. Notre avocat sur place...

— Quel avocat ?

— J. C. Beckett, annonça-t-elle non sans une certaine satisfaction.

Obtenir la participation de Beckett avait été un coup de maître. L'homme, un renégat, jouissait d'une réputation bien établie de gagneur et adorait tordre le nez des puissants. Et vu la carrure de l'adversaire – en l'occurrence Charles DiCenza –, il avait même accepté de travailler *pro bono*. Le ministère public le détestait.

— Notre avocat, reprit-elle, rédige en ce moment même cette requête qui n'a aucune raison d'être rejetée puisque les preuves sont déjà là. S'il s'avère que l'enfant n'est pas de Rob, nous avons perdu. Mais, dans le cas contraire, la donne changera complètement.

— Je suppose que vous n'avez aucun doute quant à la paternité de l'enfant ?

— Aucun. Heather – Lisa – ne fréquentait pas d'autre homme. Et personne, parmi tous les gens que vous avez interrogés après l'accident, n'a jamais suggéré le contraire. Ils ont raconté beaucoup de choses, mais jamais qu'elle le trompait.

Un petit silence accueillit cette déclaration.

— Continuez, dit-il finalement.

Le fait qu'il ne la renvoie pas séance tenante vers son assistant, Bud Grinelle, encouragea Cassie.

— Si la paternité est prouvée, toutes nos autres allégations à l'encontre des DiCenza s'en trouveront renforcées. Et puis, il y a Aidan Greene.

— Ah. C'était donc vous qui le cherchiez ?

— Oui et nous l'avons rencontré. Aidan était le meilleur ami de Rob et a été témoin de toute la relation entre Rob et Lisa. Comme il n'a jamais témoigné sous serment, il ne pourra pas être accusé de parjure.

— On pourrait le poursuivre pour faux témoignage.

— Ce n'est pas le cas et nous avons l'enregistrement de l'interrogatoire pour le prouver. Il se trouve dans le paquet que je vous ai adressé. Vous verrez que Greene a répondu à toutes les questions. Si les inspecteurs n'ont pas posé les bonnes, il ne peut en être tenu pour responsable. Mais, ajouta-t-elle, certaine que les DiCenza avaient joué un rôle dans l'enquête, le fait que vos gars n'aient pas posé les bonnes questions m'amène à me demander s'ils n'auraient pas reçu des instructions pour ne pas fouiller trop profond du côté de Rob.

— Ce ne sont pas «mes gars». Je n'étais pas en poste ici à l'époque.

Son ton défensif mit du baume au cœur de Cassie.

— Dans ce cas, il serait peut-être de votre intérêt de prendre à partie votre prédécesseur.

— Ce n'est pas la question. Bon qu'est-ce que vous voulez exactement? Je n'ai pas toute la journée.

— Nous prétendons que Lisa Matlock était enceinte de Rob DiCenza. Quand elle a refusé de se faire avorter comme il l'exigeait, il l'a menacée, elle et l'enfant, et il l'a fait lors de la réception cette nuit-là. Elle est parvenue à lui échapper, mais il l'a suivie dans l'obscurité et a surgi en face de la voiture. Elle n'a pas pu l'éviter.

— Elle s'est enfuie.

— Elle ignorait que Rob était mort. Elle avait peur de lui. Le fait est, monsieur, que notre dossier est solide, au cas où nous irions devant un jury. Il faisait nuit et très sombre, il y avait beaucoup de voitures garées dans tous les sens et un homme soûl qui courait entre elles. Nous avons une pauvre femme qui a été abusée par un homme puissant, riche et plus âgé qu'elle. Nous avons la preuve des abus physiques qu'elle a subis et dont les médecins de deux services d'urgence pourront attester. Ces papiers sont également dans le paquet. Nous avons une grossesse, une demande d'avortement, des menaces physiques et un témoin indépendant prêt à en témoigner. Nous avons également la preuve de l'intervention de la famille.

— Non. Vous n'avez rien de la sorte.

— Nous l'obtiendrons peut-être avant l'audience. Tous ces gens qui ont affirmé n'avoir rien vu ont peut-être cessé de craindre Charles DiCenza. Il suffit qu'une seule personne admette qu'on lui a demandé d'oublier certaines choses. Aidan Greene l'a fait. Cela figure dans la déclaration signée qu'il m'a donnée la semaine dernière. Vous en trouverez une copie dans le paquet demain. Mais il y a plus. Si l'affaire passe en jugement, nous ferons témoigner des gens qui affirmeront que Lisa Matlock n'a pas été la seule femme battue par Rob DiCenza.

— Oh, par pitié. Quelle importance ? Le garçon est mort.

Cassie n'en croyait pas ses oreilles. Comment avait-il pu prononcer une remarque aussi préjudiciable et non professionnelle ? Livide maintenant, elle n'avait plus besoin de regarder ses notes. Tout ce qu'elle voulait dire lui brûlait les lèvres.

— Vous avez raison. Il est mort. Et toute cette affaire devrait l'être également parce que la mort de Rob n'était rien de plus qu'un tragique accident. C'est ce que le jury découvrira. Seulement pour le prouver, nous allons devoir évoquer les aspects sordides de l'histoire. La famille va-t-elle aimer ça ? J'en doute, mais ça m'est égal. Ils l'ont bien cherché. Après tout, ils ne se sont pas gênés pour raconter des horreurs sur Lisa Matlock – ou maintenant Heather Malone – et publiquement. Ils ont voulu que cette affaire éclate au grand jour. Très bien. Cette information figurera donc à la une de tous les journaux si nous ne parvenons pas à un arrangement amiable d'ici demain.

— *Demain ?*

— Très bien. Je vous donne deux jours. Quarante-huit heures. Après ça, je parle à la presse.

— Je peux vous en empêcher par un ordre de la cour.

— Faites ça et vous vous retrouverez vraiment sous le coup d'une accusation de dissimulation de preuve, et cette fois, il ne sera pas question des agissements de votre prédécesseur. Parlons de la liberté d'expression et de la liberté de la presse. Parlons des droits de ma cliente. À cause des DiCenza, elle ne pourra jamais obtenir un jugement impartial. Seule leur version des faits est connue. Il est plus que temps que nous racontions notre propre version des événements.

— Au tribunal, devant un jury.

— Si cela ne sort pas maintenant, cela sortira à ce moment-là. En pleine audience, avec toute la publicité que les DiCenza vont rechercher dans l'espoir d'obtenir une condamnation. Vous devez leur parler. Savoir s'ils tiennent vraiment à ce que le nom de leur fils soit traîné dans la boue. S'ils sont prêts à faire face à une demande d'indemnité financière de la part d'une enfant de quatorze ans qui pourrait bien être leur petite-fille. Si nous ne signons pas un accord d'ici jeudi après-midi, c'est ce qui se passera.

— Très bien, capitula le procureur général. Que voulez-vous ?

Cassie visa haut. Elle n'avait rien à perdre.

— Je veux que les charges soient abandonnées.

— *Abandonnées ?*

— Abandonnées.

— Je ne peux pas faire ça. Pas dans une affaire de meurtre.

— Bien sûr que si. Vous pouvez dire qu'après avoir étudié le dossier et, étant donné le temps écoulé depuis la date des faits, vous n'avez pas assez d'éléments pour prouver la culpabilité. Ou vous pouvez déclarer qu'au vu de nouvelles preuves apportées au dossier, le doute subsiste quant à l'accusation de meurtre.

— La presse voudra avoir connaissance de ces « nouvelles preuves », qui ne concernent que les aspects négatifs de la personnalité de Rob DiCenza. La famille refusera d'en entendre parler.

— Alors choisissez la première option. En votre qualité de procureur général, vous devez convaincre la famille qu'il est de son intérêt de laisser tomber. Vous sauverez l'honneur en vous posant comme un arbitre plein de compassion et la famille sauvera la face en suivant votre avis et en demandant l'abandon des charges. Ils n'auront qu'à dire qu'il est beaucoup trop douloureux pour eux de revivre toute cette tragédie.

— Vous voulez qu'elle s'en sorte libre et blanchie ?

— Je veux que les charges soient abandonnées, insista Cassie. Toutes les charges. Il ne s'agissait pas d'un meurtre.

Elle fuyait pour sauver sa vie et il s'est jeté devant la voiture dans un parking mal éclairé. Abandonnez les charges et comme il n'y a pas de crime le délit de fuite ne tient plus.

— Bon sang, vous ne cédez donc sur rien. Accordez-moi quelques miettes. Pourquoi pas homicide involontaire lors d'un accident de la route ?

— Il avait bu et il s'est jeté sous la voiture. Il ne s'agit pas d'un accident de la route. Ma cliente a payé cher sa relation avec Rob DiCenza. Si elle n'avait pas réussi à se construire une vie calme et tranquille, je lui aurais conseillé de poursuivre les DiCenza pour diffamation. Mais ce n'est pas dans sa nature. C'est une personne discrète et dénuée de méchanceté. Tout ce qu'elle demande, c'est de retrouver sa famille. Et je ne veux même pas qu'elle se rende en Californie pour l'audience d'abandon de charges. Sa présence n'est absolument pas nécessaire.

— Donnez-moi quelque chose, madame Byrnes.

— Acceptez mes conditions et ma cliente renoncera à divulguer tout ce qu'elle sait sur Rob DiCenza, mais je tiens à ce qu'elle sorte de prison sitôt l'accord signé. Elle ne présente aucun danger pour la société. Elle n'aurait même jamais dû mettre un pied en prison. C'est la raison pour laquelle je veux que tout cela soit très vite réglé. Vous en avez le pouvoir.

— Vous me surestimez, murmura-t-il. Ça ne dépend pas de moi.

— Les DiCenza sont en ville. Je l'ai vérifié. Je sais aussi que vous pouvez vous montrer très persuasif quand vous le voulez. Si vous y tenez, ajouta-t-elle se souvenant de son statut d'enfant adopté, vous pouvez invoquer le fait qu'une adolescente de quatorze ans qui a eu la chance de trouver une famille adoptive aimante ne devrait pas avoir à revivre ainsi les fautes de ses parents naturels. J'attends de vos nouvelles avec impatience, monsieur le procureur.

Après avoir appelé Micah pour lui résumer la situation, Cassie récupéra ses affaires et regagna Lake Henry. Elle s'arrêta à son bureau le temps de tout fermer pour la nuit, puis elle rentra chez elle. En chemin, elle décida du menu qu'elle préparerait pour le dîner, des jeux qu'elle partagerait avec ses enfants et des bougies qu'elle allumerait dans toute la chambre pour charmer son mari, une fois les enfants couchés.

En arrivant à la maison, elle trouva un mot sur la table de la cuisine l'informant que Mark avait emmené les enfants à Concord pour dîner dans un fast-food et voir un film.

Déprimée, elle se prépara des macaronis, alluma un bon feu de bois dans la cheminée du salon et se lova sur le canapé pour attendre. Quelques minutes plus tard, elle dormait.

Micah avait tellement chaud qu'il craignait de fondre tandis qu'il transférait la dernière fournée de sirop dans le filtre qu'il avait installé. Cela étant, il appréciait la chaleur de la cabane et la présence de ses filles qui jouaient à la poupée dans un coin. Elles avaient apporté leurs sacs de couchage et resteraient avec lui jusqu'à ce qu'il en ait terminé.

— C'est bon comme ça ? demanda Griffin debout près de la dernière cuve dans laquelle la sève ne tarderait plus à se transformer en sirop.

Écumoire en main, il veillait au grain.

Micah jeta un coup d'œil et hocha la tête. Mais l'inquiétude le tenaillait. Il avait pris du retard. Tout filtrer à la main ralentissait considérablement la cadence. Même avec l'aide de Griffin, il ne finirait pas avant minuit largement passé. Et s'il était déjà en retard après une journée de coulée de sève de la moitié de ses arbres, comment tiendrait-il le rythme quand tous les arbres commenceraient à couler ? Il avait besoin de l'électricité pour activer son filtre, mais la compagnie d'électricité ne pouvait rien promettre avant deux ou trois jours.

La porte de la cabane s'ouvrit et Skip Houser entra. Micah, qui ne l'avait pas revu depuis leur altercation à la station-service, s'apprêtait à lui demander ce qu'il foutait là quand il aperçut l'appareil qu'il transportait avec l'aide d'un autre homme.

Il n'en continua pas moins à filtrer son sirop.

Skip et son copain s'approchèrent du filtre électrique en panne et déposèrent leur chargement – un petit générateur. Puis Skip retira ses gants et regarda Micah.

— Cette machine était destinée au chantier, expliqua-t-il. Je me suis dit que personne ne s'en formaliserait si elle arrivait avec deux jours de retard. Mais tu ne m'as pas vu l'apporter, ajouta-t-il avant d'entreprendre de brancher l'appareil.

En moins de quinze minutes, le filtre ronronnait et Skip se dirigea vers la porte.

— Eh ! appela Micah. Merci.

Levant la main, Skip disparut.

Deux heures plus tard, le dernier centilitre de sève du jour avait été versé dans les bouteilles et scellé. Micah renvoya Griffin chez lui et termina le lavage lui-même. Il se promit que cette année, il offrirait des litres de sirop à tous les gens de la ville qui l'avaient aidé. Jamais il n'aurait imaginé que Skip pourrait en faire partie – ce qui prouvait qu'il le connaissait bien mal.

Rinçant l'évier, il mit les torchons à sécher et se baissa vers les deux fillettes endormies dans les sacs de couchage.

— Il est temps d'aller au lit, chuchota-t-il en les réveillant doucement.

Une fois les filles debout, il ramassa les sacs.

— Enfilez vos bottes.

Quand ce fut fait, Star tendit les bras et il la cala sur sa hanche.

— Prends la lampe, Missy, et reste près de moi.

Pendant un instant – un bref instant – un certain contentement envahit son cœur dans la chaleur ambiante, ses deux filles près de lui. Une seule chose aurait pu le rendre plus heureux.

Guidant Missy, il ferma derrière lui la porte de la cabane.

— Vite, vite, dit-il une fois dehors où régnait un froid intense.

La maison ne valait guère mieux.

Missy alla droit au lit et s'endormit la tête à peine sur l'oreiller. Micah déposa Star dans son lit.

— Papa ?

Il s'assit sur le lit, tirant le sac de couchage sur elle pour lui tenir chaud.

— Maman a eu un bébé ?

— Elle en a eu un avant.

— Qu'est-ce qu'il est devenu ?

— Elle ne pouvait pas s'en occuper, alors elle l'a donné à une famille.

— Pourquoi elle ne pouvait pas s'en occuper ?

— Parce qu'elle était trop jeune.

— Le bébé a pleuré quand elle l'a donné ?

— Je crois qu'il était trop petit pour s'en rendre compte.

— Je pleurerais, moi, si tu me donnais.

— Je ne ferai jamais ça. Alors, inutile de t'inquiéter.

— Est-ce que le bébé a envie de voir Heather aujourd'hui ?

Micah l'ignorait. Il ne savait pas ce que Poppy avait découvert, ni ce qu'Heather en penserait.

— Ce n'est plus un bébé. Elle est grande maintenant et elle a son propre papa.

— Moi aussi, mais maman me manque. Si elle devait choisir, elle préférerait le bébé plutôt que nous ?

— Elle nous choisirait, affirma Micah.

Mais comment en être sûr ? D'où sa peur. Quelle que soit l'issue de l'affaire, Heather pouvait choisir de redevenir Lisa. Il ne voulait pas croire qu'elle ait envie de retourner en Californie. Mais qui sait…

Il aimait Heather, mais si elle préférait redevenir Lisa, les filles et lui se retrouveraient seuls.

Griffin avait vécu seul si longtemps que rentrer dans une maison vide ne lui posait aucun problème. Pourtant, en regagnant la maison de Poppy, il ressentit pour la première fois la solitude. Poppy lui manquait et il comptait les heures. Mais elle ne serait pas là avant le lendemain d'après le message qu'elle lui avait laissé.

« Moi aussi. »

C'est ce qu'elle avait répondu quand il avait dit qu'il l'aimait et il brûlait d'impatience de lui demander si elle le pensait vraiment.

La maison était sombre et froide. Il alluma des bougies, le feu dans la cheminée et se versa un verre de vin. Après une longue recherche, il finit par découvrir Victoria endormie sur une pile de couvertures dans le placard et qui ne souhaitait de toute évidence pas en sortir.

Il erra un moment dans la maison, une bougie dans une main, son verre dans l'autre. Il aurait pensé qu'après avoir passé la journée avec des tas de gens, il aurait apprécié un peu de solitude, mais Poppy n'était pas comme les autres. Elle était drôle, intelligente et douce. Et certainement courageuse puisqu'elle était partie sans hésiter à l'autre bout du pays, seule et dans un fauteuil roulant.

Alors que lui n'osait même pas appeler le numéro noté sur le papier dans sa poche.

Dégoûté par sa lâcheté, il sortit le papier et attrapa son téléphone. Le cœur battant, il écouta les sonneries – quatre longues sonneries. Il s'apprêtait à couper la communication quand quelqu'un décrocha.

— Il vaudrait mieux que ce soit important, grommela une voix féminine à moitié endormie.

— Je souhaiterais parler à Cinthia Hughes, déclara-t-il en déglutissant nerveusement.

Il y eut un long silence – quelques bruits étouffés qui suggéraient qu'on passait le combiné – puis une voix différente. Plus douce, plus prudente, familière même après sept années.

— Oui ?

— Cindy ?

Pas de réponse.

— Ne raccroche pas, s'il te plaît, supplia-t-il. Je te cherche depuis si longtemps.

Elle n'avait toujours rien dit.

— Cindy ?

— Comment m'as-tu retrouvée ?

— Ton poème. Celui publié dans *Yankee magazine.*

Signé Robin Chris. Christopher Robin. Tu as toujours aimé Winnie l'Ourson. Tu te souviens ? Tu voulais toujours que je te le lise.

— C'était il y a longtemps.

— Ton poème est magnifique – mais triste. Tu es triste ?

— Je vais bien.

— J'ai reçu tes lettres. Elles ne racontaient pas grand-chose.

— Je sais.

— Quand tu as brusquement disparu, nous ne savions pas si tu t'en sortirais.

— Moi non plus.

Il eut l'impression de déceler une trace de sourire dans sa voix.

— Tu sais que maman est morte ? demanda-t-il.

— Oui.

— Et que nous nous sommes tous... plus ou moins séparés.

— Oui. Je m'en sens un peu responsable.

— Ce n'est pas ta faute.

— J'ai tout déclenché.

— Tu étais une enfant. Une rebelle. Nous étions plus âgés et nous aurions dû nous montrer plus responsables. Mais chacun de nous a continué sa petite vie en regardant ailleurs – comme s'il n'y avait pas de problème. Nous avons eu tort.

Elle ne répondit pas.

— Cindy ?

— Je me suis enfuie parce que je ne pouvais plus supporter la situation. Le gâchis. Je voulais tout laisser derrière et recommencer à zéro. Et je l'ai fait. Mais on n'oublie jamais. Pas quand il s'agit de la famille. On ne cesse jamais d'y penser.

— Tu vas... bien ? balbutia-t-il.

— Je ne me drogue plus, si c'est ce que tu veux savoir. Je n'ai plus rien pris depuis ma fuite. Je te l'avais écrit. Je voulais que tu le saches.

Griffin savait également que les drogués craquaient

parfois et il fut soulagé d'apprendre que Cindy avait tenu le coup.

— Tu n'es pas mariée ?

— Non. Je n'ai pas assez confiance en moi pour ça. La culpabilité toujours.

— Tu vois quelqu'un ?

— Oui.

— Tu as besoin d'argent ?

— Non.

— Tu es sûre ?

Comme elle ne répondait pas, il renchérit.

— Tu as tout ce qu'il te faut là où tu vis ? Qui a décroché ?

— Une amie. Nous partageons l'appartement. Et oui, j'ai tout ce qu'il me faut. Mes amis sont... originaux, mais je les aime et à côté de la famille de certains d'entre eux la nôtre paraît presque idyllique. Mais nous avons constitué une espèce de groupe très soudé et mon travail me plaît beaucoup.

— Ça se voit. C'est très bon. Parle-moi de ta vie.

— Elle est... légère.

Il sentit l'avertissement derrière ces mots. Elle voulait dire qu'elle pouvait partir du jour au lendemain.

— Es-tu heureuse ?

— Souvent.

— C'est déjà quelque chose. As-tu besoin de quoi que ce soit ?

— Non.

— Je peux te voir ?

— Non.

— Nous nous rencontrerions où tu veux.

— Tu sais où me trouver. Tu as composé le numéro de téléphone et donc l'indicatif de la ville. Tu sais donc parfaitement où j'habite. Comptes-tu venir ? Ou en parler aux autres.

— Pas si tu me demandes de me taire.

— Je te le demande. Si tu me trahis, je disparaîtrai de nouveau.

— Tu es toujours restée un pas en avant par rapport à

nous. Quand j'ai vu le pseudonyme, j'ai eu peur d'y croire. Une part de moi espérait que tu envoyais peut-être un message.

Elle ne le nia pas.

— Je dois raccrocher maintenant, Griffin. Donne-moi ton numéro.

Il lui donna son numéro de portable, son adresse à Princeton et son numéro de téléphone, ainsi que celui de Poppy.

— Poppy Blake ? Fait-elle partie de la famille de Lily Blake de l'automne dernier ?

— Sa sœur. Une femme incroyable – pleine de cran comme toi, ce qui explique pourquoi j'ai aussitôt été attiré par elle. Elle a, elle aussi, pas mal de questions du passé à régler.

— Et tu l'aides parce que tu ne peux pas m'aider ?

— Je ne crois pas que je l'aide. Elle se débrouille très bien sans moi. Je me contente de l'aimer.

— Fichtre ! s'exclama Cindy avec cet humour un peu malicieux qui la caractérisait déjà plus jeune. Tiens-moi au courant.

— Tu comptes rester à ce numéro ?

— Tant que personne ne débarque.

— Si tu déménages, tu me préviendras ?

— Cela dépend de la raison de mon déménagement. Je sais de quoi Ralph est capable. Randy se montre moins déterminé depuis qu'il a résolu l'affaire Matlock. Il est avec toi dans le New Hampshire ?

— Non. Son rôle dans cette affaire s'est terminé avec l'arrestation. Papa serait content d'apprendre que tu vas bien. Puis-je lui dire que nous avons parlé ?

— Non. Il mettrait ton téléphone sur écoute, découvrirait mon numéro et serait chez moi en moins de temps qu'il ne faut pour le dire. Pour me juger... encore et toujours. Je ne suis pas prête pour ça. Un jour peut-être. Mais pas maintenant.

Griffin savait que ce jour viendrait. Une chose qu'il avait apprise avec Poppy et Heather. Pour le moment, il comprenait les sentiments de sa petite sœur. Tant qu'ils restaient en contact, il y avait de l'espoir.

Mercredi matin, pour la première fois depuis une semaine, Griffin n'alla pas chez Micah. Au lieu de ça, remonté à bloc après sa conversation avec Cindy et heureux à la perspective de revoir bientôt Poppy, il fit le ménage dans toute la maison, prit le petit déjeuner chez Charlie et passa à la marina récupérer sa Porsche. Puis, et bien qu'il fût largement en avance, il s'élança en direction de Manchester. De toute façon, il était incapable de se concentrer sur quoi que ce soit d'autre, Poppy lui occupant tout l'esprit.

Griffin assista à l'arrivée de l'avion et surveilla les voyageurs qui descendaient. Elle fut la dernière à sortir, mais l'attente valait le coup. À sa vue, le cœur de Griffin faillit éclater dans sa poitrine.

Dès que le passage fut suffisamment dégagé, il s'avança à sa rencontre, attrapa le sac de Poppy, le glissa sur son épaule et se baissa pour la serrer contre lui. Puis il la prit dans ses bras et la fit tourner au milieu de l'aéroport, se moquant qu'on les regarde. Il était fier d'elle, fier d'être avec elle.

Elle riait quand il la reposa dans le fauteuil.

Il mit alors une main sur chaque accoudoir et se pencha vers elle.

— Tu le pensais ? demanda-t-il.

Il parlait bien entendu des « trois mots ».

Elle hocha la tête.

— Je ne sais pas encore comment je vais gérer ça, avoua-t-elle en souriant.

— Nous trouverons un moyen.

Il poussa le fauteuil à travers le terminal et jusqu'au parking.

Une fois qu'elle fut installée dans le siège passager, il plia le fauteuil et le glissa dans le coffre. Il paniqua un instant quand il parut trop grand pour y tenir, mais finalement avec un peu de ruse, il réussit à le caser. Le sac était souple et il put le caler sans problème. Content de lui, il ferma le coffre et se glissa derrière le volant.

À côté de lui, Poppy passa la main sur le cuir des sièges.

— Quelle belle voiture, dit-elle.

Elle montra l'ordinateur de route.

— Comment l'appelles-tu ? voulut-elle savoir.

— Comment as-tu deviné ?

— Nous en utilisons sur le lac pour nous aider à trouver notre chemin à travers les îles, la nuit. Charlie appelle la sienne Amélia.

— La mienne s'appelle Sauge, avoua Griffin avec un soupir. Tu connais trop de choses, Poppy Blake. Je ne peux jamais te surprendre.

Comme il faisait démarrer la voiture, elle posa la main sur son bras. Son visage avait pris une expression sérieuse et vulnérable à la fois.

— Tu me surprends, dit-elle. Tu es là.

Le cœur battant, il faillit mettre la main à sa poche. Il y cachait quelque chose et il ne s'agissait pas d'un bonbon. Mais c'était encore trop tôt. Elle avait reconnu qu'elle l'aimait, mais il ne fallait pas brusquer les choses.

Alors, il lui parla de Cindy.

Une des choses que Poppy adorait chez Griffin était sa loyauté, qui s'exprimait si bien dans cet appel à sa sœur. La quête inlassable de Griffin pour la retrouver représentait un de ses plus grands charmes à ses yeux. Il aimait sa famille. Elle comptait pour lui.

Elle se sentait donc plus heureuse qu'elle ne l'avait été depuis longtemps. Sa vision de l'avenir avait totalement changé par rapport à celle qu'elle pouvait avoir à peine trois semaines plus tôt. À l'époque, elle n'aurait même pas imaginé pouvoir entreprendre un tel voyage toute seule et encore moins être aimée par un homme comme Griffin.

Pourtant, alors qu'ils approchaient de la ville, sa joie diminua. Lake Henry incarnait le réel, le concret, certaines réalités inévitables. L'accord avec les autorités californiennes pouvait tourner court et Heather passer en jugement. Cindy Hughes pouvait déménager sans donner d'adresse et rester introuvable pendant sept ans encore. Griffin pouvait brusquement réaliser que le vieux camion de Buck ne valait pas un clou et que la Porsche lui convenait beaucoup mieux, tout comme il pouvait prendre conscience que son amour pour Poppy, concevable tant qu'il demeurait à Lake Henry, était finalement inapproprié dans le New Jersey.

Oui, les prochains jours pouvaient encore révéler bien des surprises.

21.

Cassie piétinait. L'électricité n'étant toujours pas rétablie, elle n'allait pas au bureau et restait à la maison avec ses enfants.

J'aurais peut-être dû lui en dire plus au sujet de Rob ? Moins sur Heather ? Ai-je été suffisamment convaincante ? N'ai-je pas trop demandé ? J'aurais peut-être dû lui laisser un choix. Ou plus de temps.

Inlassablement, elle se remémorait la conversation. L'avenir d'Heather se jouait là-dessus et, ce matin-là, la responsabilité pesait sur ses épaules comme une chape de plomb.

Évidemment, il y avait toujours le plan B. S'ils rejetaient sa proposition, elle parlerait à la presse. Elle s'attaqua donc à la rédaction de son communiqué.

Micah tuait le temps en travaillant lui aussi. Le matin sur le terrain, l'après-midi dans la cabane à sucre où il s'occupait de la sève. Mais les questions tournaient inlassablement dans sa tête : que se passait-il en Californie ? Comment tout cela allait-il se terminer ? Comment Heather allait-elle réagir une fois qu'elle serait libre de redevenir Lisa ? Allait-elle le quitter ?

Lake Henry était un bel endroit, mais ce n'était pas la Californie et il ne pouvait pas partir en Californie. Elle allait devoir choisir.

Griffin s'inquiétait pour sa part de la réaction des gens si le dénouement de l'affaire d'Heather se révélait moins satisfaisant qu'espéré. Il avait fait tout ce qui était en son pouvoir pour se racheter et tenter de prouver l'innocence d'Heather, mais si la Californie refusait de laisser tomber et qu'Heather passât en jugement, sa situation à Lake Henry deviendrait difficile.

Il aimait la ville. Il s'y sentait bien et s'il devait suggérer à sa sœur un endroit où s'établir c'était ici qu'il l'enverrait. À Lake Henry, il pouvait envisager d'avoir des enfants. À Lake Henry, il était tombé amoureux – à la fois d'une femme et d'un mode de vie.

Il pouvait très bien continuer son travail à partir d'ici, travailler chez Poppy ou louer un bureau au *Lake News*.

L'idée que son amour dépendait peut-être de l'issue de l'affaire le rendait fou, mais il avait toujours été réaliste et ne se faisait aucune illusion. Si Heather passait en procès et si elle était condamnée, Poppy pourrait bien se souvenir alors qu'il était responsable de tout ce gâchis.

Comment deviner sa réaction dans une telle éventualité ?

L'électricité fut restaurée jeudi matin ainsi que les lignes téléphoniques, ce qui permit à Poppy de reprendre son activité d'autant que le standard n'arrêta pas de sonner.

Mais si les appels locaux ne manquaient pas, les appels longue distance demeuraient rares, particulièrement celui que tous attendaient.

Cassie gardait un œil sur l'horloge. Le délai de quarante-huit heures accordé au procureur approchait de son terme sans la moindre nouvelle et elle sentait son estomac se contracter d'angoisse. Bien sûr, elle avait toujours le plan B, mais elle avait tellement espéré ne pas en arriver là. Elle souhaitait voir la situation d'Heather vite réglée et sans vague.

Pourtant elle devait se tenir prête à la riposte. Elle rassembla donc ses notes et entreprit de préparer sa nouvelle ligne de défense. Griffin et John débarquèrent à ce moment-là et soudain le téléphone sonna.

— J'avance, déclara le procureur général, mais j'ai besoin de plus de temps.

Cassie resta sur ses gardes. Les DiCenza ne lui inspiraient aucune confiance et elle redoutait une nouvelle manœuvre.

— Vous avez besoin de plus de temps, répéta-t-elle au profit de Griffin et John. Où en êtes-vous exactement ?

Elle l'entendit soupirer.

— Je rencontre de la résistance et j'ai vraiment besoin d'un nouveau délai, insista-t-il.

— Les DiCenza refusent mes conditions ?

— Ils ont du mal à supporter l'idée que la femme qui a écrasé leur fils puisse sortir libre.

— Très bien. S'ils ne veulent pas accepter les termes de l'accord, nous irons parler à la presse. Savent-ils bien ce que cela signifie ?

— J'essaie de le leur faire comprendre.

Le procureur semblait si frustré que Cassie le crut.

— Vous avez besoin de combien de temps ?

— Encore quarante-huit heures.

— Comme ce sont probablement eux qui ont suggéré ce délai, je pense qu'ils ne cherchent qu'à gagner du temps pour s'assurer que rien ne sera diffusé dans la presse pendant le week-end, quand tout le monde s'attarde à la maison et lit les journaux. Je suis désolée, mais je ne peux pas vous accorder ça. Je vous donne vingt-quatre heures. Jusqu'à vendredi, dix-sept heures, heure de Californie. S'ils refusent l'accord à ce moment-là, je tiendrai une conférence de presse, ce qui donnera tout le temps nécessaire aux journaux pour publier mes déclarations dans l'édition de dimanche.

— Vous êtes dure.

— Sauf votre respect, monsieur, vous feriez exactement la même chose à ma place si vous représentiez une cliente qui a déjà payé dix fois plus cher qu'elle n'aurait dû pour ce qui n'a été qu'un tragique accident.

Griffin venait de remonter dans son camion quand son téléphone sonna.

— Allô ?

— Qu'y a-t-il ? demanda Prentiss Hayden. Il me parvient de drôles de rumeurs par ici. Et pas des plus agréables.

— De drôles de rumeurs ? répéta-t-il.

— Des coups de téléphone d'amis communs des DiCenza. Quelles sont les dernières nouvelles ?

— Rien de nouveau sous le soleil. Vous, les gens de pouvoir, vous croyez au-dessus des lois.

— Qu'arrive-t-il avec les DiCenza ? s'enquit encore Prentiss avec quelque impatience.

— Le passé revient pour les hanter.

— Rob était un bon garçon et il est mort. Pourquoi s'en prendre à un mort ?

— Je préfère ne faire aucun commentaire à ce sujet. Mais nous en revenons à ce que je vous répète depuis quelques semaines. Si vous attirez l'attention sur vous en publiant votre biographie, certains cadavres risquent de ressortir du placard tôt ou tard. C'est obligé. Et vous ne saurez pas quand, ni où, ni comment. D'un autre côté, si votre biographie est complète, personne ne pourra rien contre vous. Parce que vous aurez vous-même décidé du moment et de la manière de ces révélations.

— Je ne veux pas faire la une des journaux. Pas pour ce genre de choses. L'existence de mon fils ne regarde personne.

— En principe, c'est exact. Mais vous êtes une personnalité publique. Il y a des avantages à cela, mais aussi des inconvénients. Si vous ne mentionnez pas l'existence de votre fils dans votre livre, quelqu'un le fera.

— Vous ? C'est de ça qu'il s'agit ? Vous me prévenez à l'avance comme ça quand vous publierez votre histoire, je ne pourrais pas dire que vous ne m'avez pas averti ?

Griffin se hérissa.

— J'ai signé un engagement de confidentialité, vous vous rappelez ? Si vous croyez vraiment que je suis capable d'une chose pareille, alors nous avons un sérieux problème de confiance. Il vaudrait peut-être mieux trouver un autre biographe.

— Attendez. Attendez, Griffin. Je n'ai jamais affirmé que je n'avais pas confiance en vous. Ce n'était qu'une remarque hypothétique.

— C'était une remarque blessante.

— Oui. Bon, excusez-moi. J'aime ce que vous avez écrit jusque-là. Je ne veux pas d'autre biographe. C'est juste que... Comment vous sentiriez-vous si vous aviez eu une vie riche et productive et que quelqu'un veuille absolument mettre le projecteur sur une petite erreur de jeunesse ?

— Je ne crois pas qu'on puisse qualifier votre fils d'« erreur de jeunesse ». Il est marié maintenant et père de famille. Il exerce la profession de pédiatre et vous l'avez aidé à en arriver là. Je pensais que vous en seriez fier.

— Je le suis. Mais c'est tellement personnel.

— Soyons honnêtes, dit Griffin avec un soupir. La plupart des gens connaissent son existence. Vous ne ferez donc qu'admettre un fait avéré. Sa mère est morte, elle ne sera donc pas blessée. D'autre part, votre femme est au courant et peut en parler sans gêne. Elle est parfaitement heureuse avec les quatre enfants que vous lui avez donnés. Ce fils illégitime ne constitue qu'un chapitre de votre livre, mais j'aimerais pouvoir affirmer que ce livre est honnête. Et croyez-moi, ils ne le sont pas tous.

— Ouais, je sais.

— Cet enfant n'était pas prévu, mais vous l'avez très bien assumé. Cela pourrait servir d'exemple à beaucoup.

— Vous croyez ?

— J'en suis certain. Les gens vous respectent et ne vous respecteront que plus encore.

Un silence accueillit cette déclaration, puis un soupir résigné.

— Votre père était un sacré adversaire au tribunal. Vous avez hérité de ses qualités d'orateur.

Griffin attendit.

Finalement, après une éternité, Prentiss Hayden reprit la parole.

— Oh, très bien. Allez-y, grommela-t-il à contrecœur.

Griffin décida d'utiliser ses fameux talents d'orateur sur Poppy, mais pour ça il planta d'abord le décor. Il commença par préparer le dîner, puis il l'accompagna chez Charlie où un quartette animait ce soir-là les réjouissances hebdomadaires. Quand ils rentrèrent à la maison, il remit du bois dans la cheminée et s'installa sur le canapé avec Poppy dans ses bras. Il lui rapporta sa conversation avec Prentiss et aussi avec Cindy. Puis il attaqua.

— Tu es la plus chanceuse, lui assura-t-il. Tout a été raconté sur ton passé. Les gens susceptibles de te juger connaissent la vérité et t'aiment toujours. Alors qu'en dis-tu ? Épouse-moi, Poppy.

Elle posa un doigt sur sa bouche.

— Ne me demande pas ça. Pas encore.

— Je t'aime.

— Chut.

— C'est vrai.

— Aujourd'hui. Mais la semaine prochaine ? Le mois prochain ?

— Ou l'année prochaine ? Ou dans cinq ans ? Ou pourquoi pas, dix ans ? Est-ce que je t'aimerai encore dans dix ans ? Voyons, Poppy. Ça ne marche pas comme ça. Si les gens mettaient leur vie entre parenthèses en attendant de voir si leur amour va durer, ils rateraient tout. Je veux me marier avec toi, avoir des enfants. Deux, c'est bien. Je peux en accepter deux.

— Je ne sais pas si je peux tomber enceinte.

— Aucune femme ne le sait. Aucun couple.

— Tu sais ce que je veux dire.

— Non, je ne sais pas. Tu as fait des tas de choses au cours des dernières semaines dont tu n'aurais jamais pensé être capable. Pourquoi t'arrêter en si bon chemin ?

— Je ne peux pas quitter Lake Henry.

— Tu peux, mais tu ne le veux pas. Moi non plus. Je suis très heureux ici. J'adore la ville et j'adore ta maison.

— Elle est trop petite.

— J'ai de l'argent. Nous l'agrandirons. Il y a plein de terrain autour.

— Je sais, je sais. Mais ça va trop vite.

— Toujours avec les bonnes choses. Est-ce que tu m'aimes, Poppy ?

Elle hocha la tête.

— Alors pourquoi attendre ?

— Je ne sais pas. Il y a encore quelque chose...

— Heather ? Nous saurons bientôt à quoi nous en tenir.

— Il y a encore quelque chose...

— Tu dois te pardonner ? Je pensais ce que j'ai dit, Poppy. Tu dois le faire, mais pourquoi pas quand nous serons mariés ? Qui pourrait t'aider mieux que ton mari ?

— Mon mari ? C'est un tel rêve.

— Un rêve devenu réalité.

Elle prit sa main et la contempla un moment, avant de relever la tête.

— Donne-moi encore un peu de temps. Juste un peu. Il y a encore quelque chose... que je dois faire.

En réalité, il y en avait même plusieurs. Elle passa la journée du vendredi à y réfléchir. L'activité semblait tourner au ralenti en ville. Tout le monde attendait et s'interrogeait et personne n'était d'humeur à discuter.

Elle non plus. Elle fit ses exercices, puis retourna vers son standard sur lequel aucune lumière ne clignotait. Une heure plus tard, elle retourna dans la salle de gym et s'approcha des barres parallèles.

Griffin passa, lui, la matinée chez Charlie pour laisser à Poppy du temps et de l'espace. D'ailleurs, il devait travailler. Il s'installa donc à une table avec vue sur la forêt, brancha son ordinateur, étala ses notes et dit oui à Annette chaque fois qu'elle s'approchait avec la cafetière.

L'attente usait également Cassie, qui arpentait son bureau, de la fenêtre à la porte d'entrée et retour. Quand elle en eut assez de ce trajet, elle attrapa son téléphone et sortit marcher dans la rue. Puis, gelée, elle rentra et s'assit jusqu'à ce que l'énervement l'oblige à se relever.

Micah préparait inlassablement son sirop d'érable et, sur les étagères, les bouteilles s'ajoutaient les unes aux autres. Billy et Amos l'aidaient.

Les filles jouaient dans un coin, assises dans leurs sacs de couchage. La pièce était chaude et confortable. Et paisible. Micah se dit qu'il aimait sa vie. Avec ou sans Heather, il survivrait.

Mais il préférait avec. Malheureusement, Cassie n'avait pas appelé et l'heure fatidique approchait.

Le téléphone sonna à huit heures. Jamie dormait déjà, Mark donnait le bain à Ethan et Brad pendant qu'elle nettoyait la cuisine.

Elle décrocha le cœur battant.

— Allô ?

— Ils ont accepté, annonça le procureur général d'une voix lasse.

Cassie ferma les yeux et poussa un soupir de soulagement. Souriante, elle posa une main sur son cœur pour en calmer les battements.

— Ils ont accepté d'abandonner les charges, poursuivit le procureur, mais ils veulent un engagement de confidentialité de votre part et ils tiennent à sa présence en Californie devant le juge pour la relaxe.

— Pourquoi là-bas ?

Cassie savait très bien ce qu'ils voulaient, mais elle gardait une carte dans sa manche.

— Ils ont besoin d'une conclusion en bonne et due forme. Ils estiment que, si l'affaire disparaît comme ça du jour au lendemain sans explication, les gens vont se poser des questions. S'il y a une audience à laquelle M. Grinelle expliquera que, faute de preuve tangible, il a été décidé d'abandonner les charges, la famille DiCenza pourra alors tenir une conférence de presse pour honorer la mémoire de son fils en expliquant que la vengeance ne le ramènera pas et qu'il est temps d'enterrer le passé. Ils veulent sauver la face, madame Byrnes. Vous pouvez leur accorder ça.

Mark venait d'apparaître sur le pas de la porte, les deux

enfants dans ses bras. Souriante, Cassie s'avança en dansant jusqu'à eux et les serra dans ses bras. Puis elle se recula pour reprendre son rôle d'avocate sans pitié.

— Le problème, voyez-vous, c'est que, s'il y a une conférence de presse, quelqu'un demandera inévitablement pourquoi vous n'avez pas de preuve suffisante. L'implication en sera que ma cliente est coupable, mais qu'elle va ressortir libre parce que vous ne pouvez pas apporter la preuve de sa culpabilité. Je ne veux pas que ma cliente retourne dans une ville hostile qui la considérera comme une tueuse qui s'est jouée du système. Je préfère encore aller au tribunal et mettre toute l'histoire sur la table.

Mark leva le poing en signe de victoire et, après avoir passé un bras autour de ses épaules, l'attira contre lui.

— Je ne peux contrôler la presse, répliqua le procureur d'une voix exaspérée maintenant. Les gens adorent ce genre de situation. Je peux peut-être obtenir que les DiCenza s'abstiennent de tout dénigrement, mais je ne peux rien contre l'opinion publique.

— Si, vous le pouvez. Vous pouvez régler ça tranquillement. Heather peut comparaître devant un juge ici dans le New Hampshire, qui enregistrera l'abandon des charges. Fin de l'histoire. Elle s'engagera à ne pas parler de Rob et, en échange, les DiCenza promettront de ne plus s'attaquer à elle.

— Le garçon est mort.

— Ce n'était pas un garçon, mais un homme. Un homme qui maltraita tellement une femme qu'elle fut obligée de renoncer à son nom, à son passé et à l'enfant qu'elle portait. Pourtant je veux bien me montrer conciliante. Si les DiCenza insistent, elle retournera en Californie et elle signera l'accord de confidentialité. Mais pas moi. Et si quelqu'un – qui que ce soit – s'en prend à Heather, croyez-moi, je saurai comment riposter.

Il y eut un long silence.

— Vous êtes vraiment dure.

— Ouais, répondit Cassie avec un grand sourire.

Dix minutes plus tard, elle recevait l'appel qu'elle

espérait. Elle s'empressa d'appeler Micah, puis Poppy et Griffin, puis Marianne, Sigrid, Charlie et Annette. Et enfin Camille parce qu'elle sentait une relation spéciale entre Camille et Heather. Elle n'avait aucune idée du lien qui les unissait et s'en moquait. Camille s'inquiétait pour Heather et cela lui suffisait.

22.

Samedi matin, le soleil apparut dans toute sa gloire – un jaune pâle d'abord, puis de plus en plus éclatant au fur et à mesure que le globe doré s'élevait dans le ciel. Poppy admira ce lever de soleil en compagnie de Griffin, de la cuisine où ce dernier avait entrepris de préparer le petit déjeuner.

Poppy se flattait d'être autonome, mais elle devait reconnaître qu'avoir un homme à ses pieds ne lui déplaisait pas. Griffin devinait ses besoins, se montrait patient et merveilleusement attentionné. Chaque jour, sous son regard, elle s'épanouissait un peu plus.

Tout allait donc bien... tant qu'il ne parlait pas mariage.

Mais Dieu merci, il n'avait plus abordé le sujet. Et aujourd'hui Heather revenait à la maison.

— En fait, dit Griffin, plus j'y pense, plus je crois que trahir Heather a été une bonne chose. Elle est libre maintenant. Elle va pouvoir vivre normalement sans cette épée de Damoclès suspendue au-dessus de sa tête.

Poppy approuva.

— Légalement, oui. Mais émotionnellement ? Nous verrons. Elle va devoir apprendre à réconcilier la femme qu'elle était avec celle qu'elle est devenue.

— Je ne m'inquiète pas pour ça. Micah l'aime.

— Elle avait repoussé le passé dans un coin de son esprit. Maintenant, elle va devoir l'affronter.

— Je ne m'inquiète pas pour ça. Micah l'aime, répéta Griffin.

Le message lui était destiné évidemment. Et elle l'aimait de le lui envoyer. Mais elle devait encore se réconcilier avec elle-même. Pas aujourd'hui pourtant. Cette journée devait être une journée de fête.

Une fois le petit déjeuner avalé, Micah habilla chaudement les deux fillettes, les installa sur le tracteur et les emmena sur la colline. Pas de téléphone ici, ni de télévision. Et aucun invité surprise. Il connaissait chaque centimètre carré de sa terre et s'y sentait en sécurité.

Arrêtant le tracteur, il fit descendre les filles et les entraîna vers un gros rocher où il avait l'habitude de venir quand il était enfant et qu'il voulait être seul. De là, il apercevait le réseau de tubulures bleues qui serpentait entre les arbres. Le silence les enveloppait, reposant.

Ils s'assirent et restèrent là, sans dire un mot, écoutant les bruits de la nature qui s'éveillait. Autour d'eux, les grands arbres s'élançaient vers le ciel, leurs feuillages si denses que la neige était rare sur le sol autour du tronc. Des tas de branches gisaient par terre, vestiges de la tempête, mais les arbres ne semblaient pas trop affectés.

— Les dieux ont élagué, dit Missy.

— Chut, écoutez, murmura Star.

Les bois reprenaient vie. Mille petits bruits signalaient le réveil de la nature. La neige fondait et les gouttes d'eau en tombant avaient chacune un son différent, créant ainsi une véritable symphonie dans le silence ambiant. Star écoutait, les yeux brillants d'excitation.

— La chanson de la neige, déclara-t-elle.

Élagage des dieux, chanson de la neige, toutes des expressions d'Heather. Elle savait mettre en parole ce que Micah ressentait sans pouvoir l'exprimer et ses expressions resteraient en eux quoi qu'il se passe.

Ils demeurèrent ainsi un long moment, les filles apparemment aussi heureuses que lui. Puis ils se promenèrent dans le bois. Missy courait d'un arbre à l'autre, tandis que

Star examinait tous les coins et recoins à la recherche des habitants de la forêt.

Micah les observait et observait les tubes dans lesquels petit à petit la sève commençait à couler. Ils regagnèrent enfin le tracteur et reprirent le chemin de la maison. Le temps qu'ils atteignent le bas, la sève remplissait la cuve et de nombreuses voitures se trouvaient maintenant garées devant la maison.

Lake Henry était venu fêter la tire.

Poppy et Griffin arrivèrent bien après les autres, avec un énorme plat de chili qu'ils avaient acheté en passant chez Charlie. Le problème fut de le caser à la cuisine qui débordait autant de nourriture que de personnes.

En voyant ça, Poppy éprouva une bouffée de plaisir et de fierté. C'était sa ville, ces gens étaient ses amis. Chaque année, ils célébraient ensemble le sirop d'érable. Ils choisissaient un jour ensoleillé et sans école parce que, comme Noël, la fête à la tire se célébrait mieux avec les enfants. Que l'affaire d'Heather soit résolue ajoutait encore au plaisir de cette année.

Micah le ressentait aussi. Il avait plus souri au cours des dix dernières minutes que pendant les vingt-quatre derniers jours. Après un rapide déjeuner, il prit le chemin de la cabane à sucre, des douzaines de gens sur les talons. Une cabane à sucre remplie de monde adoucissait le sirop, tout le monde savait ça.

Micah ouvrit la porte et s'écarta pour laisser passer les gens qui l'accompagnaient. Dans le mouvement, son regard se porta sur la route et son corps se raidit. Seuls ses yeux bougèrent, suivant l'avancée du véhicule.

Le cœur battant, Poppy tourna la tête. Une voiture rouge foncé, récente, inconnue à Lake Henry remontait le chemin. Ce ne pouvait pas être Heather, ni le FBI. Cela ressemblait plus à une voiture louée. Un journaliste peut-être ?

Le regard de Poppy revint vers Micah, que Griffin et John avaient rejoint. Ils sauraient recevoir la presse.

La voiture rouge approchait lentement et s'arrêta devant

la maison. Avant même que la portière ne s'ouvre, Poppy avait deviné.

— Oh, mon Dieu, murmura-t-elle, le cœur battant la chamade.

Elle s'avança pour se dégager des autres juste comme Norman Anderson sortait de la voiture. Il la vit aussitôt et, à son expression, elle comprit qu'il ne se serait jamais présenté ainsi sans être annoncé si sa fille de quatorze ans ne lui avait forcé la main.

Et d'ailleurs, Théa sortait à son tour et contournait la voiture, vêtue d'un jean, de bottes et d'un caban couleur fauve avec un béret assorti qui mettait en valeur ses longs cheveux brillants. Son visage exprimait à la fois l'excitation et la peur, et elle parut soulagée en apercevant Poppy.

Un soulagement que cette dernière était loin de ressentir. Elle s'était réjouie de son entente avec la fille d'Heather, mais elle n'aurait jamais pensé la voir débarquer ainsi au pire moment.

Elle propulsa son fauteuil en avant, incapable d'imaginer ce qui aurait lieu si Heather arrivait maintenant. Il suffisait pour l'instant de juger l'impact que Théa allait avoir sur la ville.

Norman vint à sa rencontre.

— Désolé, murmura-t-il. Si j'avais dit non, Théa serait venue seule. Elle voulait connaître Micah et la ville où vivait sa mère. J'espérais que notre visite passerait inaperçue, mais je crois que c'est raté, ajouta-t-il en jetant un regard hésitant vers la foule.

Théa mit un bras autour du cou de Poppy et l'embrassa.

— J'ai fait une bêtise ? demanda-t-elle à son oreille.

Ils ignorent tout de l'accord signé, réalisa Poppy.

— Je n'en sais encore rien, répondit-elle. Allons voir.

Soudain Griffin se matérialisa à son côté et se présenta.

— Monsieur Anderson, je suis Griffin Hughes. Bienvenue.

— Merci, fit Norman.

Poppy constata qu'il semblait aussi soulagé qu'elle de l'arrivée de Griffin.

Soulagé n'était pas le mot que Micah aurait employé. En fait, il ressentait juste le contraire. Il aurait préféré qu'Heather soit revenue et ait décidé de sa vie avant la venue de sa fille, mais de toute évidence, il était trop tard. Il n'avait pas besoin de présentation pour savoir que cette jeune fille était la fille d'Heather. Elle en était une réplique parfaite et Micah se dit qu'Heather serait certainement tout aussi élégante si elle vivait en Californie.

Une pensée qui ne lui apporta aucun réconfort.

Sentant le besoin de se raccrocher à ce qui lui appartenait, il regarda autour de lui à la recherche de Missy et Star. Il aperçut Missy qui se dirigeait vers la maison, suivie de Maida. Il chercha alors Star et la découvrit qui s'avançait vers Poppy.

— Star ? appela-t-il.

La fillette continua son chemin.

Jurant entre ses dents, avec l'impression d'un désastre imminent, il lui emboîta le pas.

Poppy ne remarqua pas immédiatement Star. Théa parlait, prenant la responsabilité de leur arrivée intempestive, assurant qu'ils ne resteraient pas longtemps. Norman lui expliquait qu'ils devaient immédiatement faire demi-tour et aller passer le week-end dans le Vermont. Dans le même temps, les yeux de Griffin disaient à Poppy qu'il ignorait quelle attitude adopter face à Micah.

Star s'appuya au fauteuil.

— Oh, Star ! s'exclama Poppy, surprise.

Mais la fillette ne la regardait pas. Ses grands yeux sérieux restaient fixés sur Théa.

— Euh, bonjour, déclara cette dernière en tendant la main. Je suis Théa. Et toi, tu es Star, n'est-ce pas ?

Star hocha la tête.

— J'ai vu ta photo, continua Théa.

— Tu ressembles à maman.

Micah les rejoignit en quelques enjambées. Il s'arrêta

derrière Star et considéra Norman avec défi. Poppy redouta soudain qu'il ne l'assomme. Ce qui ne faciliterait certainement pas la situation. Parce qu'il fallait bien regarder les faits en face : maintenant que Théa avait retrouvé la trace de sa mère, elle souhaitait connaître ses racines.

Poppy posa une main sur le bras de Micah.

— Le moment est mal choisi, expliqua-t-elle quand il lui jeta un œil. Mais ça part d'un bon sentiment.

La main toujours sur son bras, elle se tourna vers Théa.

— Voici Micah. C'est un instant difficile pour lui parce que nous ne savons pas encore quand Heather va revenir. Alors nous nous occupons en fêtant la saison du sirop d'érable. Micah doit faire bouillir la sève. Vous aimeriez peut-être voir ça ?

Elle sentit Micah se raidir et resserra sa main sur son bras.

Théa sourit à Micah.

— J'aimerais bien, répondit-elle d'une voix timide.

Poppy ne regarda pas Micah. C'était sa maison, sa terre, ses arbres et, si Heather pouvait décider de garder ou non le contact avec sa fille, c'était à lui de décider si Norman et Théa pouvaient rester.

Avant qu'il ait pu dire quoi que ce soit, Star s'avança et prit la main de Théa. Puis, l'air sûr d'elle, elle leva les yeux vers son père.

Après ça, évidemment, Micah n'avait plus rien à dire. Micah ne voulait pas de Théa. Il ne voulait même pas qu'elle *existe*. Mais elle était là et il savait ce que Star éprouvait. Il sentait chez Théa la même bonté que chez Heather. Même si Star n'avait pas bougé, il aurait été incapable de lui demander de partir parce qu'elle faisait partie d'Heather et qu'il l'aimait.

Il aimait aussi Missy qui souffrait. Il fit signe aux autres d'aller à la cabane, puis il rentra dans la maison pour chercher sa fille. Il la trouva dans sa chambre avec Maida, toutes les deux assises sur le lit.

— Nous discutions, expliqua Maida avec un petit sourire. Missy avait besoin de parler.

— Elle avait des secrets, gronda Missy.

Micah s'accroupit devant elle.

— Elle ne pouvait pas faire autrement.

— Elle avait une autre famille.

— Non. Pas vraiment.

— Alors qui est dehors ? Elle ne nous a jamais parlé d'elle. Et qu'est-ce qu'elle nous a encore caché ?

Micah ne savait que répondre. Missy n'avait pas tort. Mais après tout, il n'avait jamais posé de questions non plus. Il avait construit sa vie avec elle, persuadé que le passé ne comptait pas. Alors, peut-être était-ce sa faute.

— Nous lui poserons la question quand elle reviendra.

— Je ne veux pas qu'elle revienne.

— Moi si. Je l'aime. Nous faisons tous des erreurs, Missy – toi, moi, Star. Si Heather en a commis, nous devons lui pardonner.

— Non, protesta Missy, le menton tremblant.

Micah se releva.

— Alors tu la perdras. C'est ce que tu veux ?

Elle ne répondit pas et il se dirigea vers la porte.

— Nous allons fêter la tire maintenant. Tu viens ?

— Je ne sais pas.

— Bon. En tout cas, moi, j'y vais.

Il tendit la main et quand elle se contenta de le regarder sans bouger il la laissa retomber.

Il réalisa qu'elle avait son caractère et qu'il aurait besoin d'Heather plus tard. Pour l'instant, il préféra garder son calme.

— Très bien. Viens quand tu seras décidée.

Micah se concentra sur sa tâche et oublia Heather et Théa. La cabane était bondée et ceux qui ne pouvaient entrer attendaient à l'extérieur. Il y avait du café, du chocolat, du cidre chaud et les conversations allaient bon train. Une atmosphère de liesse bon enfant régnait.

Micah posa des brocs de sirop sur la table où les gens se précipitèrent avec des tasses en plastique pour se servir et déguster. Puis il retourna vers l'évaporateur, mais cette fois, il laissa le sirop bouillir, le remuant sans cesse pour éviter qu'il ne s'attache tandis que la température montait. Quand elle eut atteint la consistance voulue – la tire –, il en remplit quatre pichets, deux pour lui et deux pour Griffin. Tous les deux sortirent alors, confiant à Billy et Amos le soin de surveiller l'évaporateur.

Comment ne pas se sentir bien quand presque tous les gens qu'il aimait se trouvaient autour de lui. Même Willie Jake qui gardait profil bas depuis l'arrestation. Mais Micah n'éprouvait plus aucune animosité à son égard, pas plus qu'envers Norman Anderson à qui Maida – qui semblait sous le charme – faisait connaître la célèbre hospitalité de Lake Henry.

Le soleil donnait des reflets dorés au paysage. Une table avait été dressée dehors sur laquelle étaient placés des plats de beignets et de petits légumes épicés.

Micah avait à peine posé ses deux pichets qu'il fut entouré par les enfants tenant chacun une assiette de neige. En prenant une à la fois, il versait dessus du sirop chaud, dessinant un zigzag. Quand le sirop touchait la neige, il se refroidissait instantanément et se solidifiait suffisamment pour être pris avec les doigts ou une fourchette. La tire avait d'abord reçu le nom de « cire d'érable », avant d'être appelée « sucre de neige », beaucoup plus joli. Mangé ainsi, c'était délicieux, mais accompagné de beignets ou de petits légumes, c'était encore meilleur.

Le sucre de neige figurait toujours parmi les meilleurs souvenirs d'enfance de Micah. Il s'amusait maintenant à écrire l'initiale du prénom de chaque enfant en versant le sirop. Sur l'assiette de Star, il traça un beau « S » et elle gloussa de plaisir. Quand elle lui tendit une deuxième assiette destinée à Théa qui attendait derrière, il dessina un « T » et fut remercié d'un gros baiser de sa fille.

Alors que celle-ci faisait déjà demi-tour, il la retint par le bras.

— Où est Missy ? demanda-t-il.

— Sais pas.

Clairement, elle s'en moquait. Elle adorait cette fille qui faisait partie de la vie d'Heather.

— Elle est avec les filles de Rose, dit Griffin. Elles sont plus haut sur la colline.

Micah leva les yeux et aperçut sa fille assise dans la neige avec Emma, Ruth et deux ou trois autres gamines. Elle mangeait et, apparemment, avait retrouvé sa bonne humeur.

Soulagé, Micah retourna au travail. Une fois les enfants servis, venait le tour des adultes et là, il ne fallut pas longtemps pour vider les pichets. Il envisageait de reprendre le travail quand, du coin de l'œil, il repéra la voiture de police qui s'engageait sur le chemin.

Posant les pichets, il se dit que Pete venait sans doute voir comment ça se passait. Mais un courant glacé le traversa, comme une prémonition, un peu comme celle qu'il avait eue à l'aube, trois semaines auparavant. Il ne fut probablement pas le seul à la ressentir parce que le silence se fit progressivement autour de lui.

Il commença à avancer vers la maison. Cassie apparut dans son champ de vision, mais il ne s'arrêta pas. La voiture ralentit soudain bien qu'elle fût encore assez loin. Elle s'était à peine immobilisée que la portière du passager s'ouvrait.

Heather sortit, marqua une pause l'espace d'un instant, puis se mit à courir. Micah se figea. Le manteau d'Heather volait derrière elle, ses cheveux flottaient au vent et même à cette distance il vit qu'elle pleurait. Mais ses yeux brillaient de joie et son visage reflétait son bonheur. Et elle venait vers lui. Elle courait vers lui. Tous ses doutes disparurent alors d'un coup. Il ne se souvenait même plus d'où ils venaient. Ce que lui et Heather partageaient ne pourrait jamais disparaître : leur vie commune, leurs personnalités qui se complétaient si bien, leur passion.

Il se mit alors à courir lui aussi, de plus en plus vite, et elle fut dans ses bras, répétant son nom en sanglotant, l'étreignant à l'étrangler. Pourtant, paradoxalement, pour la première fois depuis des semaines, il pouvait enfin respirer.

— Je t'aime, murmura-t-elle.

Elle recula un peu pour le regarder, hésitante.

— Puis-je revenir ? J'aimerais revenir.

Il essuya les larmes sur ses joues et l'embrassa de toutes ses forces, de tout son amour. Puis il la serra contre lui et ferma les yeux pour savourer son bonheur. Ensuite, il la souleva de terre et la fit tournoyer. Il avait la tête qui tournait, mais il n'avait jamais été plus heureux de sa vie.

Quand il la reposa, il ne pouvait plus s'arrêter de sourire. Ni elle. Même pas quand elle murmura qu'elle avait besoin d'une douche, qu'elle voulait se laver de toute cette horreur et redevenir elle-même. Elle toucha sa joue avec sa douceur habituelle ; cette façon n'appartenait qu'à elle et voulait dire qu'il comptait plus pour elle que n'importe qui au monde.

— Je voudrais voir mes filles, dit-elle enfin.

Ils se tournèrent vers la foule et virent Star arriver en courant sur Heather qui la prit dans ses bras et la serra contre elle.

— Où est Missy ? demanda-t-elle ensuite à Star.

Missy était debout avec les autres, hésitante, l'air de ne pas savoir si elle voulait venir ou s'enfuir.

« Viens ici tout de suite », avait envie de gronder Micah. Mais il se rattrapa. C'était les mots de son père, qui grondait toujours, puis ordonnait et finalement punissait si sa volonté n'était pas respectée. Micah avait toujours refusé de lui ressembler et Heather l'avait aidé, comme maintenant.

Reposant Star, elle s'avança vers Missy. De là où il était, Micah ne put voir si elle parlait, mais elle baissa la tête et caressa les cheveux de la fillette.

Celle-ci jeta un coup d'œil à son père avant de détourner le regard pour le fixer sur Heather. Les yeux pleins de larmes, elle se mit alors à pleurer et se précipita dans les bras de sa mère.

Les autres se rapprochèrent alors à leur tour pour l'accueillir, l'étreindre.

Pete plaça une main sur l'épaule de Micah.

— Nous avons insisté pour qu'elle sorte aujourd'hui. C'était la moindre des choses. C'est une femme bien.

Micah serra sa main et, Star contre lui, rejoignit les autres. Quand il arriva près d'elle, Heather, qui tenait la main de Missy, passa un bras autour de sa taille. Et tous les quatre restèrent ainsi un moment, debout sur leur terre, entourés des gens qu'ils aimaient. À cet instant, si on avait offert une fortune à Micah pour son terrain, il aurait refusé. Il s'estimait déjà l'homme le plus riche du monde.

Après une profonde respiration, il regarda autour de lui. Là où, un peu à l'écart, respectueux de leurs retrouvailles, se tenaient les Anderson.

Rassuré maintenant, Micah prit la main d'Heather.

— Il y a quelqu'un que je veux te présenter, dit-il.

Star sur sa hanche, il entraîna Heather et Missy à travers la foule. Quand ils arrivèrent près de la cabane, Heather poussa un petit cri et s'arrêta.

Micah serra sa main.

Théa ne bougea pas. Elle semblait terrifiée et Micah se rendit compte alors qu'elle redoutait que sa mère ne refuse de la voir.

— C'est son père près d'elle, expliqua-t-il à Heather. Ils s'adorent et ils sont heureux. Mais elle voulait te connaître.

Heather regarda Micah, les yeux brillants de larmes. Elle lui demandait la permission.

À cet instant, elle aurait pu lui demander n'importe quoi et il le lui aurait donné sans hésiter tant il l'aimait.

Elle dut le lire dans son regard car elle parut s'apaiser. Alors, sans lâcher la main de Missy, elle s'approcha de Théa.

Après toutes ces émotions, Poppy savait enfin ce qu'elle devait faire.

Contre toute attente, Micah avait abandonné la préparation du sirop pour la journée, une chose qu'il n'avait jamais faite de mémoire d'homme. Il voulait rester avec Heather. De sorte que Poppy avait Griffin pour elle toute seule.

Pendant qu'elle se changeait et se dirigeait vers la salle de gym, il alluma le feu et s'occupa des téléphones. Victoria la suivit, mais s'arrêta sur le pas de la porte. Poppy se dit qu'elle avait compris et la surveillait pour voir si elle se dégonflerait.

Mais elle n'en avait pas l'intention. Le moment était venu.

Elle commença par travailler le haut du corps avec les différents appareils. Quand elle sentit ses muscles suffisamment chauds, elle s'approcha du mur où étaient appuyées les prothèses de jambes. Elle les détestait, mais elles avaient un rôle important à jouer dans son projet.

Elle attrapa les prothèses, les posa sur ses genoux et fit rouler le fauteuil jusqu'aux barres parallèles qu'elle contempla un long moment. Puis après avoir respiré un grand coup, elle appela Griffin.

Il arriva à la porte avec un large sourire qui disparut quand il aperçut ce qu'elle tenait. Il la regarda d'un air grave, plein d'espoir. C'était juste ce qui lui manquait pour se donner du courage. Elle montra donc les prothèses.

— Elles sont un peu difficiles à mettre, dit-elle. Tu veux bien m'aider ?

Quatre semaines plus tard, elle sortit seule sans dire où elle allait. Griffin, qui terminait la biographie de Hayden, supposa qu'elle allait juste faire un tour en ville.

Au volant du Blazer, elle ouvrit la fenêtre. Avril était arrivé avec son lot de pluies tièdes qui transformaient les routes non goudronnées en mares de boue. La saison du sirop d'érable était terminée et les bourgeons faisaient leur apparition sur les arbres. L'air sentait bon la terre et le réveil de la nature.

La glace s'était brisée à quatorze heures exactement, la veille. Poppy l'avait observée du ponton et avait appelé Griffin à la dernière minute, juste au moment où elle s'était dissoute pour disparaître dans le lac. Au coucher du soleil, Poppy avait entendu le cri de deux plongeons. Elle avait tendu l'oreille après ça, mais en vain. Il ne s'agissait probablement que de deux éclaireurs venus en reconnaissance.

Elle traversa la ville et prit la petite route qui montait vers le cimetière. Partiellement goudronnée, elle disparaissait sous les flaques d'eau. Sur les bordures, la neige avait fondu, à l'exception de quelques passages à l'ombre, mais la terre avait encore une couleur brunâtre.

Arrivée sur la petite butte où se trouvait la tombe de Perry, elle se gara.

Sans se donner le temps de réfléchir, elle descendit de la voiture et la contourna pour prendre ses affaires dans le coffre. Elle enfila ensuite ses prothèses. Elle avait pris le coup maintenant, mais la nervosité ralentissait ses mouvements.

Perry était là – vingt mètres les séparaient.

Très vite, de peur de perdre son courage, elle tira les béquilles du coffre et les glissa sur ses avant-bras. Puis, après avoir choisi avec soin l'endroit où poser le pied des béquilles – un endroit sec et dur – et respiré un grand coup, elle se souleva de son fauteuil. Elle l'avait fait à de nombreuses reprises au cours des dernières semaines, prenant chaque fois un peu plus de force et d'assurance. Elle l'avait même fait récemment sans Griffin. Mais jamais hors de la maison. La terre boueuse suffisait à elle seule à compliquer la tâche. Ajoutés à cela la distance et le fait que si elle tombait, elle risquait d'avoir du mal à se relever, le challenge n'était pas mince.

Avec détermination pourtant, elle porta son poids sur sa jambe gauche et avança la droite d'un mouvement de hanche. Elle porta ensuite le poids de son corps sur la jambe droite et déplaça la gauche d'un autre mouvement de hanche. Elle progressa ainsi, une jambe après l'autre sans regarder en arrière, refusant de réfléchir à la distance de plus en plus grande qui la séparait de son fauteuil. Elle ne regardait pas non plus les tombes de chaque côté. Ses yeux ne quittaient pas la route, évaluant la résistance du terrain tandis qu'elle se concentrait à bouger le haut du corps.

Elle eut un instant de frayeur quand une des béquilles s'enfonça dans la boue, la déséquilibrant, mais elle resta debout. Devant elle, le banc, but de sa balade. Quand elle sentit ses muscles se fatiguer, ses bras trembler sous l'effort, elle s'arrêta et respira un grand coup pour se décontracter. Puis elle reprit son avancée. Elle transpirait maintenant, mais elle approchait. Et plus la distance diminuait, plus sa détermination grandissait.

La respiration laborieuse, elle atteignit enfin le banc. Mais elle ne voulait pas s'asseoir au bout – trop facile. Elle visait le milieu. Les derniers pas furent les plus difficiles. Elle était fatiguée – et particulièrement émue. Bien qu'elle se réjouît de son exploit, un sentiment de perte traînait aussi au coin de sa conscience.

Parvenue au milieu du banc, elle se tourna et se baissa jusqu'à s'asseoir. Il lui fallut quelques minutes pour retrouver son souffle. Les crampes dans ses bras finirent par disparaître.

Puis elle étudia la tombe. « Perry Walker. Fils et ami bien-aimé, parti bien trop tôt. » En dessous ses dates de naissance et de mort.

Elle lut et relut l'épitaphe sur la pierre tombale, la gorge serrée, les yeux pleins de larmes.

— Pardon, murmura-t-elle d'une voix entrecoupée. Je suis tellement désolée.

Elle n'essuya pas les larmes qui coulaient sur ses joues. Les deux mains accrochées au banc, elle pleura pour Perry et sa famille et tout ce qu'ils avaient perdu. Elle pleura pour sa propre famille et tout ce qu'elle leur avait fait subir. Elle pleura aussi pour elle-même, pour la perte de son enfance et d'une certaine innocence depuis cette nuit fatidique, douze ans plus tôt.

Elle pleura longtemps jusqu'à ce que ses larmes se tarissent. Alors, mentalement, elle parla à Perry, lui racontant tout ce qu'elle avait fait au cours de ces douze années, sachant qu'il l'entendrait.

Enfin, elle ferma les yeux, baissa la tête et pria.

Un bruit attira son attention. Ouvrant les yeux, elle leva la tête et écouta. Une minute plus tard, le bruit se manifesta de nouveau, lui arrachant un sourire. Elle se redressa et éprouva un calme qu'elle n'avait pas connu depuis longtemps. Après un dernier regard à la tombe de Perry, elle attrapa ses béquilles et, se retournant pour estimer la distance jusqu'au Blazer, elle découvrit Griffin.

Elle aurait dû être surprise, mais elle ne le fut pas. Il la connaissait si bien. Il avait dû savoir pourquoi elle voulait marcher, tout comme il avait dû deviner ce qui la tracassait ces derniers temps et où elle se rendait aujourd'hui.

Sa présence lui parut alors comme une évidence. Il l'avait accompagnée tout au long de cette période difficile. Plus exactement même, il en avait été l'instigateur par de nombreux aspects.

Le voir fit renaître en elle une émotion aussi forte que celle qu'elle avait éprouvée quelques minutes plus tôt pour Perry. Mais pas de peine pour Griffin. Seulement de l'amour et beaucoup de joie. Un bonheur si intense qu'elle crut que son cœur était sur le point d'éclater.

Il ne bougea pas. Ne s'avança pas pour la prendre dans ses bras. Son regard exprimait sa confiance en elle. Il savait qu'elle pouvait le faire.

Souriante, elle repartit en sens inverse, la démarche aussi vacillante qu'à l'aller, mais avec un état d'esprit différent. Elle n'affrontait plus le passé avec son lot de malheurs et de peines. Elle allait vers l'avenir. Et son futur s'appelait Griffin.

Quand elle fut à mi-chemin, il vint à sa rencontre, mais lentement, à son rythme, de façon détendue et nonchalante. Elle l'adora pour chaque pas.

Arrivée devant elle, il ne la toucha pas.

— Je t'aime tellement que ça me fait mal, déclara-t-il.

Elle se mit à rire. Il n'aurait pu mieux choisir ses mots.

Il sourit, mais une certaine inquiétude subsistait dans son regard.

— J'ai quelque chose dans ma poche, dit-il.

— Je peux voir ?

— Sers-toi.

Ajustant ses béquilles, elle glissa la main dans sa poche.

— Sors-la, murmura-t-il.

Sa main ressortit avec une bague au bout de son doigt. Griffin l'enfonça et quand elle la regarda elle ne put retenir un petit cri. La bague se composait d'une magnifique émeraude flanquée de petites baguettes de diamants, le tout monté sur du platine.

— La pierre centrale appartenait à ma mère, expliqua-t-il. Je serais très honoré que tu acceptes de la porter.

Poppy pouvait à peine respirer.

— Oh, mon Dieu, dit-elle dans un souffle. Elle est tellement belle.

Et soudain, elle fut fatiguée de se tenir debout. Lançant ses bras autour du cou de Griffin, elle laissa tomber les béquilles par terre. Il la rattrapa et la serra contre lui.

— Belle ne suffit pas. C'est oui ou non.

— Oui. Oui, oui, oui, cria-t-elle et un autre cri lui répondit.

Le cri qu'elle avait entendu quelques minutes plus tôt, saluant le printemps.

Les plongeons étaient de retour à Lake Henry.

Remerciements

Mes livres ne seraient pas aussi consistants et vivants sans l'aide de nombreuses personnes. Pour *Les Fautes du passé,* je tiens d'abord à remercier mon agent, Amy Berkower, non seulement pour le choix du titre, mais aussi pour son indéfectible support, sa compréhension et son enthousiasme. Mes remerciements également à mes éditeurs, Michael Korda et Chuck Adams. Ce livre était complexe. J'ai toujours su que je finirais par m'en sortir, mais sans vraiment savoir comment. Je remercie Michael et Chuck pour leur patience au cours de ces longs mois de silence de ma part et pour leur confiance dans ma capacité d'assembler toutes les pièces du puzzle.

Les Fautes du passé aborde deux sujets dont je ne connaissais que peu de chose et qui m'ont obligée à de nombreuses recherches. À cet égard, deux personnes se sont révélées précieuses par la qualité des informations qu'elles m'ont fournies : Jean O'Leary qui m'a fait partager son expérience sur les lésions touchant le bas de la colonne vertébrale et la vie dans un fauteuil roulant ; et Betty Ann Lockhart, si généreuse, intéressante et imaginative lors de ses explications sur les étapes de la récolte du sirop d'érable. Ces deux femmes ont parfaitement saisi les besoins de mon intrigue et je les en remercie chaleureusement. Si malgré ça des erreurs techniques apparaissaient dans ce livre, la faute m'en incomberait uniquement.

Les Fautes du passé n'est ni un livre sur la paraplégie ni un manuel consacré à l'acériculture. Je me suis contentée d'insérer dans mon histoire les informations transmises par Jean et Betty Ann et j'aime à penser que les maladresses techniques que j'aurais pu commettre viennent plus de ma liberté poétique que de mon ignorance.

J'adore les chats comme beaucoup d'entre vous le savent et je mêle souvent un chat à mes histoires parce que je sais ce que représente la présence de cet animal dans une maison – ce qui ne veut pas dire que je connaisse tout à leur sujet. Et de fait, les merveilleux adhérents du bulletin d'informations du *Best Friends Pet Sanctuary* ont apporté des réponses déchirantes à toutes mes questions, ce dont je tiens à les remercier ainsi que le magazine, non seulement pour leur aide, mais également pour le formidable travail qu'ils accomplissent. Tous mes remerciements aussi à tous ceux qui ont contribué à ce roman par leur aide sur des sujets plus modestes. Vous vous reconnaîtrez tous. Sachez combien j'ai apprécié votre contribution ainsi que celle de mon assistante. Tous mes remerciements à Wendy Page qui organise avec un tel talent ma vie professionnelle pour me permettre de me consacrer sans souci à l'écriture.

Comme toujours, je remercie mes enfants – Eric et Jodi, Andrew, Jeremy et Sherrie, dans l'ordre de leur naissance. Qu'ils soient proches ou éloignés, ils restent les piliers de ma vie. Et que dire de Steve ? Toujours là pour moi. Je tiens à le remercier non seulement pour ses réponses sur les questions légales, mais aussi, Dieu le bénisse, pour sa patience lors de deux dîners pendant lesquels je lui ai décrit le dénouement de mon histoire qu'il a su écouter avec toute l'émotion requise et même des larmes dans les yeux. Un écrivain – une femme, une épouse – n'aurait pu trouver meilleur public.

Enfin, je remercie tous mes lecteurs. Je ne sais pas si j'aurais eu le courage de m'attaquer à cette histoire sans votre demande pressante, même si l'écrire a représenté pour moi une expérience extrêmement gratifiante. À cette époque où des termes comme parts de marché et résultats financiers tiennent une si grande place, l'essentiel pour moi restera toujours mes lecteurs. Mes remerciements à tous et à chacun d'entre vous.

Photocomposition réalisée
par Interligne

Impression réalisée sur CAMERON
par BRODARD ET TAUPIN
La Flèche
en mars 2004

Imprimé en France
Dépôt légal : mars 2004
N° d'édition : 51023 – N° d'impression : 23017